知っておきたい

相続税の常識

小池正明 [著]

[第24版]

税務経理協会

はじめに

　わが国は，世界の中で有数の経済大国といわれており，個人の貯蓄水準はきわめて高い。また，バブル経済の崩壊後，地価が下落したとはいえ，諸外国と比較すれば，いぜんとして土地は高額資産である。

　このような状況を背景として，相続税という税金は，従来にも増して身近なものとなり，財産の承継問題ともからんで関心の度合が高まっている。また，平成27年1月1日以後の相続からは，基礎控除額の引下げ等を含む改正相続税法が適用されたため，一段と関心が高まっている。

　こうした意味で私たちは，相続税のしくみや，相続税と密接な関連のある贈与税について，正確な知識を得ておく必要がある。しかしながら，いきなり相続税法の条文や専門的な解説書を読んでも，その内容を理解することはほとんど不可能といってよい。また，相続税は，民法の相続制度を前提としているため，民法の知識がないと相続税も理解できないという特徴がある。

　したがって，相続税をマスターするためには，税法そのものの基本的な学習もさることながら，民法と相続税法の関係や相続税と贈与税の関係など，全体的な姿をとらえることが重要になる。

　本書は，このような観点から，初めて相続税を勉強しようとする人を対象に，基本的な重要事項を体系的に取り上げて，わかりやすく解説したものである。そのため，枝葉にわたる事項やそれほど重要でないことがらはカットしたり，ごく簡単な説明にとどめている。その代わり，基本的な事項について，なぜそのような制度になっているのか，相続税法の中でどのような位置付けにあるのか，といった解説に気を配ったつもりである。

　本書が相続税法を初めて勉強しようとする人のために，また，税理士試験をめざす人の入門書として少しでもお役に立てれば幸いである。

　　令和5年5月　　　　　　　　　　　　　　　　　　　　小　池　正　明

凡　例

1. 本書は令和5年4月現在の法令に基づいている。
2. 法令等の略称は次による。

    法　　…… 相続税法
    令　　…… 相続税法施行令
    規　　…… 相続税法施行規則
    通則法 …… 国税通則法
    措　法 …… 租税特別措置法
    措　令 …… 租税特別措置法施行令
    措　規 …… 租税特別措置法施行規則
    基　通 …… 相続税法基本通達
    評基通 …… 財産評価基本通達
    措　通 …… 租税特別措置法関係通達
    民　　…… 民法

3. 条項号は次による。

    1，2の数字 …… 条
    ①，②の数字 …… 項
    一，二の数字 …… 号

目　次

第1章　相続税・贈与税の性格

第1節　相続税・贈与税はどんな税金か……………………………3
1　税の種類と区分……………………………………………………3
2　相続税・贈与税の分類……………………………………………3
第2節　相続税の性格……………………………………………………5
1　相続税を課税する理由……………………………………………5
2　遺産課税方式と遺産取得課税方式………………………………6
第3節　贈与税の性格……………………………………………………8
1　贈与税を課税する理由……………………………………………8
2　相続税・贈与税と相続時精算課税制度…………………………9
3　相続税・贈与税と所得税との関係………………………………9
第4節　相続税法の条文構成…………………………………………10

第2章　民法の相続制度のあらまし

第1節　相続の意義……………………………………………………17
1　相続の開始………………………………………………………17
2　相続の対象となる財産…………………………………………18
第2節　相続人の範囲と順位…………………………………………19
1　相続人の範囲……………………………………………………19
2　血族相続人の順位………………………………………………20
3　配偶者の相続順位………………………………………………21
4　養子と非嫡出子の相続権………………………………………21
5　代襲相続の意義…………………………………………………22
第3節　相続分の意義と内容…………………………………………24

	1　相続分の意義と種類……………………………………………24
	2　法定相続分……………………………………………………25
	3　代襲相続人の相続分…………………………………………27
	4　指定相続分……………………………………………………27
	5　特別受益者の相続分…………………………………………29

第4節　相続の承認と放棄………………………………………………31
　　1　承認・放棄と相続人の選択…………………………………31
　　2　相続の放棄と相続人・相続分………………………………32
第5節　遺贈と死因贈与…………………………………………………34
　　1　遺贈の意義……………………………………………………34
　　2　包括遺贈と特定遺贈…………………………………………34
　　3　死因贈与………………………………………………………35
第6節　遺産の分割………………………………………………………37
　　1　遺産分割の意義………………………………………………37
　　2　遺産の分割と相続税…………………………………………37

第3章　相続税の課税原因と納税義務者

第1節　相続税の課税原因………………………………………………41
　　1　三つの課税原因………………………………………………41
　　2　相続・遺贈・死因贈与の意義………………………………41
第2節　相続税の納税義務者……………………………………………42
　　1　納税義務者の原則……………………………………………42
　　2　無制限納税義務者と制限納税義務者………………………42
　　3　国内居住者の区分……………………………………………43
　　4　国外居住者の区分……………………………………………45
　　5　人格のない社団等に対する課税……………………………47
　　6　持分の定めのない法人に対する課税………………………47
　　7　特定一般社団法人等に対する課税…………………………48

8　財産の所在……………………………………………………………49

第4章　相続税の課税財産

第1節　相続税の課税財産……………………………………………53
1　財産の意義…………………………………………………………53
2　本来の相続財産とみなし相続財産………………………………53

第2節　みなし相続財産の種類と内容………………………………56
1　みなし相続財産の種類……………………………………………56
2　生命保険金等………………………………………………………57
3　退職手当金等………………………………………………………60
4　生命保険契約に関する権利………………………………………62

第5章　相続税の非課税財産

第1節　非課税財産の意義と種類……………………………………67
1　非課税財産の意義…………………………………………………67
2　非課税財産の種類…………………………………………………68

第2節　非課税財産の内容と要件……………………………………69
1　皇室経済法の規定により皇嗣が承継する物……………………69
2　墓所，霊びょう，祭具など………………………………………69
3　公益事業者が取得した公益事業用財産…………………………69
4　心身障害者扶養共済制度に基づく給付金の受給権……………70
5　生命保険金に対する非課税控除…………………………………70
6　退職手当金等に対する非課税控除………………………………74
7　相続財産を国や特定の公益法人に寄付した場合の非課税の特例……76

第6章　相続税の債務控除

第1節　債務控除の意義と適用対象者………………………………81
1　債務控除の意義……………………………………………………81

2　債務控除の適用対象者……………………………………………81
　第2節　債務控除の範囲と控除できる債務・葬式費用……………83
　　1　無制限納税義務者と制限納税義務者の債務控除……………83
　　2　未納の公租公課の取扱い………………………………………84
　　3　特別寄与料の取扱い……………………………………………85
　　4　葬式費用の範囲…………………………………………………86

第7章　相続税の課税価格の計算

　第1節　相続税の計算方法の概要と課税価格の計算………………89
　　1　相続税の計算の概要……………………………………………89
　　2　相続税の課税価格の計算………………………………………90
　第2節　相続開始前7年以内の贈与財産の加算……………………91
　　1　規定の趣旨と相続・贈与の関係………………………………91
　　2　生前贈与財産の加算規定の内容………………………………92
　第3節　未分割遺産がある場合の課税価格の計算…………………96
　　1　遺産の分割・未分割と課税価格………………………………96
　　2　「民法の規定による相続分」の意義…………………………96
　第4節　小規模宅地等についての課税価格の計算の特例…………99
　　1　特例の趣旨と概要………………………………………………99
　　2　小規模宅地等の意義……………………………………………99
　　3　特例の適用対象面積（限度面積要件）………………………100
　　4　減額の割合………………………………………………………103
　　5　特例対象宅地等の意義…………………………………………105
　　6　特例を受けるための申告手続き………………………………114

第8章　相続税額の計算

　第1節　相続税の総額の計算…………………………………………117
　　1　相続税の総額の計算のあらまし………………………………117

2　遺産に係る基礎控除額 …………………………………………118
　　3　相続税の税率 ……………………………………………………121
　　4　相続税の総額の計算例 …………………………………………123
　第2節　納付税額の計算 ………………………………………………125
　　1　納付税額の計算のあらまし ……………………………………125
　　2　算出税額の計算 …………………………………………………126
　　3　相続税額の加算 …………………………………………………128
　　4　贈与税額控除 ……………………………………………………129
　　5　配偶者に対する相続税額の軽減 ………………………………131
　　6　未成年者控除 ……………………………………………………136
　　7　障害者控除 ………………………………………………………138
　　8　相次相続控除 ……………………………………………………139
　　9　外国税額控除（在外財産に対する相続税額の控除）………142

第9章　相続税の申告と納税

　第1節　相続税の申告 …………………………………………………147
　　1　申告義務者，申告期限，申告先 ………………………………147
　　2　期限後の申告と申告内容の訂正手続き ………………………148
　第2節　相続税の納付 …………………………………………………151
　　1　納付方法の原則 …………………………………………………151
　　2　延　　納 …………………………………………………………152
　　3　物　　納 …………………………………………………………155

第10章　贈与税の課税原因と納税義務者

　第1節　贈与税の課税原因 ……………………………………………163
　　1　贈与の意義と贈与税の課税原因 ………………………………163
　　2　贈与税の性格と贈与の課税関係 ………………………………163
　第2節　贈与税の納税義務者 …………………………………………165

1　無制限納税義務者と制限納税義務者 …………………………165
　　2　国内居住者の区分 ……………………………………………165
　　3　国外居住者の区分 ……………………………………………167
　　4　人格のない社団等と持分の定めのない法人に対する課税 …………169

第11章　贈与税の課税財産と非課税財産

　第1節　贈与税の課税財産 ……………………………………………173
　　1　財産の意義と課税財産 ………………………………………173
　　2　本来の贈与財産とみなし贈与財産 ……………………………174
　第2節　みなし贈与財産の種類と課税要件 ………………………175
　　1　みなし贈与財産の種類 ………………………………………175
　　2　みなし贈与財産の課税要件 …………………………………176
　第3節　贈与税の非課税財産 ………………………………………180
　　1　非課税財産の種類 ……………………………………………180
　　2　非課税となる要件 ……………………………………………181
　　3　住宅取得等資金の贈与に係る非課税の特例 …………………184
　　4　教育資金の一括贈与に係る非課税の特例 ……………………187
　　5　結婚・子育て資金の一括贈与に係る非課税の特例 ……………192

第12章　贈与税の課税価格と税額の計算

　第1節　課税価格と基礎控除 ………………………………………199
　　1　贈与税の課税価格の計算 ……………………………………199
　　2　贈与税の基礎控除 ……………………………………………200
　第2節　贈与税額の計算 ……………………………………………201
　　1　税率と税額計算の方法 ………………………………………201
　　2　軽減税率と一般税率の双方が適用される場合の税額の計算方法 …204
　　3　税額控除（外国税額控除） ……………………………………205
　　4　人格のない社団等の場合の贈与税額の計算方法 ……………206

5　贈与税の配偶者控除の特例 …………………………………………207

第13章　贈与税の申告と納付

第1節　贈与税の申告 …………………………………………………213
　　1　申告義務者，申告期限，申告先 ……………………………………213
　　2　期限後申告，修正申告，更正の請求 ………………………………214
第2節　贈与税の納付 …………………………………………………215
　　1　納付方法の原則 ………………………………………………………215
　　2　贈与税の延納 …………………………………………………………215

第14章　相続時精算課税制度のしくみと相続税・贈与税

第1節　相続時精算課税制度のしくみと意義 ……………………219
　　1　制度のあらまし ………………………………………………………219
　　2　相続税と贈与税の一体化措置の意義 ………………………………222
第2節　相続時精算課税制度の適用対象者と適用手続 …………223
　　1　制度の適用対象者 ……………………………………………………223
　　2　制度の選択手続と選択届出書の効力 ………………………………224
第3節　相続時精算課税制度における贈与税の計算 ……………225
　　1　贈与税の課税価格の計算と特別控除・税率 ………………………225
　　2　相続時精算課税の基礎控除 …………………………………………225
　　3　相続時精算課税制度における住宅取得等資金の贈与の特例 ……227
第4節　相続時精算課税制度における相続税の計算 ……………230
　　1　課税価格の計算と贈与財産価額の加算 ……………………………230
　　2　相続税額の計算と相続時精算課税に係る贈与税額の控除 ………234
　　3　相続時精算課税適用者がある場合の相続税の計算例 ……………235
　　4　相続時精算課税制度と暦年課税方式との違い ……………………237

第15章　非上場株式等に係る相続税・贈与税の納税猶予制度

第1節　事業承継税制の意義と背景 …………………………………………241
 1　中小企業の事業承継問題 ……………………………………………241
 2　経営承継円滑化法と事業承継税制 …………………………………241

第2節　非上場株式に係る相続税の納税猶予制度 …………………………243
 1　制度の概要 ……………………………………………………………243
 2　認定承継会社の要件 …………………………………………………244
 3　被相続人と相続人の要件 ……………………………………………246
 4　特例の対象になる株式等の範囲 ……………………………………246
 5　相続税の納税猶予税額の計算方法 …………………………………247
 6　納税猶予期限の確定と猶予税額の納付 ……………………………249
 7　猶予税額の免除 ………………………………………………………251
 8　特例の適用を受ける場合の手続 ……………………………………252

第3節　非上場株式に係る贈与税の納税猶予制度 …………………………253
 1　制度の概要 ……………………………………………………………253
 2　認定贈与承継会社の要件 ……………………………………………253
 3　贈与者と受贈者の要件 ………………………………………………254
 4　特例の対象になる株式等の贈与 ……………………………………255
 5　贈与税の納税猶予税額の計算方法 …………………………………256
 6　猶予税額の納付と免除の事由 ………………………………………257
 7　特例の適用を受ける場合の手続 ……………………………………258

第4節　贈与者が死亡した場合の相続税課税の特例 ………………………259
 1　株式等の贈与者の死亡とみなし相続 ………………………………259
 2　相続税の納税猶予の適用 ……………………………………………259

第5節　非上場株式に係る納税猶予の特例 …………………………………260
 1　特例制度の趣旨 ………………………………………………………260
 2　特例制度の概要 ………………………………………………………260

3　特例措置の適用を受ける場合の手続 …………………………265

第16章　個人事業者の事業用資産に係る相続税・贈与税の納税猶予制度

　第1節　個人事業者の事業承継問題と税制の背景 ……………………269
　　1　個人事業者の事業承継問題 …………………………………269
　　2　経営承継円滑化法と個人事業者の事業承継税制 ……………269
　第2節　特定事業用資産に係る相続税の納税猶予制度 ………………270
　　1　制度の概要 ……………………………………………………270
　　2　納税猶予制度の適用対象事業 …………………………………270
　　3　被相続人と相続人の要件 ……………………………………271
　　4　納税猶予の対象になる事業用資産の範囲 ……………………272
　　5　相続税の納税猶予税額の計算方法 ……………………………273
　　6　納税猶予期限の確定と猶予税額の納付 ………………………274
　　7　現物出資による会社設立の場合の取扱い ……………………276
　　8　猶予税額の免除 ………………………………………………276
　　9　納税猶予の適用を受ける手続 …………………………………276
　第3節　特定事業用資産に係る贈与税の納税猶予制度 ………………277
　　1　制度の概要 ……………………………………………………277
　　2　贈与者と受贈者の要件 ………………………………………277
　　3　贈与税の納税猶予税額の計算方法 ……………………………278
　　4　納税猶予期限の確定と猶予税額の納付 ………………………278
　　5　納税猶予の適用を受ける手続 …………………………………278
　第4節　贈与者が死亡した場合の相続税課税の特例 …………………280
　　1　事業用資産の贈与者の死亡とみなし相続 ……………………280
　　2　相続税の納税猶予の適用 ……………………………………280

第17章　相続税・贈与税の財産評価

第1節　財産評価の意義と評価の原則 …………………………283
 1　財産評価の意義 …………………………………………283
 2　評価の原則と「時価」の意義 …………………………283
 3　評価の基準 ………………………………………………284
第2節　土地の評価 ……………………………………………285
 1　土地の評価上の区分 ……………………………………285
 2　宅地の評価方法 …………………………………………287
 3　宅地の評価単位 …………………………………………287
 4　路線価方式による評価 …………………………………288
 5　倍率方式による評価 ……………………………………295
 6　貸し付けられている宅地の評価 ………………………296
 7　貸家の敷地となっている宅地の評価 …………………298
 8　借地権の評価 ……………………………………………300
 9　その他の土地評価の概要 ………………………………301
第3節　家屋の評価 ……………………………………………302
 1　家屋の評価方法 …………………………………………302
 2　貸家の評価 ………………………………………………302
第4節　配偶者居住権の評価 …………………………………304
 1　配偶者居住権の意義 ……………………………………304
 2　配偶者居住権の評価方法 ………………………………305
第5節　株式の評価 ……………………………………………308
 1　株式の区分 ………………………………………………308
 2　上場株式の評価 …………………………………………308
 3　取引相場のない株式の評価 ……………………………310
第6節　公社債，預貯金その他の財産の評価 ………………324
 1　公社債の評価 ……………………………………………324

2　預貯金の評価 …………………………………………………328
　3　その他の財産の評価の概要 …………………………………329
巻末演習問題 ……………………………………………………………331

第1章　相続税・贈与税の性格

---- **ポイント** ----
(1) 相続税・贈与税は，直接税としてかかる国税であり，いわゆる財産課税に分類される。財産課税の形態は，財産の取得，財産の保有，財産の譲渡などに分かれるが，相続税・贈与税は，財産の取得に対して課税されるものである。
(2) 相続税は，特定の人に集中した富（財産）の再分配を行うとともに，被相続人（亡くなった人）の生前における所得課税を清算する目的で課税されるものである。
(3) 相続税の課税方式には，遺産課税方式と遺産取得課税方式の二つがあり，現行の課税のしくみは，遺産取得課税方式を基本とし，一部に遺産課税方式を取り入れた折衷方式になっている。
(4) 相続税と贈与税は密接な関係があり，贈与税は，相続税を補完するために設けられている税である。また，相続税が所得課税を清算する目的をもっていることから相続税は所得税の補完税であるという見方もできる。
(5) 相続税法は，相続税と贈与税の二つの税目を規定した「一税法二税目」の法律である。

第1節　相続税・贈与税はどんな税金か

1　税の種類と区分

　私たちの回りには，実に数多くの税金がある。会社や個人の事業の利益にかかる税金，不動産の売却，購入あるいは保有をしている場合にかかる税金，モノやサービスの購入や提供を受けたこと（消費）にかかる税金，契約書や領収証などの書類を作成した場合にかかる税金……などなど，数えあげたら切りがない。もちろん，この本のテーマである財産を相続したり，贈与を受けたときにかかる税金もある。

　これらの税金は，いろいろな方法で分類することができる。まず，国がかける税金か，県や市などの地方公共団体がかける税金かで区分できる。前者を国税，後者を地方税という。

　また，税金のかけ方が直接的であるか間接的であるかによって，直接税と間接税に区分することができる。納税する人と実際にその税を負担する人が同じ人であれば直接税，納税者はモノやサービスを提供した人で，代金に上乗せされて最終的な消費者が税金を負担する場合は間接税ということになる。

　さらに，税金のかかる対象が，事業からの利益であるか，あるいは財産なのか，また，私たちがモノを消費したことにあるのか，などによって，収得税（所得税，法人税など），財産税（相続税，贈与税，固定資産税など），消費税（消費税，酒税など），流通税（印紙税，登録免許税など）といった区分もできる。

2　相続税・贈与税の分類

　相続税という税金は，相続という原因で財産を取得した人に国が課税するもの，また，贈与税は財産をタダでもらった人に国が課税するものであることから，いずれも直接税としての国税であり，また財産税の一種ということになる（ただし，このあと述べるように，相続や贈与で財産を取得するのは，一種の利益であ

り，相続税や贈与税は，財産税ではなく，所得税の一種であるという考え方もできる。)。

なお，個人や会社が事業から得られた利益（所得）には，国税として所得税や法人税がかかり，その利益や税額をもとに地方税として道府県民税，市町村民税，事業税がかかっている。

しかし，相続税や贈与税に直接関連した地方税はない。相続や贈与で財産を取得すると，国税として相続税や贈与税がかかるが，その取得に対して地方税はかからないということである（ただし，贈与された財産が土地や家屋の場合は，不動産取得税という地方税がかかる。)。

第2節 相続税の性格

1 相続税を課税する理由

　相続税について詳しいことは，あとで勉強するが，要するに，亡くなった人（「被相続人」という。）から相続で財産を取得した場合に，その取得した人（「相続人」という。）にかけられる税金である。

　ところで，相続による財産になぜ税金をかけるのか，ということについては，いろいろな考え方がある。ここでは，一般にいわれている次の二つの理由にふれておくこととする。

　① 富（財産）の分配説
　② 所得課税清算説

　このうち①は，特定の人に集中した富（財産）を社会に広く還元してもらおうという考え方である。私たち国民は，あまり貧富の差があるよりも，ある程度まで経済的に平等であるほうが望ましいといえる。そのためには，特定の人に集中した財産を何らかの機会に社会に分配してもらわなければならない。

　そこで，人の死亡という機会に，一定額以上の財産を残した人から国がその一部を徴収し，これを社会に還元するために相続税をかけるというわけである。この考え方は，個人の利益（所得）にかかる所得税と同じ考え方である。所得の多い人からは，所得の少ない人よりも多くの所得税を徴収し，社会に還元して経済的平等を図ろうとしているわけである。

　一方，上記の②は，亡くなった人の生前における所得税を清算するという考え方である。私たちは，1年ごとの所得について所得税を負担している。そして，所得税を払った残りで消費生活をしているのであるが，消費に回らなかった部分は財産として貯蓄している。

　この場合，特定の人が大きな財産を残せたのは，税制上のいろいろな特典を利用したり，合法か非合法かにかかわらず，ある種の所得税の課税もれがあっ

たと考えることもできる。

　たとえば，土地を持っている人を考えてみよう。その人が生前に土地を売れば，その売却益に所得税がかかる。しかし，亡くなるまで売らなかったとすれば，その土地がいくら値上りしていても所得税はまったくかからない。つまり，売らなかった人は，値上り益に対する所得税の課税もれがあったとみるわけである。

　そこで，その人の死亡という最後の機会に，遺産として残った土地に相続税をかけ，その人の一生の税金を清算してもらおうという考え方である。

2　遺産課税方式と遺産取得課税方式

　相続税のしくみを勉強する前に，もう少し理論的なことをみておくことにしよう。相続税の課税方式といわれる問題である。

　相続税の課税の方法として，「遺産課税方式」と「遺産取得課税方式」という二つの考え方がある。これは，亡くなった人（被相続人）が残した「遺産」に直接課税するのか，それとも，被相続人からの「遺産の取得」に着目して課税するのか，という違いである。

　下の図を見ていただきたい。被相続人の遺産額は1億円で，これを2人の相続人が6,000万円と4,000万円に分けて取得したとする。

　この場合，相続人の取得した6,000万円あるいは4,000万円という金額は無視し，1億円という遺産額に一定の税率をかけて相続税を計算する，というのが「遺産課税方式」である。

　これに対し，「遺産取得課税方式」は，相続人側の6,000万円または4,000万円という金額に一定の税率をかけて相続税を計算する，というやり方である。

これら二つの課税方式は，一見すると似たように思えるが，考え方はかなり異なっている。遺産課税方式の場合は，遺産額（1億円）が決まれば，それに税率をかけて税額を求めるだけであり，相続人が何人いて，遺産をどのように配分したかは関係ない。

　しかし，遺産取得課税方式では，相続人の取得した遺産額に応じて税額を求めるため，相続人の数や遺産の分配方法で相続税も変わることになる。遺産額が1億円でも，6,000万円と4,000万円に分配するのと，8,000万円と2,000万円に分けるのとでは税額に違いがあり，また，2人で分けるのと相続人が10人もいて1,000万円ずつ取得したときでは，やはり税額に違いが生ずる。

　これら二つの課税方式について，どちらがよいかは簡単に決められない。下の表のようにそれぞれ一長一短があるためである。そこで，現行の相続税法は，遺産取得課税方式を基本とし，計算方式の一部に遺産課税方式を取り入れた折衷方式を採用している。

　相続税の計算方法のどの部分が遺産取得課税方式で，どこに遺産課税方式を取り入れているかは，これから詳しく勉強するが，この二つの考え方は，相続税を理解する上で重要なことである。

	遺産課税方式	遺産取得課税方式
特徴	○被相続人の遺産額に対して課税する方法	○相続人の遺産の取得額に対して課税する方法
長所	○課税方式が簡明である。 ○被相続人の一生を通じての所得課税を清算する目的に適合する。	○財産の取得者ごとに課税されるため，相続人個々の担税力に応じた課税ができる。 ○相続税の課税目的である富の集中抑制が可能になる。
短所	○財産取得者個々の担税力に応じた課税ができない。 ○相続人の数や遺産の配分方法にかかわりなく税額が決まるため，富の集中抑制に役立たない場合がある。	○課税方法が複雑でわかりにくい。 ○遺産の配分方法によって税額が変動するため，実際とは異なる仮装配分を行い不当に税負担を免れるおそれがある。

第3節　贈与税の性格

1　贈与税を課税する理由

　贈与というのは、タダで財産をもらうこと、もう少し法律的にいえば、無償による財産の移転をいう。
　贈与によって財産を取得した人は、その分の利益を得たわけであるから、それに対して税金がかかるというのは、ある意味では当然のことといえるであろう。
　ところで、相続税については、「相続税法」という法律にいろいろなことが定められているが、相続税法は、贈与税に関することも定めている。つまり、「一税法二税目」（相続税法という一つの法律の中に、相続税と贈与税の二つの税目が規定されている。）になっているのである。これは、相続税と贈与税がきわめて密接に関連しているからである。
　相続税は、被相続人の遺産が相続人に受け継がれたときにかかる税金であるが、遺産額が大きければ大きいほど相続税の負担は重くなる。
　では、相続税の負担を軽くしようとすれば、どうしたらよいか。最も簡単な方法は、相続の前に、財産を妻や子などにタダで渡す、つまり生前贈与をしてしまうことである。こうすれば、当然のことながら遺産額は少なくなり、相続税も少なくなる。
　そうなると、贈与が行われたときに税金をかけておかないと、相続税は事実上意味のないものになってしまう。誰れしも生前に財産の贈与をして相続税がかからないようにしてしまうからである。
　そこで設けられているのが贈与税という税金である。生前の贈与については、贈与税をかけ、相続税の減少分を補っているわけである。贈与税の性格は、このように位置付けられており、このことを「贈与税は相続税の補完税である」といわれている。

相続税法を勉強する上では，このような相続税と贈与税の関係を理解しておくことが大切である。相続税法の中には，贈与税が相続税の補完税であることに基因する規定がいくつもあるからである。たとえば，会社などの法人から財産の贈与を受けることがある。この場合，贈与を受けた個人に贈与税はかからない（所得税がかかる。）が，これは，相続税を補完する必要がないからである。法人には，個人のような「死亡」という現象がなく，もともと相続税とは関係のない存在である。したがって，贈与税をかける必要がない，というわけである。

2　相続税・贈与税と相続時精算課税制度

ところで，相続税と贈与税を関連付ける制度として「相続時精算課税制度」がある。この制度は，財産の贈与を相続の前渡しと考えて，生前贈与財産のすべてを相続財産と合算して課税するものである。その詳細は後述するが（第14章），相続税と贈与税の密接な関係を表すものである。

3　相続税・贈与税と所得税との関係

相続や贈与で財産を取得するということは，取得した人の一種の利益であり，その利益額に所得税をかけるというのも一つの考え方である。

しかし，すでにおわかりのように，相続で財産を取得すれば相続税がかかり，また，個人（法人以外のもの）からの贈与には贈与税がかかるから，所得税をかけると同一の利益（財産）に「二重課税」となってしまう。

そこで，所得税法では，相続や個人からの贈与で取得したものには，所得税をかけないという非課税規定を設けている（所得税法9①十五）。

なお，前に述べたように相続税は，被相続人の一生の税金を清算するという目的がある。また，いま述べたように相続による利益は所得税を非課税にして相続税をかけることにしている。これらの関係をみると，相続税は所得税の補完税として機能しているとみることもできる。

第4節　相続税法の条文構成

　税法を勉強する際は，条文に当たることが大切であるが，相続税法は，前に述べたように「一税法二税目」という少し変わった体裁になっている。
　このため，条文を読むときは，相続税に関する規定なのか，贈与税のことを定めた規定なのか，それとも両方に共通した条文なのかを確かめておくことが重要である。
　そこで，下表に相続税法の主な条文を整理しておくので参考にしていただきたい。表の「相続税」又は「贈与税」の欄に記載されている条文はそれぞれの税目に関するものである。また，両方にかかっている条文は，相続税と贈与税に共通する規定又は一つの条文に両税のことが含まれている規定という意味である。

	相　続　税	贈　与　税
（第1章）総則	（第1条）　　　趣　　旨 （第1条の2）定　　義	
	（第1条の3）相続税の納税義務者 （第2条）　　相続税の課税財産の範囲 （第3条）　　相続又は遺贈により取得したものとみなす場合 （第4条）　　遺贈により取得したものとみなす場合	（第1条の4）贈与税の納税義務者 （第2条の2）贈与税の課税財産の範囲 （第5条）　　贈与により取得したものとみなす場合―生命保険金 （第6条）　　同上―定期金
	（第7条）　　贈与又は遺贈により取得したものとみなす場合―低額譲受 （第8条）　　同上―債務免除益等 （第9条）　　同上―その他の利益の享受 （第9条の2）贈与又は遺贈により取得したものとみなす信託に関する権利 （第9条の3）受益者連続型信託の特例 （第9条の4）受益者等が存しない信託等の特例	
		（第9条の5）受益者等が存しない信託等の特例
	（第9条の6）政令への委任（信託関係） （第10条）　　財産の所在	

	〈第1節〉相 続 税	〈第2節〉贈 与 税
〈第2章〉課税価格、税率及び控除	（第11条）　　相続税の課税 （第11条の2）相続税の課税価格 （第12条）　　相続税の非課税財産 （第13条）　　債務控除 （第14条）　　控除すべき債務 （第15条）　　遺産に係る基礎控除 （第16条）　　相続税の総額 （第17条）　　各相続人等の相続税額 （第18条）　　相続税額の加算 （第19条）　　相続開始前3年以内に贈与があった場合の相続税額 （第19条の2）配偶者に対する相続税額の軽減 （第19条の3）未成年者控除 （第19条の4）障害者控除 （第20条）　　相次相続控除 （第20条の2）在外財産に対する相続税額の控除	（第21条）　　贈与税の課税 （第21条の2）贈与税の課税価格 （第21条の3）贈与税の非課税財産 （第21条の4）特定障害者に対する贈与税の非課税 （第21条の5）贈与税の基礎控除 （第21条の6）贈与税の配偶者控除 （第21条の7）贈与税の税率 （第21条の8）在外財産に対する贈与税額の控除
	〈第3節〉相続時精算課税	
	（第21条の9）相続時精算課税の選択	
	（第21条の14）相続時精算課税に係る相続税額 （第21条の15）同　　上 （第21条の16）同　　上	（第21条の10）相続時精算課税に係る贈与税の課税価格 （第21条の11）適用除外 （第21条の12）相続時精算課税に係る贈与税の特別控除 （第21条の13）相続時精算課税に係る贈与税の税率
	（第21条の17）相続時精算課税に係る相続税の納付義務の承継等 （第21条の18）同　　上	

（第3章）財産の評価	（第22条）	財産の評価		
	（第23条）	地上権及び永小作権の評価		
	（第23条の2）	配偶者居住権等の評価		
	（第24条）	定期金に関する権利の評価		
	（第25条）	定期金給付事由が発生していない定期金に関する権利の評価		
	（第26条）	立木の評価		
	（第26条の2）	土地評価審議会		
（第4章）申告、納付及び還付	（第27条）	相続税の申告書	（第28条）	贈与税の申告書
	（第29条）	相続財産法人に係る財産を与えられた者に係る相続税の申告書		
	（第30条）	期限後申告の特則		
	（第31条）	修正申告の特則		
	（第32条）	更正の請求の特則		
	（第33条）	納付		
	（第33条の2）	相続時精算課税に係る贈与税額の還付		
	（第34条）	連帯納付の義務等		
（第5章）更正及び決定	（第35条）	更正及び決定の特則		
			（第36条）	贈与税についての更正、決定等の期間制限の特則
（第6章）延納及び物納	（第38条）	延納の要件		
	（第39条）	延納手続		
	（第40条）	延納申請に係る徴収猶予等		
	（第41条）	物納の要件		
	（第42条）	物納手続		
	（第43条）	物納財産の収納価額等		
	（第44条）	物納申請の全部又は一部の却下に係る延納		
	（第45条）	物納申請の却下に係る再申請		
	（第46条）	物納の撤回		
	（第47条）	物納の撤回に係る延納		
	（第48条）	物納の許可の取消し		
	（第48の2条）	特定の延納税額に係る物納		
	（第48の3条）	延納又は物納に係る事務の引継ぎ		

（第7章）雑則	（第49条）	相続時精算課税等に係る贈与税の申告内容の開示等	
	（第50条）	修正申告等に対する国税通則法の適用に関する特則	
	（第51条）	延滞税の特則	
	（第51条の2）	連帯納付義務者が相続税を納付する場合の延滞税の特則	
	（第52条）	延納等に係る利子税	
	（第53条）	物納等に係る利子税	
	（第55条）	未分割遺産に対する課税	
	（第58条）	市町村長等の通知	
	（第59条）	調書の提出	
	（第60条）	当該職員の質問検査権	
	（第60条の2）	官公署等への協力要請	
	（第61条）	相続財産等の調査	
	（第62条）	納税地	
	（第63条）	相続人の数に算入される養子の数の否認	
	（第64条）	同族会社等の行為又は計算の否認等	
	（第65条）	特別の法人から受ける利益に対する課税	
	（第66条）	人格のない社団又は財団等に対する課税	
	（第66条の2）	特定の一般社団法人等に対する課税	
	（第67条）	付加税の禁止	
	（第67条の2）	政令への委任	

（注） 第8章罰則（第68条から第71条）は省略

第2章　民法の相続制度のあらまし

---- **ポイント** ----

(1) 相続は，人の死亡によって開始し，被相続人の財産（債務などの消極財産を含む。）が相続人に受け継がれる民法上の法律効果である。

(2) 財産を受け継ぐことができる者を相続人といい，民法は，血族相続人と配偶相続人に区分している。また，血族相続人となる子，直系尊属，兄弟姉妹について，その範囲と順位が決められている。

(3) 相続人となるべき者が被相続人より先に死亡しているときは，代襲相続の制度が適用される。

(4) 相続人が2人以上であるときを共同相続といい，この場合は，各相続人の相続分が問題になる。

(5) 民法は，相続分について，法定相続分のほか，指定相続分や特別受益者の相続分を定めている。

(6) 相続については，相続人の選択が可能で，相続人の個々に相続の放棄が認められる。

(7) 人の死亡を原因とした財産の移転には，相続のほか，遺贈や死因贈与がある。

(8) 被相続人から相続人に包括的に承継された財産は，遺産の分割という手続きを経て，各相続人の固有の財産となる。相続税は原則として，遺産分割により取得した財産の価額をもとに各相続人ごとに課税計算が行われる。

第1節　相続の意義

1　相続の開始

　相続税のしくみや税法規定の内容は，このあとの第3章以下で詳しく述べるが，その前に，民法の相続制度について勉強しておきたい。相続税法は，民法の制度を前提としてさまざまな規定を設けているため，民法の知識がないと，税法を理解することはできない。

　まず，「相続」という言葉の意味である。相続とは，簡単にいえば，「人が死亡した場合，その死亡した人が持っていた全ての財産が，その人の配偶者や子など一定の身分関係にある人に受け継がれること」である。

　この場合の死亡した人を「被相続人」といい，財産を受け継ぐ人を「相続人」とよぶことはすでに説明したとおりである。したがって，相続とは，被相続人からの相続人に対する財産の承継ということになる。

　なお，民法は，「相続は，死亡によって開始する」（民882）と規定しているため，相続が発生することを「相続の開始」という。

　ところで，相続が開始するのは，原則として人が死亡したときだけである。これは，きわめて当然のことのようであるが，昭和21年までの旧民法下では，生前の相続開始も制度上は認められていた（いわゆる隠居制度）。現在は，このような生前の相続は制度としてないから，相続が開始するのは人が死亡した場合に限られている。

　ただし，ごくまれなケースに「失踪宣告」による相続の開始がある。長期間の行方不明など，人の生死不明の状態が続いた場合の措置で，民法では，配偶者などの利害関係者から家庭裁判所に失踪宣告の申し立てを認め，一定の期間（通常は生存が確認されている時から起算して7年間）経過したときに，死亡したものとみなすこととしている（民30，31）。したがって，この場合は，失踪宣告を受けた人を被相続人として相続が開始する。

2 相続の対象となる財産

ところで,「相続人は,相続開始の時から,被相続人の財産に属した一切の権利義務を承継する」(民896) と規定されている。

この場合の「権利」というのは,一般的な用語としての財産,あるいは遺産ということであり,「義務」とは,負債又は債務と考えられている。つまり,相続によって被相続人から相続人に受け継がれるのは,プラスの財産ばかりでなく,被相続人の債務などマイナスの財産も含まれることになる。

したがって,相続人は,相続の開始によって必ずしも財産上の利益を受けるわけではなく,ときには債務の額が財産額を上回る債務超過となる相続もありうることになる。

なお,被相続人の財産であっても,いわゆる一身専属権は,相続の対象にはならない (民896ただし書)。一身専属権というのは,文字どおりその人だけに帰属するものという意味で,たとえば,年金を受け取る権利で,受取人が死亡した場合は年金の支払いが終了するものが該当する。

第2節　相続人の範囲と順位

1　相続人の範囲

　被相続人の財産を受け継ぐことができる人を相続人というが，民法は，誰れが相続人になれるか，ということを明確に規定している。したがって，被相続人が自由に相続人を決めることはできないし，相続人がほかの相続人を除外するといったこともできない。

　相続人の範囲について，民法は，次図のように「血族相続人」と「配偶相続人」の二つに分けて考えている。

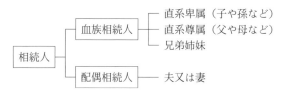

　これらのうち，血族相続人とは，文字どおり被相続人と血のつながりがあることで相続権が認められる人をいい，一方の配偶相続人は，被相続人と配偶関係（夫婦）にあるため相続人になる人である。

　この場合，配偶相続人は，被相続人が夫のときは妻，妻のときは夫であるから，その数は多くても1人である。また，夫又は妻のいずれかが先に死亡していたり，離婚したような場合は配偶相続人がいないということもありうる。

　これに対し，血族相続人は，上図のとおり被相続人の子や孫（これらを「直系卑属」という。）のほか，父母や祖父母（これらを「直系尊属」という。），あるいは兄弟姉妹も含まれるから，通常の場合は2人以上になる。そうなると，このあと述べるように，誰れがどの順番で相続人になるかが問題になる。

　なお，血族相続人は，上図の範囲の者に限られているから，被相続人と血のつながりがあるといっても，これら以外の者（たとえば，お・じ・やお・ば・，い・と・こ・など）が相続人になることはありえない。

2　血族相続人の順位

上述のとおり血族相続人については，その順位が問題になるが，民法が定めている基本的な相続順位をまとめると，次図のようになる（民887①，889①）。

	血族相続人	配偶相続人
第1順位	子	配偶者
第2順位	直系尊属（父母など）	
第3順位	兄弟姉妹	

まず，被相続人に子がある場合は，子が第1順位で相続人になる。第1順位という意味は，子だけが相続人になるということであり，被相続人に父母などの直系尊属がいたり，兄弟姉妹がいる場合でも，これらの者に相続権はないということである。

民法は，財産について上の世代から下の世代に受け継がせるのが自然であるという考え方をとっている。その意味では，血族関係者のうち子を第1順位の相続人と定めたのは，ごく当然のことといえるであろう。

次に，被相続人に子がない場合であるが，その場合は，第2順位として父母や祖父母などの直系尊属が相続人になる（民889①一）。このケースでは，被相続人の財産が上の世代にいわば逆流することになるが，子以外では直系尊属が最も身近な血族であることから，第2順位とされたものと思われる。

なお，直系尊属が相続人になる場合，親等の異なる者の間では，そのうち親等の近い者が優先的に相続人になる（民889①一ただし書）。たとえば，被相続人の父がすでに死亡していて，母と父方の祖父母がいるときは，母だけが相続人になる。つまり，被相続人の父と母の両方が亡くなっているときに，はじめて祖父母が相続人になれるという意味で，財産をできるだけ上の世代には逆流させたくないという民法の考え方があらわれているところである。

血族相続人の第3順位は，兄弟姉妹であるが，もちろん第1順位の子，第2順位の直系尊属がいない場合に限り相続人になる。子や孫，父母や祖父母が

「直系」であるのに対し，兄弟姉妹は，「傍系」の血族である。兄弟姉妹が相続人になると，被相続人の財産は，いわばわき道にそれて流れることになる。このため，その相続順位は最後位とされているわけである。

3　配偶者の相続順位

前ページの相続人の順位をみると，配偶者は特別な扱いになっている。民法は，「被相続人の配偶者は，常に相続人となる」と規定し，順位を定めていない（民890）。

この規定における「常に相続人となる」という意味は，血族相続人が誰れであっても，その相続人と同順位で相続人になるということである。したがって，血族相続人の第1順位である子がある場合は，子と配偶者が相続人になり，第2順位の直系尊属が相続人になるときは，その直系尊属と配偶者が，また，第3順位の兄弟姉妹が相続人のときは，配偶者と兄弟姉妹が同順位で相続人になるわけである（このあとの「相続分」のところで説明するが，配偶者がどの血族相続人と相続するかによって，相続分が異なることに注意を要する。）。もちろん，血族相続人が誰れもいなければ，配偶者だけが相続人となる。

なお，相続人になる配偶者とは，戸籍法に基づき正式な婚姻届が行われている者に限られる。いわゆる内縁の配偶者は，たとえ被相続人と長期間にわたって一緒に生活していても，民法上はいっさい相続権が認められていない。

4　養子と非嫡出子の相続権

子が血族相続人の第1順位であることは上で述べたとおりであるが，子には，実子はもちろん，養子も含まれる。養子は，被相続人とは生理的な血のつながりはないが，養子縁組の届出をした日から子としての身分が与えられ（民809），養親である被相続人が死亡すると第1順位の血族相続人になる。

(注)　あとから詳しく説明するが，相続税法では，被相続人に何人もの養子がある場合，法定相続人の数の計算上，一定の制限を設けている。ただし，この制限は，税法上の規定であり，民法上はすべての養子に相続権がある。相続税を勉強する場合，民法の規定と税法の規定を明確に区別することが大切である。

ところで，正式に婚姻をしていない男女間に生まれた子を嫡出でない子，又は，非嫡出子というが，非嫡出子といっても被相続人の実子であるから，民法上は，第1順位の血族相続人になる。

もっとも，被相続人が父親の場合は，その父親が「認知」の手続き（婚姻外に生まれた子を自分の子であると認める法律上の意思表示）をして，はじめて非嫡出子としての相続権が生じることになる。

5 代襲相続の意義

次の図を見ていただきたい。相続人になるはずであった子（長男）が，被相続人である親より先に死亡してしまったというケースである。

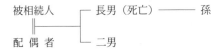

この場合，死亡した長男に子（被相続人からみると孫）がないとしたら，もともと長男はいなかったものとして相続人が決定される。上図では，二男と配偶者の2人が相続人になるわけである。

しかし，長男に子（孫）があるとそうはいかない。親の財産は子に受け継がれ，子の相続で孫に受け継がれるというのが通常のパターンであり，長男が親より先に死亡したからといって，孫に財産が渡らないとすれば，孫は永久に財産を取得できないことになるからである。

そこで民法は，このようなケースに「代襲相続」という制度を適用し，孫を「代襲相続人」として被相続人の財産を相続できるようにしている（民887②）。この結果，上図の場合は，二男や配偶者とともに，孫も相続人となる。

なお，実例はあまりないが，上図の長男と孫の両方が被相続人より先に死亡し，孫に子（被相続人からみるとひ孫）がいる場合は，そのひ孫が相続人になる（民887③）。これを一般に「再代襲」といっている。

代襲相続と相続人の順位について間違いのないようにしていただきたい。代襲相続とは，いわば身代り相続であるから，代襲相続人は，代襲相続される人

（被代襲者）の相続順位をそのまま受け継いでいる。したがって，上図の代襲相続人である孫（再代襲があればひ孫）は，第1順位の血族相続人となることから，被相続人に直系尊属や兄弟姉妹がいたとしても，これらの者に相続権はない。

ところで，代襲相続は，上例のような子が被相続人より先に死亡している場合のほか，次図のように兄弟姉妹が相続人になる場合も生ずることがある。

このケースは，本来であれば配偶者と兄が相続人になるところであるが，兄が被相続人より先に死亡しているため，兄について代襲相続となる。つまり，兄を被代襲者として，おい（又はめい）が代襲相続人になるわけである（民889②）。

この場合，注意したいのは，上述した子の場合との「再代襲」の違いである。上で説明した子の場合は，孫が死亡していればひ孫に再代襲が認められているが，兄弟姉妹の場合，おい（又はめい）が被相続人より先に死亡していても，そのおい（又はめい）の子は代襲相続人にはなれない（民887③，889②）。

要するに，兄弟姉妹の場合は，おいやめいの段階で相続権が打ち切られ，再代襲は認められていないということである（上図で，おい又はめいの全員が死亡していれば，配偶者だけが相続人になる。）。これは，被相続人からみて血縁の薄い者に財産を相続させるのは適当でないという民法の考え方によるものである。

なお，代襲相続は，相続人となるべきであった者の死亡のほか，相続の欠格（民891）や推定相続人の廃除（民892）もその原因になる。

（注） 相続の欠格とは，被相続人や他の相続人を殺害するなど一定の重大な非行があった場合に，法的に相続権を剥奪する制度をいう。

　また，相続人の廃除とは，被相続人を虐待するなど一定の事由がある場合に，被相続人の意思により，家庭裁判所に請求して，相続人の資格を失わせることをいう。

第3節　相続分の意義と内容

1　相続分の意義と種類

　相続分とは，相続人が何人かいる場合のそれぞれの者の財産の承継割合のことで，これについても民法は，具体的に規定を設けている。

　もっとも，相続人が1人の場合（これを「単独相続」という）は，その相続人が自動的に全部の財産を取得するから，相続分のことは問題にならない。

　しかし，実際の相続は，相続人が2人以上いるケース（これを「共同相続」という。）がほとんどで，相続人一人ひとりの相続分がどのくらいになるかが問題になる。このように，相続人が2人以上いる場合の財産の配分基準，あるいはそれぞれの相続人の財産に対する権利の割合のことを相続分というが，被相続人に債務がある場合の各相続人の負担割合も相続分によることとされている。

　民法に定められている相続分は一種類ではなく，下図のようにいくつもの規定がある（民900～904の2）。このうち，「法定相続分」から「特別受益者の相続分」までの4種類は，相続税法を理解するうえでも必要になるものである。

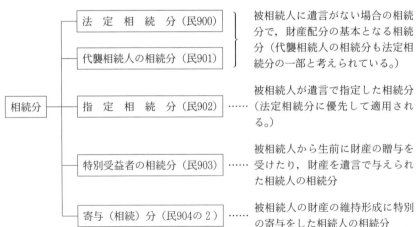

（注） 民法の相続分の規定は，財産や債務の配分基準となり，また各相続人の財産に対する権利の割合であるが，実際の配分（遺産の分割）に当たっては，相続分どおり分けなければいけないということはない。相続人の全員が合意すれば，どのように財産を分割してもかまわない。

2　法定相続分

　上記の相続分のうち，最も基本になるのが法定相続分の規定である。相続分について，被相続人が遺言（遺言書）で指示を行ったとき（指定相続分）は，その内容が優先するが，遺言がないときは，この法定相続分が遺産の承継割合になる。遺言がないと被相続人の意思がわからないから，民法がそれを推定して定めているのである。

　法定相続分の内容をまとめると，次の表のようになる（民900）。

相続人	法定相続分	留意点
子と配偶者の場合	配偶者 $\frac{1}{2}$ 子 $\frac{1}{2}$	子が数人あるときは，相続分は均分（頭割り）となる。 （注）嫡出子と非嫡出子の相続分に差異はない。
配偶者と直系尊属の場合	配偶者 $\frac{2}{3}$ 直系尊属 $\frac{1}{3}$	直系尊属が数人あるときは，相続分は均分となる。
配偶者と兄弟姉妹の場合	配偶者 $\frac{3}{4}$ 兄弟姉妹 $\frac{1}{4}$	① 兄弟姉妹が数人あるときは，相続分は均分となる。 ② 父母の一方を同じくする兄弟姉妹（半血兄弟姉妹）の相続分は，父母の双方を同じくする兄弟姉妹（全血兄弟姉妹）の相続分の $\frac{1}{2}$ となる。

　このように，相続人が誰れであるかによって法定相続分が異なるから，さまざまなケースを想定して，法定相続分の算定方法を正確に理解しておく必要がある（法定相続分の内容は，相続税の計算上も必要不可欠の要素である。）。

　そこで，設例でこれを示しておくこととする。

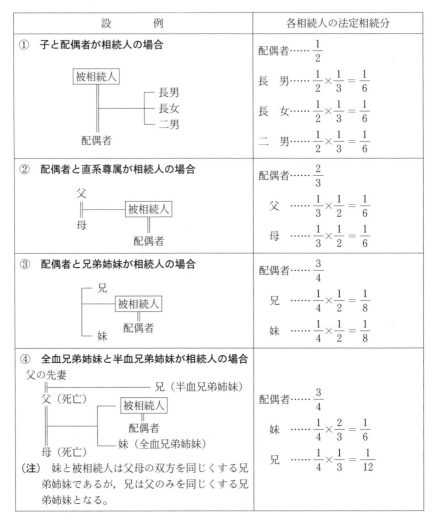

(注) 平成25年12月11日に公布・施行された改正民法は、「嫡出でない子の相続分は、嫡出である子の相続分の2分の1とする」規定（改正前の民法900④）を廃止した。これは、最高裁判所（平成25年9月4日判決）が同規定について、憲法14条1項（法の下の平等）に違反するとしたため、法定相続分の規定が改められたものである。したがって、嫡出子と非嫡出子の相続分は、同等となる。なお、改正後の民法の規定は、平成25年9月5日以後に開始した相続から適用されている（改正民法附則2）。

3 代襲相続人の相続分

代襲相続の意義についてはすでに説明したとおりであるが（22ページ），この場合の代襲相続人の相続分は，もともと相続人になるべきであった人（被代襲者）の相続分をそのまま受け継ぐことになる。

この場合，同じ被代襲者について，2人以上の代襲相続人がいるときは，それぞれの相続分は被代襲者の相続分を頭割りする（民901）。

代襲相続人がいる場合の相続分の算定方法を示すと，次のとおりである。

設　　　例	各相続人の相続分
① 子の代襲相続の場合 被相続人─┬─長男─┬─孫A（代襲相続人） 　　　　│（死亡）└─孫B（代襲相続人） 配偶者─┤ 　　　　└─長女	配偶者……$\dfrac{1}{2}$ 長　女……$\dfrac{1}{2} \times \dfrac{1}{2} = \dfrac{1}{4}$ 孫　A……$\dfrac{1}{2} \times \dfrac{1}{2} \times \dfrac{1}{2} = \dfrac{1}{8}$ 孫　B……$\dfrac{1}{2} \times \dfrac{1}{2} \times \dfrac{1}{2} = \dfrac{1}{8}$
② 兄弟姉妹の代襲相続の場合 ┬─兄──┬─おい（代襲相続人） │（死亡）└─めい（代襲相続人） ├─被相続人 │　　配偶者 ├─弟 └─妹	配偶者……$\dfrac{3}{4}$ 弟　……$\dfrac{1}{4} \times \dfrac{1}{3} = \dfrac{1}{12}$ 妹　……$\dfrac{1}{4} \times \dfrac{1}{3} = \dfrac{1}{12}$ おい……$\dfrac{1}{4} \times \dfrac{1}{3} \times \dfrac{1}{2} = \dfrac{1}{24}$ めい……$\dfrac{1}{4} \times \dfrac{1}{3} \times \dfrac{1}{2} = \dfrac{1}{24}$

4 指定相続分

相続人が2人以上いる場合，被相続人は遺言（遺言書）で相続人のうち1人ないし数人，又は全員について，その相続分を指定することができる（相続分を指定することを第三者に委託することもできる）。

たとえば，「長男の相続分は3分の2，二男の相続分は5分の1とする」と

いう遺言があれば，法定相続分にかかわらず，相続人はその指定に従わなければならない。これを指定相続分という（民902①）。

相続分の指定が相続人の全員について行われている場合はその指定どおりの相続分になるが，1人又は一部の相続人についてだけ指定されているときは，次の設例のように残りの部分は法定相続分が適用される。

設 例

相続人は下図のとおり4人であるが，被相続人は，遺言書で長男についてのみその相続分を4分の1と指定している。

〔各相続人の相続分の算定〕

長　男……$\dfrac{1}{4}$（指定相続分）

配偶者……$\dfrac{3}{4} \times \dfrac{1}{2} = \dfrac{3}{8}$

長　女……$\dfrac{3}{4} \times \dfrac{1}{2} \times \dfrac{1}{2} = \dfrac{3}{16}$

二　女……$\dfrac{3}{4} \times \dfrac{1}{2} \times \dfrac{1}{2} = \dfrac{3}{16}$

(注)　相続分の指定があった場合に，その指定によって「遺留分」を有する者の取得財産が一定割合に満たないときは，その者に遺留分侵害額に相当する金銭債権が生じることになる（民1046①）。

　この場合の「遺留分」とは，一定範囲の相続人（これを「遺留分権者」という。）が必ず相続することができる遺産に対する割合（言い換えれば，被相続人が自由に処分することができない遺産の割合）をいう。

　民法は，子，配偶者，直系尊属を遺留分権者とし，次のとおり遺留分の割合を定めている（民1042①）。

　なお，兄弟姉妹には遺留分はない。

①　相続人が直系尊属だけの場合……3分の1
②　相続人が子か配偶者，又はその双方である場合……2分の1

5　特別受益者の相続分

　相続人が2人以上いる場合の遺産配分の基準は，指定相続分の遺言があればその割合が適用され，遺言がなければ法定相続分によることになる。

　ただし，これら二つの相続分を適用しただけでは，相続人間に不公平が生ずることがある。たとえば，被相続人の遺産額が1億円で，相続人は長男と二男の2人としよう。この場合，被相続人の遺言がなければ，法定相続分（長男，二男とも2分の1）が適用され，長男，二男のそれぞれが5,000万円ずつ相続する権利がある。

　ところが，長男が相続開始前に被相続人から1,000万円の財産の贈与を受けていたとすると，遺産を単純に法定相続分で配分したのでは少し問題が生じる。財産の生前贈与は，相続財産の前渡しとみることもできるから，実質的には，長男のほうが二男より1,000万円多く取得したことになるからである。

　そこで民法は，相続人間の実質的な公平を図るため，被相続人から生前に財産の贈与を受けたり，遺贈（遺言による財産の贈与）を受けた相続人を「特別受益者」として，相続分を修正する規定を設けている。

　特別受益者がいる場合の相続分の算定方法は，次のようになる（民903①）。
① 相続開始時の遺産額に生前贈与の財産額を加算する（これを「みなし相続財産価額」という。）。
② みなし相続財産価額を法定相続分（相続分の指定がある場合は指定相続分）で配分する（仮りの相続分額）。
③ 特別受益者について，仮りの相続分額から特別受益の額（生前贈与額及び遺贈財産額）を控除する（実際の相続分額）。

　これを設例で示すと次ページのとおりであるが，この設例の場合，2億円の遺産は，配偶者が1億900万円，長男が4,450万円，二男が4,650万円という配分をすると公平になるというわけである。

（注）　生前贈与としての特別受益の額は，その贈与財産の相続開始時の価額（時価）による（民904）。

> 設 例

> ① 被相続人の遺産額は2億円であり，相続人は，配偶者，長男，二男の3人である。
> ② 相続人のうち長男は1,000万円，二男は800万円の財産をそれぞれ被相続人から生前に贈与されている。
> ③ 被相続人に遺言はなく，指定相続分の規定は適用されない。

〔各相続人の相続分の算定〕

① みなし相続財産価額

（遺産額）　（長男の贈与額）（二男の贈与額）
2億円　＋　1,000万円　＋　800万円　＝2億1,800万円

② 仮りの相続分額

（法定相続分）

配偶者……2億1,800万円×$\frac{1}{2}$　＝1億900万円

長　男……2億1,800万円×$\frac{1}{2}$×$\frac{1}{2}$＝　5,450万円

二　男……2億1,800万円×$\frac{1}{2}$×$\frac{1}{2}$＝　5,450万円

③ 実際の相続分額

配偶者……………………………＝1億900万円

（特別受益額）
長　男……5,450万円－1,000万円＝　4,450万円
二　男……5,450万円－　800万円＝　4,650万円

なお，相続人に対する生前贈与や遺贈について，被相続人が遺言等で特別受益としない旨の意思表示をしたときは，その特別受益を考慮せずに各相続人の相続分を算定することができる（民903③）。この点について，婚姻期間が20年以上の配偶者間で居住用不動産の贈与又は遺贈があった場合には，その意思表示をしたものと推定することとされている（同条④）。

第4節　相続の承認と放棄

1　承認・放棄と相続人の選択

相続の開始によって、被相続人の財産は、いったん相続人に受け継がれるが、この場合の財産には、プラスの財産だけでなく、マイナスの財産つまり債務も含まれることは、すでに説明したとおりである。

そうなると、相続が相続人にとって必ずしも利益になるとは限らない。財産1億円、債務2億円で、差し引き債務超過額1億円という相続もあり得るのである。

この場合、相続人が全ての債務を負担しなければならないとすると、相続を境に相続人はきわめて悲惨な状態に陥ってしまう。

そこで民法は、相続財産を受け継ぐか否かについて、相続人に選択権を与えている。債務を含めた相続財産の受け入れをすることを「相続の承認」といい、逆に、財産と債務の承継を全て拒否することを「相続の放棄」という。相続人はどちらかを選ぶことができる。

この場合の選択は、各相続人ごとにできるから、長男は相続の承認をし、二男は相続の放棄をするという方法も可能である。

なお、実際に相続の放棄をするためには、相続の開始を知った時から3か月以内に、家庭裁判所に「相続放棄申述書」を提出しなければならない（民915，938）。その提出をしないで3か月が経過すると、自動的に相続の承認をしたものとみなされる（民921二）。

(注)　「相続の承認」について、民法は「単純承認」（民920，921）と「限定承認」（民922〜937）を規定している。実務的には、単純承認をする例がほとんどであるが、相続人の全員が限定承認をすることもできる。

　　限定承認とは、相続財産の範囲内で相続債務を負担するという条件付の承認をいう。この場合には、相続人の自己の財産をもって相続債務を弁済する必要はなく、相続債務の額が相続財産の額を上回るときは、その上回る部分の債務は弁済する必要はない。

なお，限定承認をする場合には，相続の放棄と同様に，相続の開始を知った時から3か月以内に家庭裁判所に，その旨を申述しなければならない。

2　相続の放棄と相続人・相続分

相続の放棄があった場合，相続人や相続分がどのようになるか，というのは重要な問題である。

民法は，相続の放棄をした者は初めから相続人にならなかったものとし（民939），また，相続の放棄は，前に説明した代襲相続の原因にもならない。

このため，2人以上いる相続人の中に相続放棄者がいると，その放棄者はいないものとして相続分を算定する（次の設例の①）。また，同順位の血族相続人の全員が相続の放棄をすると，後順位の血族相続人に相続権が移動することもある（次の設例の②）。

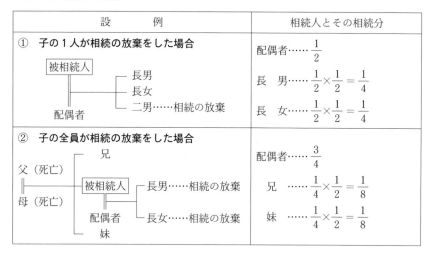

設　　例	相続人とその相続分
① 子の1人が相続の放棄をした場合	配偶者……$\frac{1}{2}$ 長　男……$\frac{1}{2} \times \frac{1}{2} = \frac{1}{4}$ 長　女……$\frac{1}{2} \times \frac{1}{2} = \frac{1}{4}$
② 子の全員が相続の放棄をした場合	配偶者……$\frac{3}{4}$ 兄　……$\frac{1}{4} \times \frac{1}{2} = \frac{1}{8}$ 妹　……$\frac{1}{4} \times \frac{1}{2} = \frac{1}{8}$

（注）　相続の放棄と相続税の関係は，あとから詳しく説明するが，相続税法を理解するうえでは，きわめて重要なことがらである。

たとえば，相続税法では，「相続人」と「法定相続人」という二つの用語を使い分ける規定があり，前者は民法上の相続権がある者，後者は相続の放棄があっても，その放棄がなかったとした場合の相続人のことをいう。

したがって，上記の設例の①で，「相続人」とその相続分は，と問われれば上記

の解答のようになるが、「法定相続人」とその相続分は、と問われたときは、次のように答えなければならない。

　（法定相続人）　　（左の相続分）

　　　配偶者………… $\dfrac{1}{2}$

　　　長　男………… $\dfrac{1}{2} \times \dfrac{1}{3} = \dfrac{1}{6}$

　　　長　女………… $\dfrac{1}{2} \times \dfrac{1}{3} = \dfrac{1}{6}$

　　　二　男………… $\dfrac{1}{2} \times \dfrac{1}{3} = \dfrac{1}{6}$

また、設例の②における「法定相続人」とその相続分は、次のようになる。

　　　配偶者………… $\dfrac{1}{2}$

　　　長　男………… $\dfrac{1}{2} \times \dfrac{1}{2} = \dfrac{1}{4}$

　　　長　女………… $\dfrac{1}{2} \times \dfrac{1}{2} = \dfrac{1}{4}$

なお、「法定相続人」は法令用語ではないが、「被相続人の民法第5編第2章（相続人）の規定による相続人」で、「相続の放棄があった場合には、その放棄がなかったものとした場合の相続人」（法15②）のことを一般に法定相続人と称している。

第5節　遺贈と死因贈与

1　遺贈の意義

　人の死亡を原因として財産が受け継がれるのは，「相続」が典型的なものであるが，これに類似するものとして「遺贈」と「死因贈与」をみておくこととする。
　まず，遺贈についてである。遺贈とは，遺言による財産の贈与という意味で，遺言は，人の生前における最終の意思を尊重し，これを法律で保護し，遺言をした人の死後にその意思を実現させる制度である。
　もっとも，遺言は，民法に定める要件を満たした書面（遺言書）で行わなければならず，口頭による意思表示など，民法上の要式に従っていないものは法的には無効である（民960）。
　遺言書に何を書くかは遺言をする人の自由であるが，一般には財産の処分に関することが多いようである。遺言者が本人の財産を誰れに与えるかを遺言書に書くわけであるが，民法の要件を満たした遺言であれば，遺言者の死亡によって効力が生じ，遺言の内容に従って財産が受け継がれることになる。
　この場合，遺言をした人，つまり遺言で財産を与える人を「遺贈者」といい，その財産を与えられる人を「受遺者」とよんでいる。
　なお，受遺者は遺贈者が自由に決められるから，遺贈者の相続人のほか，まったくの第三者とすることもできる。また，個人でなくてもかまわないから，会社などの法人を受遺者とすることも可能である。

2　包括遺贈と特定遺贈

　ところで，遺贈はその内容によって，次の二つがある（民964）。

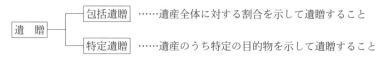

このうち，包括遺贈は，遺産に対する割合を示す方法であり，たとえば，「自分の財産の5分の1をAさんに遺贈する」とか「全財産の10％をBさんに与える」という遺贈の仕方をいう。

包括遺贈で財産を取得する人，すなわち「包括受遺者」は，遺言で指定された割合の財産を取得できるが，この場合の「財産」には債務が含まれることは相続の場合と同じである。したがって，遺贈者に債務があれば，包括遺贈の割合に応じてその債務を負担する義務が生じる。その意味では，相続分という財産と債務の承継割合をもつ相続人とほぼ同様の立場にあるといえる。このため，民法は，「包括受遺者は，相続人と同一の権利義務を有する」と定めている（民990）。

一方，特定遺贈は，「○○市○○一丁目所在の土地○○平方メートルをCさんに与える」というように，遺贈する財産が具体的に示されている方法で，特定遺贈により財産を取得する人を「特定受遺者」という。

特定受遺者は，遺言書に書かれている財産だけを取得する権利があり，それ以外の財産を取得できないことはもちろん，遺言にない限り債務があっても負担の義務はない。

(注)　被相続人が配偶者や子など相続人に対して遺贈をする場合，一般的には特定遺贈の方法による。相続人に対して「5分の1を与える」という遺贈は，包括遺贈というより，前述（27ページ）した相続分の指定と考えられる。

3　死因贈与

贈与というのは，タダでモノを与えることであるが，もう少し法律的にいえば，無償による財産の移転である（民549）。贈与によって財産を与える人を「贈与者」，その財産をもらう人を「受贈者」という。

ところで，通常の贈与は，贈与者も受贈者も生きているときに行われるのであるが，贈与者が死亡したことによって贈与が成立する場合がある。たとえば，「自分が死んだら100万円を贈与する」という場合で，100万円の贈与に，贈与者の死亡という条件が付いているわけである。このような贈与を死亡を原因と

する贈与という意味で，一般に「死因贈与」とよんでいる。

　この場合，財産を誰れに与えるか，つまり，受贈者を誰れにするかは贈与者が自由に決められる。したがって，死因贈与は，受遺者を自由に決められる遺贈ときわめて類似した財産の移転方法ということができる。このため，民法は，贈与者の死亡によって効力を生ずべき贈与（つまり死因贈与）は，遺贈に関する規定に従うこととしている（民554）。

(注)　遺贈と死因贈与は類似した内容であるが，両者の違いは，遺贈が「単独行為」であるのに対し，死因贈与は「契約」に当たることである。遺贈の場合は受遺者の合意がなくても成立するが，死因贈与は契約であることから，贈与について相手方（受贈者）の合意がなければ成立しない。

　　なお，民法は死因贈与について遺贈に関する規定に従うこととし，相続税法でも，「遺贈」という言葉に死因贈与を含めていることから，本書において「遺贈」というときは，特別の説明がない限り，死因贈与も含まれていると理解していただきたい。

第6節　遺産の分割

1　遺産分割の意義

　相続あるいは相続と同様に人の死亡によって財産が承継される遺贈や死因贈与について、民法の規定を勉強してきた。

　実際に相続が開始すると、これまで説明してきた規定や制度を前提として、遺産の配分を行うことになる。被相続人の財産は、相続の開始とともに相続人のものになるのであるが、この状態は、相続人（包括遺贈がある場合は包括受遺者も含まれる。）の全員が財産を持ち合う一種の共有のようなものである。その共有持分の割合が相続分であり、包括遺贈の割合に当たるわけである。

　そこで、実際には、被相続人の一つひとつの財産を誰れが取得するか、また被相続人に債務がある場合、誰れがいくらを負担するかを具体的に確定させる作業が必要である。これを遺産の分割という。

（注）　遺産の分割方法について、民法に具体的な定めはない。このため、実務ではさまざまな形態が採用されているが、おおむね次の三つがある。
　　① 現物分割—個々の遺産ごとに取得者を決定する方法
　　② 換価分割—遺産を譲渡換金して配分する方法
　　③ 代償分割—特定の相続人が遺産の全部または大部分を取得し、その相続人から他の相続人に金銭等を支払う方法（債務負担の方法による分割）
　このうち、一般的な方法は①の現物分割で、実務の多くはこの方法によっている。また、③の代償分割も相続人間の利害の調整のために採用される例が多い。
　なお、遺産分割が成立した場合は、相続人の意思を確認するため「遺産分割協議書」を作成するのが通常である（遺産分割協議書の写しは、相続税の申告書の添付書類としても必要になる。）。

2　遺産の分割と相続税

　相続税は、被相続人から財産を取得した人に課税されることになるが、その前提になるのは遺産の分割である。相続税の計算方法などはこのあと説明する

が，遺産の分割で取得した財産について，その価額を算定し（財産の評価），財産を取得した人ごとに課税額を計算するのが建て前になっている。

なお，民法は，遺産の分割について，その期限を定めていない。このため，相続税の計算や申告をするときまでに遺産の分割が行われていない（遺産の未分割）ことがあるが，この場合の相続税の課税方法も相続税法に定められている（96ページ参照）。

第3章　相続税の課税原因と納税義務者

---- **ポイント** ----

(1) 相続税の課税原因は,「相続による財産の取得」,「遺贈による財産の取得」,及び「死因贈与による財産の取得」の三つであり,相続,遺贈,死因贈与は,いずれも民法上の概念と同じである。

(2) 相続を原因として財産を取得するのは個人だけであり,相続税の納税義務者は,原則として個人に限られる。法人は,遺贈又は死因贈与により財産を取得することがあり得るが,その取得財産には法人税が課税されるため,相続税の納税義務は生じない。

(3) 相続税の納税義務者は,次のように区分されている。このうち,①と②を一般に相続税の「無制限納税義務者」といい,③と④は「制限納税義務者」とよばれている。

①　国内居住者（無制限納税義務者）

②　国外居住者で一定の要件に該当するもの（無制限納税義務者）

③　国内居住者で一定の要件に該当するもの（制限納税義務者）

④　国外居住者（制限納税義務者）

⑤　贈与により相続時精算課税制度の適用を受ける財産を取得した者

(4) 無制限納税義務者は取得した財産の全部に相続税が課税されるが,制限納税義務者は日本国内に所在する財産についてだけ相続税が課税される。

(5) 人格のない社団等や持分の定めのない法人が遺贈や死因贈与で財産を取得した場合には,例外的に相続税の納税義務者になる。また,「特定一般社団法人等」の理事が死亡した場合にも相続税の納税義務が生じる。

(6) 制限納税義務者の場合は,取得した財産の所在が問題になるため,相続税法は財産の所在に関する規定をおいている。

第1節　相続税の課税原因

1　三つの課税原因

　相続税の課税原因というのは，どのような場合に相続税が課税されるか，ということであるが，相続税法は，「相続又は遺贈（贈与者の死亡により効力を生ずる贈与を含む。）により財産を取得した」（法1の3①一）場合に相続税を納める義務がある旨を定めている。

　この規定における「贈与者の死亡により効力を生ずる贈与」とは，前章（35ページ）で説明した死因贈与のことをいう。

　したがって，相続税の課税原因は，次のように三つであることがわかる。

（注）　相続時精算課税制度（第14章）の適用を受けた贈与財産は，相続時に相続税の課税対象になる。このため，同制度による「贈与」も相続税の課税原因となる。

2　相続・遺贈・死因贈与の意義

　相続税の課税原因における「相続」，「遺贈」，「死因贈与」の意味について，相続税法は特別な規定を設けていない。

　このため，相続税法におけるこれらの用語の意義は，民法上のものと同じであると考えられる。その内容については，すでに前章で説明したところである。

　なお，民法上の相続や遺贈による財産の取得のほか，相続税法では，「相続により財産を取得したものとみなす場合」，あるいは「遺贈により財産を取得したとみなす場合」の規定がある。くわしくは，このあと第4章で説明するが，民法上の相続や遺贈以外の原因で財産を取得した場合にも相続税が課税されることに注意する必要がある。

第2節　相続税の納税義務者

1　納税義務者の原則

　相続税の課税原因が前ページの三つであれば，相続税を納税しなければならない人は，次の三つになることは当然のことである。
　① 相続により財産を取得した人（相続人）
　② 遺贈により財産を取得した人（受遺者）
　③ 死因贈与により財産を取得した人（受贈者）
　ところで，相続というのが被相続人から相続人への財産の承継であることはすでに勉強したところであるが，この場合，被相続人も相続人も個人であり，会社などの法人が登場することはない。したがって，上記①の相続により財産を取得して相続税の納税義務者になるのは，必ず個人になる。
　ただし，遺贈と死因贈与の二つは，遺贈者や贈与者が自由に相手方を選べるから，法人が受遺者や受贈者になることもある。しかし，この場合は，財産を取得した法人に相続税はかからない。法人が1,000万円の土地を遺贈や死因贈与で取得したとすると，

　　　土　　　地　　1,000万円　／　受　贈　益　　1,000万円

という経理処理になり，受贈益に対し法人税が課税されることになる。
　要するに，相続税の納税義務者は，原則として個人に限られるということである。

2　無制限納税義務者と制限納税義務者

　ここで，相続税法第1条の3第1項（相続税の納税義務者）の規定をみると，次の五つに区分されている。
　① 国内居住者（無制限納税義務者）
　② 国外居住者（無制限納税義務者）

③ 国内居住者（制限納税義務者）
④ 国外居住者（制限納税義務者）
⑤ 贈与により相続時精算課税制度の適用を受ける財産を取得した者

これらのうち、①と②に該当する者を一般に「無制限納税義務者」といい、③と④に該当する者を「制限納税義務者」とよんでいる。

もっとも、「無制限納税義務者」とか「制限納税義務者」という用語は、法令には使われていないから、いわゆる通称であるが、言葉の由来は、課税財産の範囲にある。

無制限納税義務者については、相続や遺贈で取得した財産の全部に対して相続税が課税される（法2①）。この場合の「全部」というのは、取得した財産がどこにあるのか、その所在を問わないという意味である。したがって、国内財産のほか、国外に所在している被相続人の財産の取得に対してもわが国の相続税が課税されることになる。

これに対し、制限納税義務者については、日本国内にある財産を取得した場合にのみ課税されるため（法2②）、その範囲が制限的である。したがって、被相続人の財産が国外に所在している場合に、その財産を制限納税義務者が取得しても、わが国の相続税は課税されないことになる。

（注） 納税義務者の区分のうち、上記の⑤は、財産の贈与について、相続時精算課税制度の適用を受けた者のことであるが、同制度の適用を受けると、贈与財産の価額は、贈与者の相続時に相続財産の価額と合算して相続税の計算をすることとされている。このため、その適用者は、贈与による財産の取得であっても、相続税の納税義務が生じることになる。同制度については、第14章を参照されたい。

3 国内居住者の区分

相続財産を取得した国内居住者について、無制限納税義務者になる場合（上記2の①）は、次のいずれかである（法1の3①一、2①）。

① 一時居住者でない個人
② 一時居住者である個人（被相続人が外国人被相続人又は非居住被相続人である場合を除く）

この規定における「一時居住者」,「外国人被相続人」及び「非居住被相続人」の意義は，次のとおりである（法1の3③）。

	用 語 の 意 義
一 時 居 住 者	相続開始の時において，在留資格（出入国管理及び難民認定法別表第一の上欄の在留資格をいう。）を有する者で，その相続開始前15年以内において国内に住所を有していた期間の合計が10年以下であるものをいう。
外国人被相続人	相続開始の時において，在留資格を有し，かつ，国内に住所を有していた被相続人をいう。
非居住被相続人	相続開始の時において国内に住所を有していなかった被相続人で，その相続開始前10年以内のいずれかの時において国内に住所を有していたことがあるもののうちそのいずれの時においても日本国籍を有していなかったもの又はその相続の開始前10年以内のいずれの時においても国内に住所を有していたことがないものをいう。

　これらのうち「一時居住者」と「外国人被相続人」は，いずれも「在留資格」を有する者とされているから，いずれも外国人である。したがって，上記①の「一時居住者でない個人」とは，国内に居住する一般の国民ということになり，全て無制制限納税義務者となる。

　これに対し外国人の場合には，在留資格を有して国内に居住していた期間が10年以下の「一時居住者である個人」であるときは，原則として無制限納税義務者になるのであるが，被相続人が外国人被相続人（在留資格を有して国内に居住しているもの）又は非居住被相続人（相続開始の時に国内に居住していないもの又は過去10年以内に国内に居住していたがその間は日本国籍がなかったもの）である場合には，無制限納税義務者ではなく，制限納税義務者として取り扱われる。

　要するに，被相続人と相続人がともに外国人の場合には，相続人がわが国に長期間滞在している場合（贈与前15年以内に10年超滞在している場合）には，無制限納税義務者となり国外に所在する財産も相続税の課税対象になるが，被相続人と相続人が短期滞在者である場合（相続開始前15年以内に10年以下の滞在の場合）には，制限納税義務者となり，国外財産には課税されないということである。

被相続人及び相続人が外国人である場合には、次のようになる。

被相続人	相続人	
外国人被相続人（在留資格を有して国内に居住）	相続開始前15年間のうち国内の居住期間が10年以下の場合（一時居住者）	相続開始前15年間のうち国内の居住期間が10年超の場合
非居住被相続人（国内に住所を有しないもの又は相続開始前10年以内に国内に住所を有したことがないもの又は住所を有したしたことがあるがその間に日本国籍を有していなかったもの）	制限納税義務者（国内財産についてのみ課税）	無制限納税義務者（国内財産及び国外財産の双方に課税）

4　国外居住者の区分

　一方，国外居住者についても，無制限納税義務者になる場合と制限納税義務者になる場合がある。このうち無制限納税義務者については，日本国籍を有するか否かによって，次のように規定されている（法1の3①二，2①）。

(1) 相続人が日本国籍を有する場合には，その者が相続開始前10年以内のいずれかの時に国内に住所を有していたときは，無制限納税義務者に該当することになる。ただし，被相続人が外国人被相続人又は非居住被相続人である場合には，個人で次に掲げるものが無制限納税義務者となる。

① その相続の開始前10年以内のいずれかの時において国内に住所を有したことがあるもの

② その相続の開始前10年以内のいずれの時においても国内に住所を有したことがないもの（被相続人が外国人被相続人又は非居住被相続人である場合を除く）

　この規定からみると，相続人が日本国籍を有する場合には，その者が相続開始前10年以内に国内に居住していたときは，無制限納税義務者に該当することになる。ただし，相続人が過去10年以内に国内に住所がなく，被相続人が「外国人被相続人」（在留資格を有して国内に居住していた者）又は「非居住被相続人」（国内に住所がないか又は相続開始前10年以内に国内に住所を有したこと

がないか，あるいは住所を有していても日本国籍を有していなかったもの）である場合には，制限納税義務者として扱われることになる。

(2) 日本国籍を有しない個人（被相続人が外国人被相続人又は非居住被相続人である場合を除く）

要するに，相続人が日本国籍を有して過去10年以内に国内に居住していた場合には，無制限納税義務者として国内財産と国外財産の双方に課税されることになるが，被相続人が外国人である場合，又は被相続人が国内に住所を有しない場合か住所を有していても過去10年間は日本国籍を有していない場合には，外国人である被相続人の国内での居住期間にかかわらず制限納税義務者として国内財産のみに課税されるということである。

また，相続人が日本国籍を有しない場合であっても原則として無制限納税義務者になるが，被相続人が外国人被相続人又は非居住被相続人であれば，無制限納税義務者から除外されて制限納税義務者として取り扱われる。

以上の国内居住者の区分及び国外居住者の区分について，相続税の課税財産の範囲をまとめると，次図のようになる。

被相続人 \ 相続人	国内に住所あり		国内に住所なし		
		一時居住者（※1）	日本国籍あり		日本国籍なし
			10年以内に住所あり	10年以内に住所なし	
国内に住所あり			国内・国外財産ともに課税		
外国人被相続人（※2）					
国内に住所なし	日本国籍あり　10年以内に住所あり				
	10年以内に住所なし			国内財産のみ課税	
日本国籍なし（※3）					

※1 在留資格を有する者で，相続開始前5年以内において国内に住所を有していた期間の合計が10年以下のもの
※2 相続開始の時において在留資格を有し，国内に住所を有していた被相続人。
※3 相続開始前10年間，いずれの時においても日本国籍を有していない者に限る。

5　人格のない社団等に対する課税

　相続税の納税義務者が，原則として個人に限られることは1で説明したところであるが，「原則として」といったのは，例外規定があるということである。その1は「人格のない社団等」が納税義務者になる場合，その2は「持分の定めのない法人」又は「特定一般社団法人等」に対する課税である。

　このうち，人格のない社団等（人格のない社団と人格のない財団の二つがある。）とは，個人でもなく，かといって一般の会社などのように法人格もない，いわば個人と法人の中間的な人の集まりと考えればよい。たとえば，ＰＴＡ，町内会，県人会，学校の同窓会といったようなものである。

　このような団体が「相続」で財産を取得することはあり得ないが，遺贈や死因贈与で財産を取得することがないとはいえない。

　そこで，相続税法は，人格のない社団等が遺贈や死因贈与で財産を取得したときは，その人格のない社団等を個人とみなして相続税を課税することにしている（法66①）。

6　持分の定めのない法人に対する課税

　持分の定めのない法人とは，一般社団法人，一般財団法人，持分の定めのない医療法人，学校法人，社会福祉法人，宗教法人などをいう。

　これらは，人格のない社団等とは異なり，純然たる法人であることから，遺贈や死因贈与で財産を取得しても相続税の納税義務はないというのが原則的な扱いである。

（注）　持分の定めのない法人が遺贈や死因贈与で財産を取得すれば，一般の会社などと同様に法人税の課税対象になる。ただし，いわゆる公益認定を受けた公益社団法人などの場合には，公益事業以外のいわゆる収益事業から生じた所得だけが法人税の課税対象になる。このため，遺贈などで取得した財産を収益事業に使わない限り法人税も課税されない。

　しかし，同族経営的な公益社団法人等は，ときとしてその関係者が私物化し，

税金のがれに利用するという例がないとはいえない。たとえば，個人（被相続人）の所有している土地を公益社団法人等に遺贈し，公益事業に使用したようにみせかけながら，実際には遺贈した人の親族がその土地を私的に利用するといったケースである。

この場合，法人税も課税されず，また，法人であるからという理由で相続税の課税もないとすると，その親族は不当に税金のがれをしたことになる。

そこで，このような事実があるときは，その公益社団法人等を個人とみなして相続税を課税することとしているのである（法66④）。

7 特定一般社団法人等に対する課税

一般財団法人や一般財団法人については，上記6のとおり，課税逃れを防止する規定が設けられているのであるが，上記の規定は，財産を遺贈した者の親族等の相続税が不当に減少する結果となる場合に適用することとされている。

ところで，一般財団法人等については，持分がなく，登記だけで設立できるとともに，行政庁の監督がなく，また，役員の人数や親族の割合に関する規制がないという特徴がある。このため，個人の資産を一般社団法人等に移転させて相続税を回避することが可能になる。

このようなケースで，親が一般社団法人等の理事（役員）になるのであるが，一般社団法人等に持分（株式会社における株式）があれば，親の相続時に持分に応じて子に相続税を課税することができる。しかしながら，持分の定めがないため，特別の規定を設けない限り相続税を課税する機会がないことになる。

そこで，一般社団法人等の理事である者（一般社団法人等の理事でなくなった日から5年を経過していない者を含む。）が死亡した場合において，その一般社団法人等が「特定一般社団法人等」に該当するときは，その特定一般社団法人等

を個人とみなして相続税を課税することとしている。その概要は，次表のとおりである（法66の2，令34）。

	制度の概要
特定一般社団法人等の意義	特定一般社団法人等とは，次の要件のいずれかを満たす一般社団法人等をいう。 ① 被相続人（死亡した理事）の相続開始の直前におけるその被相続人に係る同族理事の数の理事の総数に占める割合が2分の1を超えること。 ② 被相続人の相続の開始前5年以内において，その被相続人に係る同族理事の数の理事の総数に占める割合が2分の1を超える期間の合計が3年以上であること。
同族理事の範囲	同族理事とは，一般社団法人等の理事のうち，被相続人又はその配偶者，3親等内の親族その他被相続人と特殊の関係のある者をいう。
課税対象額	特定一般社団法人等が，次の算式で計算される金額を被相続人から遺贈により取得したものとみなす。 $$課税対象額 = \frac{相続開始時の特定一般社団法人等の純資産額}{特定一般社団法人等の理事の数+1}$$

8　財産の所在

　相続などで財産を取得した者がいわゆる制限納税義務者である場合，取得した財産のうち日本国内にあるものだけが課税されるということは，前記2で説明したとおりである。

　そうすると，この場合は，財産が国内にあるのか国外にあるのか，という所在場所が問題になることがある。

　そこで，相続税法では，財産の種類に応じて所在に関する規定を設けている。その概要をまとめておくと，次ページのとおりである（法10，令1の7〜1の9）。

財産の種類	所在場所
① 動産,不動産,不動産の上に存する権利	その動産又は不動産の所在による。
② 船舶,航空機	船籍又は航空機の登録をした機関の所在による。
③ 鉱業権,租鉱権,採石権	鉱区又は採石場の所在による。
④ 漁業権,入漁権	漁場に最も近い沿岸の属する市町村又はこれに相当する行政区画による。
⑤ 銀行,農業協同組合,信用金庫などに対する預貯金等	その預貯金等を受け入れをした営業所又は事業所の所在による。
⑥ 生命保険金,損害保険金	これらの契約に係る保険会社の本店又は主たる事務所の所在による。
⑦ 退職手当金等	その支払者の住所,本店又は主たる事務所の所在による。
⑧ 貸付金債権	その債務者の住所,本店又は主たる事務所の所在による。
⑨ 社債,株式,法人に対する出資,外国預託証券	その社債・株式の発行法人,その出資のされている法人又は外国預託証券に係る株式の発行法人の本店又は主たる事務所の所在による。
⑩ 集団投資信託,法人課税信託に関する権利	信託の引受をした営業所又は事務所の所在による。
⑪ 特許権,実用新案権,意匠権,商標権	その登録をした機関の所在による。
⑫ 著作権,出版権,著作隣接権で,これらの権利の目的物である著作物が発行されているもの	その著作物を発行する営業所又は事業所の所在による。
⑬ 営業所又は事業所を有する者のその営業上又は事業上の権利(①から⑫までの財産を除く)	その営業所又は事業所の所在による。
⑭ 国債,地方債	日本国内にあるものとする(外国又は外国の地方公共団体等が発行する公債は,その発行国にあるものとする)。
⑮ ①から⑭までの財産以外の財産	その財産の権利者であった被相続人の住所の所在による。

第4章　相続税の課税財産

ポイント

(1) 民法も相続税法も「財産」の意義や範囲について具体的な規定を設けていないが，相続税の課税財産には，有形・無形等にかかわらず，経済的価値のあるものはすべて含まれる。

(2) 相続税の課税対象になる財産は，「本来の相続財産」と「みなし相続財産」に区分される。前者が民法上の財産であるのに対し，後者は税法が独自に相続財産とみなして課税するものである。

(3) みなし相続財産のうち，「生命保険金」は，保険金受取人に対し，被相続人が負担した保険料に対応する部分の金額が課税される。保険金に対する課税関係は，保険料の負担者と保険金の受取人との関係により，相続税，贈与税，所得税に区分される。

(4) 「退職手当金」は，被相続人の死亡退職により支払われるもので，相続開始時から3年以内に支給が確定したものがみなし相続財産とされる。弔慰金等については，一定の形式基準により課税される金額と非課税となる金額に区分される。

(5) 「生命保険契約に関する権利」は，一定の要件に該当するものについて，契約者に課税される。

第1節　相続税の課税財産

1　財産の意義

　民法における相続とは、被相続人からの相続人に対する財産の承継であり、相続税法は、相続による財産の取得のほか、遺贈や死因贈与による財産の取得に相続税を課税する旨を定めている。

　このことはすでに説明したところであるが、要は、相続の中味は財産であり、相続税は財産に課税するものであるということである。

　そうなると、財産とは何か、どのようなものが財産に含まれるのか、ということがきわめて重要な問題になってくる。

　しかし、「財産」という言葉の意義について相続税法に規定はなく、また、民法の相続規定にも具体的な定めはない。したがって、私たちの社会通念によって判断せざるを得ないことになるが、「財産とは、金銭に見積ることができる経済的価値のあるすべてのものをいう」（基通11の2－1）という解釈がある。

　このため、土地や家屋などの不動産、株式や社債などの有価証券、現金や預貯金はもとより、他人の土地を借りたときの借地権や貸付金などの債権のほか、特許権や著作権などの無体財産権とよばれるものも財産として相続の対象となり、同時に相続税の課税財産に含まれる。

　なお、前述（18ページ）したいわゆる一身専属権とよばれるものは、民法では相続の対象にならないから、相続税でも課税財産には含まれない。また、財産に該当しても相続税法で非課税とされているものは課税されないが、非課税財産については、このあとの第5章（65ページ以下）で説明することとする。

2　本来の相続財産とみなし相続財産

　ところで、相続税法を勉強するうえでは、相続税の課税対象となる財産について、次の区分があることを十分に理解する必要がある。

このうち,「本来の相続財産」とは,民法における相続という法律効果によって相続人に承継される財産という意味で,一般の用語としては「遺産」と同じであると考えてよい。上に述べた土地や家屋,株式や預貯金などは,全て本来の相続財産である。

これに対し,「みなし相続財産」とは,本来の相続財産ではない,言い換えれば民法上の遺産ではないが,相続税法が財産とみなして課税対象にするものである。税法が相続財産とみなしていることから,一般にみなし相続財産とよばれている。

その典型例がこのあと説明する生命保険金である。被相続人が死亡したことによって相続人などが受け取る生命保険金は,保険会社から受取人に支払われるものであり,被相続人が相続開始時に所有していた財産ではない。つまり,生命保険金は民法上の遺産ではないのである。

したがって,このような保険金には,受取人に対して所得税など相続税以外の税を課するというのも一つの考え方であろう。しかし,保険金を受け取るというのは,被相続人の死亡を原因として相続人の財産が増加するわけであり,実質的にみれば相続や遺贈による財産の取得と変わりはない。

そこで,相続税法は,本来の相続財産には該当しない生命保険金を相続財産とみなして課税することにしているのである。

(注) 相続税を勉強する場合,民法の相続制度と税法の規定を混同しないことが重要である。たとえば,相続の放棄とみなし相続財産の関係である。相続の放棄は民法上の規定であり,放棄の手続きをすると,被相続人の財産(民法上の遺産)はいっさい取得しない。したがって,この限りでは相続放棄者が相続税の納税義務者になることはあり得ない。

ただし,その相続放棄者を受取人とする生命保険契約があれば,被相続人の死亡を原因として保険者(保険会社)は,その受取人である相続放棄者に保険金を支払うことになる。このため,相続の放棄をした人は,「本来の相続財産」を取得しな

くても,「みなし相続財産」を取得したことで相続税の納税義務者になることがある。

　なお,この関係について,相続税法は,相続人が生命保険金などを取得した場合は「相続により取得したものとみなし」,相続の放棄をした人など相続人以外の人が取得した場合は「遺贈により取得したものとみなす」と規定している(法3①本文)。要するに,みなし相続財産は誰れが取得しても相続税の課税対象となり,その取得者は相続税の納税義務があるということである。

第2節　みなし相続財産の種類と内容

1　みなし相続財産の種類

相続税法がみなし相続財産として定めているものは、生命保険金のほかにもいろいろある。その種類と課税の概要をまとめると、次のようになる。

	種　　類	課 税 要 件	課税対象者
相続又は遺贈により取得したものとみなされるもの	生命保険金等 （法3①一）	被相続人の死亡により相続人等が生命保険契約の保険金を取得した場合	保険金等の受取人
	退職手当金等 （法3①二）	被相続人が受け取るべきであった退職手当金や功労金を被相続人の死亡後に相続人等が取得した場合	退職手当金等の受取人
	生命保険契約に関する権利 （法3①三）	被相続人が保険料を負担し、被相続人以外の者が契約者となっているもので、相続開始時にまだ保険事故が発生していない生命保険契約がある場合	保険契約者
	定期金給付契約に関する権利 （法3①四）	被相続人が掛金を負担し、被相続人以外の者が契約者となっているもので、相続開始時に、まだ給付事由が発生していない定期金給付契約がある場合	定期金給付契約の契約者
	保証期間付定期金受給権 （法3①五）	被相続人が掛金又は保険料を負担していた定期金給付契約に基づいて、被相続人の死亡後に相続人等が定期金又は一時金を取得した場合	定期金又は一時金受取人
	契約に基づかない定期金受給権 （法3①六）	被相続人の死亡により、相続人等が定期金に関する権利で、契約に基づくもの以外のものを取得した場合	定期金受給者

遺贈により取得したものとみなされるもの	特別縁故者への分与財産（法4）	相続人が存在しない場合において，民法の規定により被相続人と生前に特別縁故があった人に財産分与が行われたとき	財産分与を受ける者
	特別寄与料の確定（法4②）	民法の規定により被相続人の療養・看護等をした相続人以外の者が特別寄与料の支払を受けることとなった場合	特別寄与料の支払を受ける者
	信託の受益権（法9の2～9の4）	委託者の死亡に基因して信託の効力が生じた場合において，適正な対価を負担せずにその信託の受益者となるときなど	信託の受益者
	低額譲受けの利益（法7）	遺言によって時価より著しく低い価額で財産の譲渡を受けた場合	財産の譲受者
	債務免除益等（法8）	遺言によって債務の免除，引受け，弁済による利益を受けた場合	債権免除等の利益を受けた者
	その他の利益（法9）	信託の受益権から債務免除益までの場合以外で，遺言による利益を受けた場合	利益を受けた者

　これらのうち，相続税の基礎的な勉強で重要なのは，「生命保険金等」，「退職手当金等」と「生命保険契約に関する権利」の三つである。以下，その内容を説明しておくこととする。

2　生命保険金等

(1)　課税の要件

　被相続人の死亡により相続人その他の者が生命保険契約の保険金を取得した場合において，被相続人がその契約の保険料を負担しているときは，その保険金は相続財産とみなされ，相続税の課税対象になる（法3①一）。

　生命保険契約は，契約者（加入者）と保険者（保険会社）の間で，保険料の払込みと保険事故（被保険者の死亡や保険期間の満期など）が発生したときの保険金の支払を約するものである。次のような例でみてみよう。
　○保　険　者……保険会社A社
　○保険契約者（保険料の負担者）……父親

○被 保 険 者……父親

○保険金受取人…子

　この場合，被保険者である父親が死亡すると，保険者であるA社は，保険金受取人である子に，契約した保険金を支払う。

　子の受け取った保険金は，父親から「相続」したものではなく，保険会社から直接取得したものである。したがって，その保険金は「本来の相続財産」ではないことになるが，前述した理由により「みなし相続財産」とされるわけである。

　生命保険金がみなし相続財産となる要件をいま一度整理すると，

　(イ)　被相続人の死亡を原因として支払われた生命保険金であること

　(ロ)　その生命保険契約の保険料を被相続人が負担していること

の二つである。

　なお，損害保険契約の保険金（偶然な事故に基因する死亡に伴って支払われるものに限る。）や農業協同組合などの共済契約による共済金なども上記と同様の扱いになる。

(注)　保険金という財産的な利益は，保険料の負担者から保険金の受取人に移転したとみることができる。

　上記の例で，保険料の負担者（契約者）が母親と仮定すると，被相続人である父親の死亡で子は保険金を受け取るが，この場合は，母親から子に財産の移転があったことになる。このため，子は母親から保険金相当額の贈与を受けたものとみなされる（後述175ページの「みなし贈与財産」）。また，上記の例で，子が保険料の負担をしていたとすれば，保険料負担者と保険金受取人が同一人となり，この場合は，受取人である子に所得税（一時所得）が課税される。

　いずれにしても保険金についてどのような課税になるかは，保険料の負担者と保険金の受取人との関係で決まる。これをまとめると，次表のようになる。

保険料負担者	被保険者	保険金受取人	課税関係
父親	父親	子	相続税
母親	父親	子	贈与税
子	父親	子	所得税

(2) 課税の対象額

生命保険金について，みなし相続財産として相続税の課税対象になる金額は，相続人等が受け取った保険金の額のうち，被相続人が負担した保険料に対応する金額である。

これを算式と設例で示すと，次のとおりである。

$$\text{相続又は遺贈により取得したとみなされる保険金の額} = \text{取得した保険金の額} \times \frac{\text{被相続人が負担した保険料の額}}{\text{被相続人の死亡の時までに払い込まれた保険料の全額}}$$

設 例

> 被相続人甲の死亡を保険事故として，その相続人である子Aは，Y保険会社から保険金を取得した。
>
> その内容は次のとおりであるが，Aが相続により取得したものとみなされる金額はいくらになるか。
>
> 　　Aが取得した保険金の額……………………2,000万円
>
> 　　甲の相続開始時までの払込保険料の総額……400万円
>
> 　　保険料の負担者と負担額
>
> 　　　　被相続人　甲……250万円
>
> 　　　　甲の妻　乙………100万円
>
> 　　　　受取人　A……… 50万円

〔計　算〕

$$2{,}000万円 \times \frac{250万円}{400万円} = 1{,}250万円$$

(注)　1．Aが乙から贈与により取得したとみなされる金額

$$2{,}000万円 \times \frac{100万円}{400万円} = 500万円$$

　　　2．Aの所得税（一時所得）の収入金額となる額

$$2{,}000万円 \times \frac{50万円}{400万円} = 250万円$$

なお、みなし相続財産となる生命保険金を相続人が取得した場合には、一定の金額について非課税規定が適用されるが、これについては、次章（70ページ）で説明する。

3　退職手当金等

(1)　課税の趣旨と要件

被相続人が会社などに在職中に死亡した場合（いわゆる死亡退職）、被相続人に支払われるべきであった退職金は、相続開始後に遺族に支払われるのが普通である。

このような退職金は、遺族が会社などから直接受け取ったものであり、被相続人から「相続」で取得したものではない。したがって、その退職金は「本来の相続財産」に含まれないのであるが、生命保険金と同じで、被相続人の死亡を原因とした相続人等の財産的な利益である。

そこで、相続税法は、このような退職手当金を相続財産とみなして相続税を課税することにしている（法3①二）。

もっとも、相続税法では、相続税の課税対象になる退職手当金を「被相続人の死亡後3年以内に支給が確定したもの」に限定している。会社などの役員の退職金は、株主総会等の決議がないと支給額が決まらない。このため、支給額の決定までの期間が長期にわたると、いつまでも相続税額が確定しないという問題が生じる。そこで、相続開始から3年以内に支給額が確定したものを相続税の課税対象にしているのである。

(注)　相続開始後3年を経過してから支給額が確定した場合は、その退職金の受取人について、所得税（一時所得）が課税される。

なお、退職手当金が上述した「みなし相続財産」になるのは、死亡退職の場合である。被相続人が生前に退職し、退職金の額が生前に確定している場合は、実際の支給が相続開始後であっても、その退職金はみなし相続財産ではなく、一種の未収入金（未収退職金）として「本来の相続財産」になる。ただし、生前退職の場合でも退職金の額が相続後に確定するものは、みなし相続財産とする取扱いがある（基通3−31）。

みなし相続財産になるか，本来の相続財産に該当するかで，次章（74ページ）の非課税規定の適用関係に影響が出てくる。

(2) 弔慰金等の取扱い

ところで，相続税の課税対象になる退職手当金は，支給の名義には関係ない。実務では，「死亡退職金」，「功労金」，「弔慰金」などと称することもあるが，実質が退職金であれば，相続税が課税される（基通3－18）。

ところが会社の役員などが死亡すると，

　　退職手当金　4,000万円

　　弔　慰　金　1,000万円

　　花　輪　代　　100万円

というように名義を分けて金品が支給されることがある。

この場合の退職手当金4,000万円は当然に課税対象になるが，弔慰金や花輪代といったものには問題が含まれている。実際の課税実務では，一般にやりとりされている程度の香典などは非課税とされている。弔慰金や花輪代などは，文字どおり遺族に弔慰を表わすもので，これらが香典に類するような場合は非課税でもよいような気がする。

そうなると，弔慰金などを実質的な退職金部分と文字どおりの弔慰金部分とに区分する必要が生じることになるが，現実問題とするとその区分をすることはなかなかむずかしいことである。

そこで，相続税の取扱いでは，次のような形式的な基準で弔慰金等を区分することにしている（基通3－20）。

① 被相続人等の死亡が業務上の死亡である場合……弔慰金等のうち，被相続人の死亡時の普通給与の3年分を弔慰金等とみて非課税とし，それを超える部分は退職手当金として課税する。

② 被相続人の死亡が業務上の死亡でない場合……弔慰金等のうち，被相続人の死亡時の普通給与の6か月分を弔慰金等とみて非課税とし，それを超える部分は退職手当金として課税する。

したがって，前ページに示した例で，被相続人の死亡時の給与が月額100万円で，業務上の死亡でないとすれば，

　　　100万円×6か月＝600万円

が非課税となり，

　　　1,000万円（弔慰金）＋100万円（花輪代）－600万円＝500万円

がみなし相続財産として課税対象になる。

4　生命保険契約に関する権利

(1)　課税の趣旨と要件

　生命保険契約の保険金について，みなし相続財産として相続税が課税されることは，前記1で説明したとおりであるが，保険金の支払いがないにもかかわらず相続税が課税されるものがある。

　これを「生命保険契約に関する権利」といい，次の三つの要件に該当する場合に，その生命保険契約の「契約者」が相続又は遺贈により取得したものとみなされる（法3①三）。

① いわゆる掛捨ての保険以外のもので，相続開始時にまだ保険事故が発生していないものであること。

② 被相続人がその契約の保険料を負担していること。

③ 被相続人以外の者が契約者であること。

たとえば，次のような生命保険契約で考えてみよう。

○被　保　険　者……妻
○保　険　契　約　者……妻
○保険料負担者……夫
○保険金受取人……子

　この場合，被保険者が妻になっているため，夫が死亡しても保険事故は発生せず，子に保険金は支払われない。しかし，上記の3要件のすべてに該当するため，契約者である妻は，生命保険契約に関する権利を取得したものとみなされるのである。

その理由は，文字どおり契約上の権利に財産的価値があるからである。契約者である妻は，いつでも保険契約を解約し，いわゆる解約返戻金を受け取る権利をもっているのであるが，その返戻金は，実質的には保険者（保険会社）に対する貯蓄とみることができる。そして，その貯蓄を行っていた，つまり，保険料を負担していた人が被相続人（夫）ということになれば，契約者である妻は，被相続人である夫からその貯蓄相当額を相続で取得したことになる，というわけである。

　このように考えると，解約しても返戻金のない，いわゆる掛捨ての保険には課税しないこととしている理由も理解できると思われる。

(注)　前ページの①から③までの3要件に該当すると「みなし相続財産」として課税されるが，保険契約の契約者が被相続人の場合は，生命保険契約に関する権利が「本来の相続財産」になる。

(2) 権利の評価と課税額

　生命保険契約に関する権利は，解約返戻金に着目して課税されるものであり，その価額は，相続開始時に解約したと仮定した場合の個々の契約に係る解約返戻金相当額で評価することになる（評基通214）。

　その評価を行ったあとで，課税対象になる金額を求めることになるが，その額は，被相続人が負担していた保険料に対応する金額である。算式で示せば，次のとおりである（法3①三）。

$$\text{相続又は遺贈により取得したとみなされる金額} = \text{生命保険契約に関する権利の価額} \times \frac{\text{被相続人が負担した保険料の金額}}{\text{相続開始の時までに払い込まれた保険料の全額}}$$

第5章　相続税の非課税財産

---- **ポイント** ----

(1) 相続税の非課税財産は，次の7種類であるが，税法に規定されているこれらのものだけが非課税となり，これら以外のものは原則としてすべて課税財産に含まれる。

① 皇室経済法の規定により，皇嗣が承継する物
② 墓所，霊びょう，祭具など
③ 一定の要件に該当する公益事業者が取得した公益事業用財産
④ 心身障害者扶養共済制度に基づく給付金の受給権
⑤ 相続人の取得した生命保険金等で法定相続人1人当たり500万円で計算した金額
⑥ 相続人の取得した退職手当金等で法定相続人1人当たり500万円で計算した金額
⑦ 相続財産を国や公益社団法人等に寄付した場合の寄付財産

(2) 非課税財産には，公益面からの非課税，国民感情からの非課税，社会政策的な面からの非課税など，それぞれに非課税となる理由がある。

(3) 非課税規定には，墓所や国等に対する寄付財産のように，財産そのものが非課税になる場合と，生命保険金に対する非課税のように，課税財産の価額から一定金額を控除するものがある。

(4) 生命保険金と退職手当金等の非課税は，「相続人」についてのみ適用され，非課税限度額は，「法定相続人」の数（1人当たり500万円）により計算される。この場合の「相続人」とは，相続の放棄をした者及び相続権を失った者を含まないところの相続人であり，また，「法定相続人」とは，相続の放棄があった場合にはその放棄がなかったものとした場合の相続人をいう。

第1節　非課税財産の意義と種類

1　非課税財産の意義

　相続や遺贈により取得した財産で，金銭的な価値のあるものはすべて相続財産となり，相続税の課税対象となるのが原則である。また，本来の意味の相続で取得した財産でなくても，一定の要件に該当するものは，「みなし相続財産」として相続税が課税されることは前章で説明したとおりである。

　しかし，財産の種類や性質によっては課税することが適当でないものもあり，また，社会政策の面や公益的な見地から課税しないこととされるものもある。

　これを相続税の非課税財産といい，現行税法では，次ページの **2** の7種類の財産を課税しないことに定めている。

　なお，相続税に限らず他の税目も同じであるが，非課税の規定は，いわゆる限定列挙の方法で立法される。つまり，非課税となるものだけを法律で規定し，これに当たらないものはすべて課税されるということである。

2　非課税財産の種類

相続税の非課税財産の種類をまとめると，次図のとおりである。

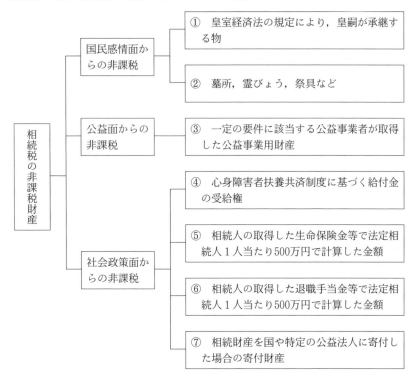

このうち，①から⑥までの非課税財産は相続税法（12条）に定められているものであるが，⑦は，国が政策的な見地から特別に定める租税特別措置法（70条）で非課税とされているものである。

これらの具体的な内容や非課税となる要件は，以下のとおりである。

第2節　非課税財産の内容と要件

1　皇室経済法の規定により皇嗣が承継する物

　天皇陛下も私たち一般国民と同様に納税の義務があるから、相続が開始した場合には、その財産について相続税が課税される。

　ただし、皇室に伝わる由緒ある物（いわゆる三種の神器など）は、皇室経済法という法律で財産相続の特例が設けられ、皇位の承継者が皇位とともに代々受け継ぐこととされている。

　そこで、皇室経済法（7条）に定められたものは、国民の感情や処分の困難性に配慮して相続税は課税しないこととされている（法12①一）。

2　墓所、霊びょう、祭具など

　民法は、仏だんやお墓などは、一般の相続財産とは別扱いにし、「慣習に従って祖先の祭祀を主宰すべき者が承継する」としている（民897）。また、これらの財産は、日常礼拝の対象となっているものであり、私たちの感情的な面からみても相続税を課税するのは適当ではない。

　そこで、仏だん、位牌、神棚などの祭具、墓地や墓石などの墳墓、先祖代々からの家系を記載した系譜などには相続税を課税しないこととされている（法12①二、基通12－1）。

　ただし、仏像などを商品や骨とう品として所有している場合や投資目的で保有しているときは非課税にはならない（基通12－2）。

3　公益事業者が取得した公益事業用財産

　相続や遺贈で財産を取得した人が、社会福祉事業や学校の運営など公益性の高い事業を行っており、相続などで取得した財産をその公益事業の用に供する場合がある。

このような場合，その公益事業を行いやすいように税制面から援助してやる必要がある。そこで，一定の公益事業者が相続や遺贈により取得した財産で，その公益事業の用に供することが確実なものは，相続税を課税しないことにしている（法12①三）。

ただし，公益事業を利用して相続税を免れるケースも想定されるため，財産を取得した日から2年以内に公益事業の用に供さなかった場合や，その公益事業の運営が財産を取得した者やその親族によって独専的に行われている場合は，この非課税規定は適用されない（法12②，令2）。

4　心身障害者扶養共済制度に基づく給付金の受給権

心身障害者扶養共済制度とは，地方公共団体が実施するもので，精神や身体に障害のある者を扶養する人を加入者とし，その加入者が地方公共団体に掛金を納付すると，地方公共団体から心身障害者を扶養するための給付金が支払われる制度をいう。

この場合，掛金を負担していたのが被相続人で，相続後も障害者である相続人に給付金の支給があると，被相続人からその相続人への経済的な利益の移転とみることもできる。このため，生命保険金などと同様に，一種のみなし相続財産に該当することになる。

しかし，この制度は，障害者の生活を補助するためのものであることから，その受給権に課税するのは適当ではない。そこで，政策的な見地からその受給権を非課税としているのである（法12①四）。

5　生命保険金に対する非課税控除

被相続人が死亡したことにより，相続人等が生命保険契約の保険金や生命共済契約の共済金を取得した場合，被相続人が負担した保険料に対応する部分の金額は，みなし相続財産として相続税が課税されることは，前章で説明したとおりである。

しかし，生命保険金は，被相続人の死亡後の遺族の生活を保障することが主

たる目的であることから、受け取った保険金の全額に相続税を課税するのは適当とはいえない。

そこで、みなし相続財産として課税対象となった生命保険金や生命共済金について、その一定部分の金額を非課税として除外することとされている。課税対象となる財産の一部を課税除外とすることから、この規定は、非課税財産というよりも特別控除あるいは非課税控除といったほうがわかりやすいかもしれない。

この非課税規定で注意しなければならないのは、次の2点である。

① 非課税規定の適用対象者
② 非課税金額の計算方法

まず、非課税規定の適用対象者は、「相続人」に限られ、相続人以外の者が取得した保険金には非課税はない。この場合の「相続人」とは、「相続の放棄をした者及び相続権を失った者を含まない」(法3①本文カッコ書)という意味の相続人のことである。

したがって、相続の放棄をした者やもともと相続権のなかった者が取得した保険金は、その全額が相続税の課税対象となるわけである。

(注) 保険金などのみなし相続財産と相続放棄との関係は、前章（54ページ）で説明したとおりであるが、要するに、相続の放棄をすると、本来の相続財産（民法上の遺産）は取得しないが、保険金などのみなし相続財産を取得することがあり、この場合の相続放棄者には非課税規定の適用がないということである。

次に、上記②の非課税金額の計算方法について、算式で示すと、次ページのようになる（法12①五、基通12-9）。

〔生命保険金の非課税金額〕

① 〔相続人の全員が取得した保険金の合計額〕 ≦ 〔保険金の非課税限度額〕 の場合……取得した保険金の全額

② 〔相続人の全員が取得した保険金の合計額〕 > 〔保険金の非課税限度額〕 の場合……次の算式による金額

保険金の非課税限度額 × $\dfrac{その相続人が取得した保険金の額}{全ての相続人が取得した保険金の合計額}$

(注) 保険金の非課税限度額＝500万円×法定相続人の数

　この算式の意味は，500万円に法定相続人の数を乗じた金額を「非課税限度額」とし，まず，相続人全員の取得した保険金の合計額が非課税限度額以下であれば保険金の全額を非課税とし（上記算式の①），逆に，相続人全員の取得した保険金の合計額が非課税限度額を超えるときは，各相続人の非課税額は，その合計額に対するそれぞれの相続人の取得金額の割合で非課税限度額をあん分する（上記算式の②），ということである。

　この場合，注意を要するのは，「法定相続人」と「相続人」という二つの用語である。保険金の非課税限度額を計算するときの「法定相続人」とは，民法上の相続人のことであるが，相続の放棄があった場合には，その放棄がなかったものとした場合の相続人をいう（法15②）。

　一方の「相続人」は，上述したとおり「相続の放棄をした者及び相続権を失った者を含まない」という意味である。

　要するに，保険金の非課税規定は，「相続人」についてだけ適用するが，相続人全員の非課税ワクである非課税限度額を計算するときは「法定相続人」の数が必要になるということである。

(注) 「相続人」と「法定相続人」の関係については，第2章（32ページ）でも説明したとおりであるが，たとえば，相続人の関係が下図のとおりとすると，「相続人」は，配偶者と長男の2人であるが，「法定相続人」は長女を含めた3人になる。

なお，被相続人に養子がある場合は法定相続人数の計算上，一定の制限があるが，これについては，第8章の「遺産に係る基礎控除額」の項（118ページ）で説明する。

設 例

① 被相続人甲の死亡により,下図の者はそれぞれ下記の金額の生命保険金を取得した。
② これらの保険金に係る生命保険契約の保険料は,全て被相続人甲が負担していたものである(長女Bは相続放棄をしたため相続人ではなく,また,孫Dはもともと相続権のない者であるが,保険金の受取人に指定されており,相続税法上,遺贈により取得したものとみなされた。)。

```
                              ┌ 長男A(1,350万円)── 孫D(800万円)
    被相続人甲
       ‖                      ├ 長女B(1,000万円)
    配偶者乙(2,700万円)
                              └ 二男C(450万円)
```

この場合,各相続人の生命保険金の非課税金額はいくらになるか。

〔計 算〕

① 保険金の非課税限度額

$$500\text{万円} \times 4\text{人(法定相続人数)} = 2,000\text{万円}$$

(注) 法定相続人は,乙,A,B及びCの4人

② 相続人の全員が取得した保険金の合計額

$$\underset{(乙)}{2,700\text{万円}} + \underset{(A)}{1,350\text{万円}} + \underset{(C)}{450\text{万円}} = 4,500\text{万円}\ (>非課税限度額2,000\text{万円})$$

③ 各相続人の非課税金額

$$配偶者乙……2,000\text{万円} \times \frac{2,700\text{万円}}{4,500\text{万円}} = 1,200\text{万円}$$

$$長\ \ 男A……2,000\text{万円} \times \frac{1,350\text{万円}}{4,500\text{万円}} = \ \ 600\text{万円}$$

$$二\ \ 男C……2,000\text{万円} \times \frac{450\text{万円}}{4,500\text{万円}} = \ \ 200\text{万円}$$

(注) この結果,相続税の課税対象となる保険金は,次のとおりになる。なお,長女B及び孫Dは「相続人」ではないため,非課税規定の適用はない。

配偶者乙………2,700万円 －1,200万円 ＝ 1,500万円
長　男Ａ………1,350万円 －　600万円 ＝　 750万円
長　女Ｂ……………………………　　 1,000万円
二　男Ｃ…………450万円－　200万円 ＝　 250万円
孫　　Ｄ……………………………　　　800万円

6　退職手当金等に対する非課税控除

　被相続人に支給されるべきであった退職手当金が，相続開始後に相続人等に支給された場合，みなし相続財産として相続税の課税対象となることは前章（60ページ）で説明したとおりである。また，いわゆる弔慰金等として支給されたもののうち，一定の金額を超える部分の金額が退職手当金に含まれることも説明したところである（61ページ）。

　しかし，これら退職手当金等は，生命保険金と同様に，相続後の遺族の生活を保障するためのものであり，その全額に相続税を課税するのは適当とはいえない。

　そこで，みなし相続財産とされた退職手当金等のうち，一定の金額を非課税として控除することとされている。

　退職手当金等に対する非課税の仕組みは，前述の生命保険金の場合とまったく同じである。そのポイントをまとめると，次のとおりである（法12①六）。

①　非課税規定は，「相続人」についてのみ適用され，相続の放棄をした者やもともと相続権のなかった者が取得した退職手当金等には非課税規定の適用はない。

②　500万円に「法定相続人」の数を乗じた金額を「非課税限度額」とし，相続人の全員に対する非課税ワクとなる。この場合，相続人全員の取得した退職手当金等の合計額が非課税限度額を超えるときは，その合計額に対する各相続人の取得金額の割合で非課税限度額をあん分する。

　このうち，②の非課税金額の計算方法を算式で示すと，次のとおりである。

第5章　相続税の非課税財産　75

〔退職手当金等の非課税金額〕
① 〔相続人の全員が取得した退職手当金等の合計額〕≦〔退職手当金等の非課税限度額〕の場合……取得した退職手当金等の全額

② 〔相続人の全員が取得した退職手当金等の合計額〕＞〔退職手当金等の非課税限度額〕の場合……次の算式による金額

退職手当金等の非課税限度額 × その相続人が取得した退職手当金等の額 / 全ての相続人が取得した退職手当金等の合計額

（注）退職手当金等の非課税限度額＝500万円×法定相続人の数

　なお、この非課税規定が適用されるのは、「みなし相続財産」とされる退職手当金等に限られるから、「本来の相続財産」に非課税控除はないことに注意を要する。したがって、被相続人の生前退職による退職金は「本来の相続財産」であり、その支給が相続開始後であっても非課税規定は適用されない（ただし、生前退職でも支給額が相続後に確定するものは「みなし相続財産」とする基通3－31の取扱いがあることは、60ページで説明したとおりである。）。

設　例

① 被相続人甲は、N社に在職中に死亡した。甲の相続人等の関係は、次図のとおりである。

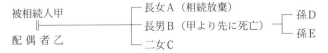

② 甲の死亡に伴い、N社は、配偶者乙と長女Aに、それぞれ次の名目で金銭の支給をした。なお、甲の死亡は、いわゆる業務上の死亡には該当せず、甲の死亡時のN社からの給与は、月額100万円であった。

　配偶者乙……死亡退職金3,000万円と弔慰金800万円
　長　女　A……特別功労金500万円

この場合、退職手当金等に対する非課税額はいくらになるか。

〔計　算〕

① 弔慰金のうち退職手当金等とされる金額

　　　（弔慰金）　　（給与の額）
　　　800万円－（100万円×6か月）＝200万円

② 相続又は遺贈により取得したとみなされる金額

　　　　　　　　（死亡退職金）（弔慰金）
　　　配偶者乙……3,000万円＋200万円＝3,200万円

　　　　　　（特別功労金）
　　　長女A……500万円

③ 退職手当金等の非課税限度額

　　　　　（法定相続人数）
　　　500万円×5人＝2,500万円

　　（注）　法定相続人は，乙，A，C，D及びEの5人。

④ 配偶者乙に対する非課税額

　　（乙の退職手当金等）（非課税限度額）
　　　　3,200万円　＞　2,500万円　→　2,500万円

　　（注）　乙については，3,200万円－2,500万円＝700万円が相続税の課税対象額になる。なお，長女Aは相続人でないため非課税規定の適用はなく，500万円（特別功労金）に対して相続税が課税される。

7　相続財産を国や特定の公益法人に寄付した場合の非課税の特例

　相続や遺贈で財産を取得した者が，その取得した財産を国，地方公共団体，又は公益社団法人や公益財団法人に贈与（寄附）した場合は，その財産について相続税は課税されない（措法70①）。また，金銭を一定の特定公益信託の信託財産とするために支出した場合も非課税となる（同法③）。これは，公益性と政策的な見地の両面から認められている特例である。

　ただし，公益社団法人等に対する寄附の場合は，その寄附により，寄附をした者やその親族の税負担が不当に減少すると認められるとき，つまり課税のがれに利用したと認められるときは非課税にはならない。この場合の課税のがれとは，たとえば，相続した土地や建物をその者やその親族が運営する公益社団

法人等にいったん寄附し，その後にこれをきわめて低額な地代や家賃で借りて私的に利用する，といったケースである。

また，寄附した財産は，実際に公益事業の用に供されることが非課税の条件となっており，その公益社団法人等が寄附を受け入れた日から2年以内に特定の公益法人に該当しないこととなった場合，あるいは2年以内にその財産を公益事業の用に供していないときは，さかのぼって当初の非課税が取り消され，相続税の課税対象になる（措法70②，④）。

なお，この特例は，相続税の申告期限までに相続財産を寄附した場合に限り適用され，申告においては，寄附を受け入れた相手方から所定の証明書をもらい，これを相続税の申告書に添付することが非課税の要件となっている（同法70⑤）。

第6章　相続税の債務控除

ポイント

(1) 民法の相続制度では，積極財産のみならず，消極財産である被相続人の債務も相続人に承継される。債務控除は，民法の扱いを受けて，相続税の課税財産価額の計算上，相続人等が負担する被相続人の債務と葬式費用を控除する制度である。

(2) 葬式費用は，被相続人に帰属していた債務ではないが，相続に伴って必然的に支出する費用であるため，債務控除に含められている。

(3) 債務控除の適用対象者は，「相続人」と「包括受遺者」に限られているが，これらの者は，相続分又は包括遺贈の割合で被相続人の債務を負担する義務を負っていることによる。相続の放棄をした者に債務控除の適用はないが，葬式費用については，実際に負担した場合に控除が認められている。

(4) いわゆる無制限納税義務者と制限納税義務者とでは，債務控除の範囲が異なり，葬式費用は無制限納税義務者に限り控除が認められ，また制限納税義務者は課税財産に対応する債務だけが控除できる。

(5) 被相続人の債務には，未納の公租公課が含まれ，相続後に相続人等が納付する一定のものも控除対象になる。

(6) 葬式費用については，控除対象になるものとならないものが税務の取扱いで明らかになっている。

第1節　債務控除の意義と適用対象者

1　債務控除の意義

　民法の相続制度（第2章）で説明したとおり，相続の対象になる財産には，消極財産，つまり被相続人の債務も含まれる。もっとも，相続人が相続の放棄をすれば，債務は承継されない。しかし，通常の相続，つまり相続の承認をした場合は，被相続人の債務は相続人が負担することになる。

　そうなると，相続税の課税上もその負担した債務を考慮して，相続人の課税対象財産の価額を算定する必要がある。そこで，相続税法は，「債務控除」という規定を設け，相続や遺贈で取得した財産の価額から，負担する債務の金額を控除することにしている（法13）。

　ところで，いわゆる無制限納税義務者の場合は，被相続人の葬式費用も債務控除の対象になるのであるが，葬式費用は相続開始後に遺族が負担すべき費用であり，相続開始時における被相続人の債務ではない。

　したがって，葬式費用は，民法の相続制度とは関係のないものということができる。しかし，その費用は，相続に伴う必然的なものであることから，相続税法は債務控除の範囲に含めているのである。

2　債務控除の適用対象者

　債務控除の規定が適用されるのは「相続人」と「包括受遺者」とされており（法13①），これ以外の者が相続税の納税義務者となっても債務控除は適用されない。

　この場合の「相続人」とは，前にも説明したとおり，「相続の放棄をした者及び相続権を失った者を含まない」（法3①本文カッコ書）ところの民法上の相続人のことをいう。したがって，相続の放棄をした者やもともと相続権のない者は相続人ではなく，債務控除の規定は適用されない。もっとも，相続の放棄

は，財産と債務のいっさいを承継しないということであり，また，相続権のない者が債務を相続することもあり得ないから，これらの者に債務控除を適用しないことは，当然のことといえる。

　ただし，葬式費用については少し異なった取扱いになる。葬式費用は，前述のとおり被相続人の債務ではないから，たとえ相続の放棄をしても，葬式費用の負担まで放棄したことにはならない。

　このため，相続の放棄をした者も遺族のひとりとして道義的に葬式費用を負担することがないとはいえない。そこで，相続放棄者は，原則として債務控除の適用はないのであるが，葬式費用を実際に負担した場合は，その費用の額を遺贈で取得した財産の価額から控除してもよいこととされている（基通13－1）。

　債務控除の適用対象者として，いまひとつ「包括受遺者」がある。第2章の遺贈のところ（34ページ）で説明したとおり，包括遺贈により財産を取得する者を包括受遺者といい，包括遺贈とは，財産に対して一定の割合を示して行う遺贈をいう。

　この場合の包括遺贈の割合は，財産のみならず，被相続人の債務の負担割合にもなる。包括受遺者は被相続人の債務を負担する義務があるため，債務控除の適用対象者とされているわけである。

第2節　債務控除の範囲と控除できる債務・葬式費用

1　無制限納税義務者と制限納税義務者の債務控除

　控除される債務の範囲について，まず，無制限納税義務者と制限納税義務者の違いを明確にしておく必要がある。

　この内容をまとめると，次図のとおりである。

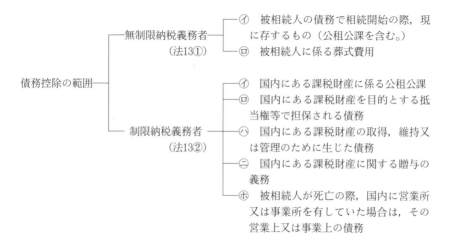

　これをみると，制限納税義務者の場合は，上図のㇹを除き，いずれも「国内にある課税財産」に直接にかかわる債務が控除対象になっている。要するに，課税財産とヒモ付きの債務だけが控除の対象になるのである。

　たとえば，㋑の「国内にある課税財産に係る公租公課」とは，制限納税義務者が取得した国内に所在する土地（課税財産）に対して課税された未納の固定資産税をいう。また，㋺の「国内にある課税財産を目的とする抵当権等で担保される債務」は，被相続人が土地を担保として借入れをしていた場合のその土地を相続した制限納税義務者がその借入金債務を承継したような例である。

　これは，第3章（43ページ）で説明した課税財産の範囲（法2）と表裏の関係

にあると考えられる。制限納税義務者の場合は，課税財産が国内に所在するものに限定されているため，それとの見合で債務控除の範囲が限定されているわけである。また，制限納税義務者については，葬式費用の控除も認められないことにも注意を要する。

この場合の「無制限納税義務者」と「制限納税義務者」とは，第3章（42ページ）で説明した納税義務者の区分である。無制限納税義務者には，国内居住者と国外居住者で一定のものの二つがあり，また，制限納税義務者についても，国内居住者と国外居住者の区分があることは前述のとおりである。

（注） 相続税の納税義務者のうち「贈与により相続時精算課税制度の適用を受ける財産を取得した者」の相続税の課税価格には，同制度の対象となった贈与財産の価額が加算され（法21の15①），債務控除は，その課税価格の計算において適用される（同②）。

なお，無制限納税義務者と制限納税義務者のいずれについても，非課税財産の取得，維持又は管理のために生じた債務（たとえば，墓地を取得するため借入れをした場合の借入金債務）は，債務控除の対象にはならない（法13③，基通13－6）。

2　未納の公租公課の取扱い

上記の債務控除の範囲について，無制限納税義務者の場合は，未納の公租公課が含まれている（法13①一カッコ書）。控除対象になるのは，相続開始の際に納付すべきことが確定している被相続人の公租公課はもちろん，被相続人の死亡後に相続人が納付したり，徴収されることになった被相続人の公租公課も含まれる（法14②，令3）。

たとえば，被相続人の死亡した年分の所得については，相続開始後4か月以内に相続人が所得税の確定申告（一般に「準確定申告」とよばれている。）をすることになっているが，その申告により納付する所得税は，相続税で債務控除の対象となる。

また，固定資産税，道府県民税，市町村民税は，その年1月1日を賦課期日として課税されるが，債務控除の適用上は，その賦課期日に納税義務が確定し

たものと考えることができる。したがって，賦課期日後に相続が開始した場合，相続後に納付することとなるその年分の固定資産税等は，未納の公租公課として債務控除の対象に含まれる。

3　特別寄与料の取扱い

　相続人以外の者（たとえば，被相続人の長男の配偶者）が献身的に被相続人の療養看護をしたとしても，相続権がないため，被相続人に相続が開始したとしても，遺贈がない限り財産を取得することはできない。

　こうした問題に対処するため，平成30年7月に成立した改正民法は，相続人以外の者の貢献に配慮するための方策として，被相続人に対して無償で療養看護その他の労務を提供したことにより被相続人の財産の維持又は増加について特別の寄与をした被相続人の親族は，相続開始後，相続人に対し，特別寄与者の寄与に応じた金銭（特別寄与料）の支払を請求できる制度を創設した（民1050①）。

　この制度に対応して相続税法では，特別寄与者が支払を受けるべき特別寄与料の額が確定した場合には，その特別寄与者が，その特別寄与料の額に相当する金額を被相続人から遺贈により取得したものとみなして，相続税を課税することとしている（法4②）。

　一方，特別寄与者に特別寄与料を支払う相続人は，通常の場合，相続により取得した財産から特別寄与料を支出すると考えられることから，その支払うべき特別寄与料の額をその者が相続又は遺贈により取得した財産の価額から控除することとしている（法13④）。特別寄与料は，被相続人の債務とはいえないが，債務に類似するものとみて債務控除の対象にしている。

（注）　相続税の申告後に支払うべき特別寄与料の額が確定した場合には，その額が確定した日の翌日から4か月以内に税務署長に対し更正の請求をして，課税価格の減額を求めることができる（法32①七）。

4　葬式費用の範囲

　債務控除について，適用対象者が無制限納税義務者の場合は葬式費用も控除できる。この場合，葬式のやり方は地域や慣習あるいは宗教などでかなり異なっており，どのような費用が控除対象になるかが実務上は問題になる。

　そこで，相続税の取扱いでは，下図のような基準で葬式費用を区分している（基通13－4，13－5）。葬式費用とされるものとは債務控除の対象になるもの，葬式費用とされないものとは控除できない費用ということである。

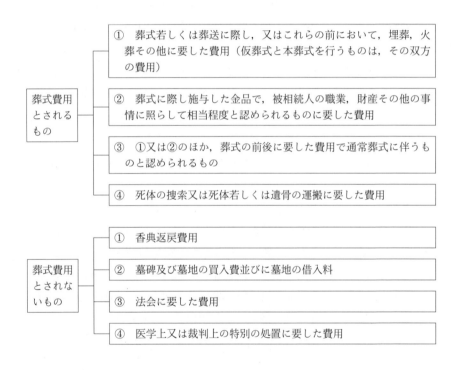

第7章　相続税の課税価格の計算

ポイント

(1) 相続税の計算は，①課税価格の計算，②相続税の総額の計算，③納付税額の計算の三つに区分され，①と③は「遺産取得課税方式」の考え方により納税義務者ごとに計算し，②は「遺産課税方式」の考え方が採用されている。

(2) 相続税の課税価格は，相続税の納税義務者ごとに課税財産価額（本来の相続財産とみなし相続財産の合計額から非課税財産の価額を控除する。）から，その者の負担する債務及び葬式費用を控除して求める。

(3) 相続や遺贈で財産を取得した者が被相続人からその相続の開始前7年以内に財産の贈与を受けているときは，その贈与財産の価額はその者の相続税の課税価格に加算される。

(4) 相続財産が相続人間で分割されていない場合には，民法の規定による相続分に従って財産を取得したものとして課税価格が計算される。

(5) 相続税の課税価格計算上の重要な特例として，「小規模宅地等についての相続税の課税価格の計算の特例」がある。この場合の小規模宅地等とは，被相続人等の事業用宅地等又は居住用宅地等のうち，相続人等が選択した「限度面積要件」を満たす部分をいい，通常の評価額から80％又は50％の減額が適用できる。

第1節　相続税の計算方法の概要と課税価格の計算

1　相続税の計算の概要

　前章までに説明した課税財産，非課税財産，債務控除といった項目は，相続税を計算する際の基本的な要素であるが，正確に言えば，相続税の「課税価格」を求めるときの計算項目である。

　ここで，課税価格の説明をする前に，相続税計算の流れをみておくことにする。現行の相続税法からみると，相続税の計算は，次図のように大きく三つに区分することができる。

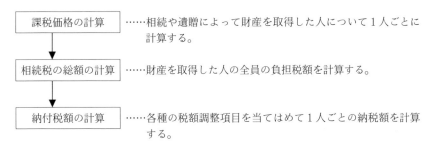

課税価格の計算　……相続や遺贈によって財産を取得した人について1人ごとに計算する。

相続税の総額の計算　……財産を取得した人の全員の負担税額を計算する。

納付税額の計算　……各種の税額調整項目を当てはめて1人ごとの納税額を計算する。

　要するに，「課税価格」，「相続税の総額」，「納付税額」の三つに分けて計算するのであるが，このうち，課税価格と納付税額は，上図のとおり，相続や遺贈で財産を取得した者について，1人ごとに算出する。これに対し，相続税の総額は，これらの者の全員に対する税額計算を行うことになる。

　これは，第1章（6ページ）で説明した「遺産取得課税方式」と「遺産課税方式」と密接にかかわることがらである。課税価格と納付税額は，財産取得者ごとに計算することから，遺産取得課税方式をベースにしているが，相続税の総額は，後述のように課税価格の合計額（つまり遺産の総額）を基に計算することから，遺産課税方式の考え方が表われているところである。

　現行の相続税法は，遺産取得課税方式と遺産課税方式の折衷方式であること

は前述したとおりであるが、このことを念頭において、以下、課税価格の計算からみていくこととする。

2 相続税の課税価格の計算

相続税は、相続や遺贈による財産の取得に課税されるものであるが、その場合の課税対象額を「課税価格」という。所得税や法人税など、他の税目では「課税標準」という用語が使われているが、課税価格はこれとほぼ同じ意味である。

課税価格は、これまでに説明した内容や項目に基づき、おおよそ次図のように計算する。この場合、相続や遺贈による財産取得者1人ごとに課税価格を求めることは前述したとおりである。

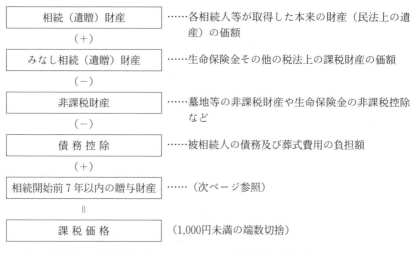

なお、相続税の納税義務者は、いわゆる無制限納税義務者（法1の3①一、二）と制限納税義務者（同三、四）に区分され、課税財産の範囲（法2）や債務控除の範囲（法13）に違いがあることは、すでに説明したとおりである。このため、相続税の課税価格に関する規定も両者を区別している（法11の2）。

(注) 財産の贈与について「相続時精算課税制度」の適用を受けた場合は、その財産の価額を相続税の課税価格に加算して相続税の計算が行われる（詳細は第14章を参照）。

第2節　相続開始前7年以内の贈与財産の加算

1　規定の趣旨と相続・贈与の関係

　上記の課税価格の計算図に示したとおり,「相続開始前7年以内の贈与財産」は,その者の相続税の課税価格に加算することとされている（法19）。

　たとえば,被相続人甲から相続により財産を取得した相続人Aが,甲からその相続の開始前7年間のうちに財産の贈与を受けていた場合は,その贈与財産の価額は,相続人Aの相続税の課税価格に加算し,その加算後の課税価格を基にAの相続税の計算が行われることになる。

　この場合の贈与財産は,相続開始時では明らかにAの所有財産であり,被相続人甲の遺産でないことはいうまでもない。したがって,被相続人の財産でないものが相続税の課税対象になるわけであるが,これは,相続と贈与,あるいは相続税と贈与税の関係に根拠を置く制度である。

　相続税には,被相続人が一生の間に蓄積した財産に対し,相続を機会に清算的に課税するという趣旨がある。そうすると,被相続人が生前に贈与した財産ももともとはその蓄積財産の一部であり,相続時の財産に加えて課税しないと一生の蓄積財産に対する清算ができないことになる。

　そこで,生前贈与財産の価額を相続税の課税価格に加算する制度が設けられているのであるが,理論的には,相続開始前の全ての贈与財産を対象とすべきことになる。しかし,現実問題とすると,10年も20年も前の贈与をすべて把握するのはほとんど不可能である。そこで,現行の制度は,相続開始前7年以内の贈与に限定したわけである。

（注）　財産の贈与について「相続時精算課税制度」の適用を受けた場合は,贈与の時期にかかわらず,同制度の対象となったすべての財産の価額が相続税の課税価格に加算される（法21の15①）。同制度による課税価格の加算も相続税と贈与税の関係に基因するものであるが,本節の相続開始前7年以内の贈与財産の加算とは別の仕組

みである。その詳細は第14章を参照されたい。

2 生前贈与財産の加算規定の内容

相続開始前3年以内の贈与財産の加算規定について、適用上のポイントをまとめると、次のとおりである（法19、基通19－1，19－2，19－3）。

① 被相続人からの贈与財産のみが加算規定の対象となり、被相続人以外の者からの贈与は対象にならない。
② 相続税の課税価格に加算される価額は、その財産の相続時の価額ではなく、贈与時の価額による。
③ 相続開始前「3年以内」とは、相続開始の日からさかのぼって7年目の同じ日以降をいう。
④ 被相続人から相続や遺贈で本来の財産やみなし相続財産を取得しなかった者には、この加算規定は適用されない。

上記の①は、たとえば、被相続人が父で、その子が父から相続により財産を取得した場合、父の相続開始前3年以内の贈与について、父からの贈与分は子の課税価格に加算されるが、母（被相続人ではない。）から贈与を受けていてもこの規定は適用されないということである。

また、②は、贈与を受けた財産の価額について、相続時に500万円であっても、贈与時の価額が400万円であれば、400万円が加算額になるということである。

ただし、課税価格に加算される贈与財産の価額について、「相続開始前3年以内に取得した財産以外の財産」の場合には、その財産の合計額から100万円を控除した残額とされる（法19①かっこ書）。要するに、相続開始の3年前から7年前までの4年間の被相続人からの生前贈与財産については、贈与財産のその贈与時の価額から100万円を控除した価額が相続税の課税価格に加算されるということである。還元すれば、上記の間の贈与財産の価額が極めて少額な場合には、加算の対象としないということである。これは、少額な贈与について納税者が記録し、贈与の事実を管理することが実務上は困難であるため、加算制度の対象外としたものである。

本節の被相続人からの生前贈与財産価額の相続税の課税価格加算制度（法19）について，その対象が「相続開始前7年以内の贈与財産」とされたのは，令和5年度の税制改正においてであり，同年の改正前は「相続開始前3年以内の贈与財産」とされていた。

　この規定に関して令和5年改正による「7年以内」は，令和6年1月1日以後に贈与により取得する財産に係る相続税から適用することとされている（令和5年税制改正法の附則51）。このため，令和6年1月1日前の贈与財産の場合には，令和5年改正前の相続税法19条が適用され，「相続開始前3年以内の贈与財産」が相続税の課税価格に加算されることに注意する必要がある。これらの改正規定とその適用関係からみると，令和13年1月1日以後に開始する相続に係る相続税から「相続開始前7年以内の贈与財産」が加算制度の対象となり，同日前の相続の場合には，相続開始の時期によって「3年以内」から「6年以内」までとなり加算対象期間が順次延長されることになる（次図参照）。

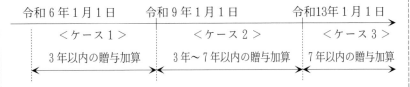

<ケース1>　令和8年7月1日相続開始の場合……加算対象は，令和5年7月1日から令和8年7月1日までの3年間の贈与

<ケース2>　令和10年1月1日相続開始の場合……加算対象は，令和6年1月1日から令和10年1月1日までの4年間の贈与

<ケース3>　令和13年1月1日相続開始の場合……加算対象は，令和6年1月1日から令和13年1月1日までの7年間の贈与

　なお，次ページの設例（令和5年4月20日相続開始）の場合には，生前贈与（設例の⑥）のうち令和3年8月10日以後の被相続人からの贈与財産が相続税法19条の適用対象になる。

③は，仮りに相続開始日が令和4年4月10日とすると，令和元年4月10日以降の贈与が加算の対象になるという意味で，④は，相続放棄者など相続財産をまったく取得しなかった者に3年以内に贈与があってもこの規定は関係しない（その時点での贈与税のみで課税関係が終了する。）ということである。

なお，被相続人からの3年以内の贈与について「贈与税の配偶者控除」（法21の6）の適用を受けている場合は，その控除相当額は加算されないが，これについては，後述（第12章209ページ）する。また，相続税の課税価格に加算された贈与財産について贈与税が課税されているときは，「贈与税額控除」が適用されるが，これについては，次章（129ページ）で説明する。

設 例

次の場合，各人の相続税の課税価格はいくらになるか。
① 被相続人甲は令和5年4月20日に死亡し，その相続人等は，次のとおりである。

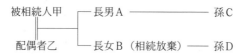

② 甲の遺産は3億円であったが，甲の遺言書に基づき，このうち1,000万円を孫Cが，500万円を孫Dがそれぞれ遺贈により取得した。
④ 甲の遺産について，②より遺贈されたものを除いた2億8,500万円は，配偶者乙が1億6,500万円，長男Aが1億2,000万円をそれぞれ分割により取得した。
⑤ 甲の債務2,000万円は配偶者乙が，甲に係る葬式費用500万円は長男Aがそれぞれ負担することとした。
⑥ 甲の生前に各相続人等は，次のような財産の贈与を受けていた。

贈与年月日	贈与者	受贈者	贈与財産	贈与時の価額	相続時の価額
令和2年3月5日	甲	乙	現金	200万円	200万円
令和3年8月10日	甲	A	土地	500万円	400万円
令和3年10月5日	甲	B	土地	1,000万円	800万円
令和3年3月10日	乙	C	現金	100万円	100万円
令和5年2月5日	甲	D	現金	50万円	50万円

〔計 算〕　　　　　　　　　　　　　　　　　　　　　（単位：万円）

	配偶者乙	長男A	孫 C	孫 D	合 計
相続財産	16,500	12,000			28,500
遺贈財産			1,000	500	1,500
債務控除	△2,000	△ 500			△2,500
相続開始前3年以内の贈与加算		500		50	550
課税価格	14,500	12,000	1,000	550	28,050

第3節　未分割遺産がある場合の課税価格の計算

1　遺産の分割・未分割と課税価格

　相続税の課税価格は，各相続人等が実際に取得した財産の価額に基づいて計算するのが原則である。つまり，前ページの設例のように，相続人間で遺産の分割が行われることを前提にしているのである。

　しかし，民法が遺産分割に期限を定めていないこともあって，相続税の申告書を提出する時までに，遺産の分割が行われるとは限らない。遺産が分割されていない状態を「未分割」というが，遺産が未分割のために課税価格の計算ができない，という理由で相続税の申告や納税の延期を認めると，法定の申告期限までに分割を確定させた場合との間で課税上の不公平が生ずる。

　そこで，相続税法は，相続税の申告をする時までに遺産が未分割の場合は，その未分割遺産は相続人（包括遺贈があるときは包括受遺者を含む。）が民法の規定による相続分（包括受遺者については包括遺贈の割合）に従って遺産を取得したものとして課税価格を計算し，相続税の申告を行うよう定めている（法55）。

2　「民法の規定による相続分」の意義

　上記の未分割遺産の課税規定による場合は，「民法の規定による相続分」に注意する必要があるが，これについては，民法第900条から第903条までに規定する相続分をいうものとされている（基通55-1）。

　したがって，「法定相続分」（民900），「代襲相続人の相続分」（同901），「指定相続分」（同902），「特別受益者の相続分」（同903）の各相続分の規定によることになる。

　これらについては，第2章（24ページ以下）で説明したところであり，いま一度その内容を確認していただきたい。

　なお，未分割遺産の規定とは少し違うが，遺産が未分割のときは，被相続人

の債務についても,その負担者が具体的に決まらないという例がほとんどである。この場合の債務控除額は,各相続人が民法第900条から第902条までの相続分で配分し,債務控除の額を計算することとされている(基通13－3)。

(注) 負担未確定の債務控除額の計算では,民法第903条が適用されないことに注意を要する。

設 例

次の場合,各相続人等の課税価格はいくらになるか。

① 被相続人甲は,令和5年4月7日に死亡し,その相続人等は,次のとおりである。

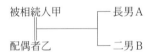

② 甲の遺産額は2億7,100万円と算定されたが,相続人間で遺産の分割は行われていない。また,甲には4,000万円の債務があるが,その負担者も確定していない。

③ 各相続人は,甲の生前に同人から次のとおり財産の贈与を受けている。

贈与年月日	受贈者	贈与財産	贈与財産の時価	
			贈与時	相続時
平成28年7月10日	A	現金	500万円	500万円
令和2年11月5日	乙	株式	600万円	700万円
令和3年3月10日	B	土地	1,000万円	900万円

〔計 算〕

① 未分割遺産の配分計算(民900～903適用)

(ア) みなし相続財産価額(相続時の遺産額に生前贈与額を加算した額)

　　　　　　　　　　(A)　　　(乙)　　　(B)
　2億7,100万円 ＋ 500万円 ＋ 700万円 ＋ 900万円 ＝ 2億9,200万円

（注）　民法903条の特別受益額となる生前贈与財産の価額は，その財産の相続時の時価による。

　(イ)　仮りの相続分（(ア)の金額を法定相続分で配分した金額）

　　　乙……2億9,200万円 $\times \frac{1}{2}$ ＝ 1億4,600万円

　　　A……2億9,200万円 $\times \frac{1}{2} \times \frac{1}{2}$ ＝ 7,300万円

　　　B……2億9,200万円 $\times \frac{1}{2} \times \frac{1}{2}$ ＝ 7,300万円

　(ウ)　実際の相続分額（(イ)の価額から特別受益額を控除した金額）

　　　乙……1億4,600万円 － 700万円 ＝ 1億3,900万円

　　　A……7,300万円 － 500万円 ＝ 6,800万円

　　　B……7,300万円 － 900万円 ＝ 6,400万円

② 債務の配分（民900～902適用）

　　乙……4,000万円 $\times \frac{1}{2}$ ＝2,000万円

　　A……4,000万円 $\times \frac{1}{2} \times \frac{1}{2}$ ＝1,000万円

　　B……4,000万円 $\times \frac{1}{2} \times \frac{1}{2}$ ＝1,000万円

③ 各人の課税価格の計算

（単位：万円）

	配偶者乙	長男A	二男B	合　計
相続財産	13,900	6,800	6,400	27,100
債務控除	△2,000	△1,000	△1,000	△4,000
相続開始前3年以内の贈与財産の加算	600		1,000	1,600
課税価格	12,500	5,800	6,400	24,700

　（注）　乙とBの生前贈与財産は，被相続人からの贈与で相続開始前3年以内のものに該当するため，贈与時の価額がそれぞれの課税価格に加算される（法19）。

　　　なお，これらは，令和6年1月1日前の贈与であるため，93ページで説明した令和5年改正による「相続開始前7年以内」ではなく，同年改正前の「相続開始前3年以内」の贈与として相続税法19条が適用される。

第4節 小規模宅地等についての課税価格の計算の特例

1 特例の趣旨と概要

　相続税は，財産の取得にかかる税であることから，土地などの不動産だけを相続すると，その不動産を売却しないと納税資金が足りないというケースもある。ところが，その土地で事業を行っていたり，相続人が相続後も住み続ける土地は，生活の基盤になる財産であり，相続税のために処分すると生活の維持ができなくなってしまう。

　そこで，一定の事業用の土地や居住用の土地については，そのうち「限度面積要件」を満たす部分について，通常の評価額から一定割合を減額して相続税の課税額とすることにしている（措法69の4）。これを「小規模宅地等についての相続税の課税価格の計算の特例」という。

(注) この特例は，土地等（宅地等）の評価と密接に関連している。「課税価格の計算の特例」とされているため，この章で説明するが，後述第17章の土地等の評価を終えてからこの特例を勉強していただくほうがわかりやすいかもしれない。

2 小規模宅地等の意義

　個人が相続や遺贈により取得した財産のうちに，その相続の開始の直前において，被相続人や被相続人と生計を一にする親族の事業の用又は居住の用に供されていた宅地等（宅地又は借地権など宅地の上に存する権利）で建物又は構築物の敷地の用に供されていたものがある場合において，下記4の特例対象宅地等に該当するもののうち，その個人が選択したもので，次の3で説明する限度面積要件を満たすものを小規模宅地等という（措法69の4①）。

　なお，この特例は，相続税の申告期限までに相続人等の間で分割されていない宅地等には適用されない（措法69の4④）。相続財産が未分割の場合の課税価格の計算方法は，前節（96ページ）で説明したとおりであるが，この場合は，

この特例による減額前の宅地等の評価額を基に課税価格を計算することになる。

ただし、相続税の申告期限において未分割でも、その宅地等が申告期限から3年以内等に分割されれば、この特例を受けることができる（措法69の4④ただし書）。

3 特例の適用対象面積（限度面積要件）

この特例により減額対象となる宅地等の面積（限度面積要件）は、特例の適用を受けるものとして選択した宅地等（選択特例対象宅地等）の区分に応じて、次のように定められている（措法69の4②、措通69の4－10）。

① 「特定事業用等宅地等」である選択特例対象宅地等……その宅地等の面積の合計が400㎡以下であること。

② 「特定居住用宅地等」である選択特例対象宅地等……その宅地等の面積の合計が330㎡以下であること。

③ 「貸付事業用宅地等」である選択特例対象宅地等……次の算式により計算した面積であること。

$$\left[\text{特定事業用等宅地等の合計面積} \times \frac{200}{400}\right] + \left[\text{特定居住用宅地等の合計面積} \times \frac{200}{330}\right] + \left[\text{貸付事業用宅地等の合計面積}\right] \leq 200\text{㎡}$$

このうち①と②は、それぞれの限度面積まで特例が適用されるから、特定事業用等宅地等と特定居住用宅地等の双方がある場合には、前者について400㎡まで、後者について330㎡までの併せて730㎡まで特例の適用を受けることができる。

ただし、貸付事業用宅地等と特定事業用等宅地を選択する場合、又は貸付事業用宅地等と特定居住用宅地等を選択する場合には、上記③の算式により適用面積を調整する必要がある。

(注)1　上記の「特定事業用等宅地等」とは、後述する「特定事業用宅地等」又は「特定同族会社事業用宅地等」をいう。

　　2　上記の③は、貸付事業用宅地等を選択特例対象宅地等とする場合の適用面積の調整計算式であるが、特例対象宅地等の選択の方法により、以下のように書き直すことができる。

イ 選択特例対象宅地等が特定事業用等宅地等と貸付事業用宅地等で，特定事業用等宅地等を優先して選択した場合の貸付事業用宅地等の適用面積

$$\text{貸付事業用宅地等の適用面積} = 200\text{m}^2 - \left[\text{選択特例対象宅地等とした特定事業用等宅地等の面積} \times \frac{1}{2}\right]$$

ロ 選択特例対象宅地等が特定事業用等宅地等と貸付事業用宅地等で，貸付事業用宅地等を優先して選択した場合の特定事業用等宅地等の適用面積

$$\text{特定事業用等宅地等の適用面積} = 400\text{m}^2 - \left[\text{選択特例対象宅地等とした貸付事業用宅地等の面積} \times 2\right]$$

ハ 選択特例対象宅地等が特定居住用宅地等と貸付事業用宅地等で，特定居住用宅地等を優先して選択した場合の貸付事業用宅地等の適用面積

$$\text{貸付事業用宅地等の適用面積} = 200\text{m}^2 - \left[\text{選択特例対象宅地等とした特定居住用宅地等の面積} \times \frac{200}{330}\right]$$

ニ 選択特例対象宅地等が特定居住用宅地等と貸付事業用宅地等で，貸付事業用宅地等を優先して選択した場合の特定居住用宅地等の適用面積

$$\text{特定居住用宅地等の適用面積} = 330\text{m}^2 - \left[\text{選択特例対象宅地等とした貸付事業用宅地等の面積} \times \frac{330}{200}\right]$$

ホ 選択特例対象宅地等が特定事業用等宅地等，特定居住用宅地等及び貸付事業用宅地等で，特定事業用等宅地等と特定居住用宅地等を優先して選択した場合の貸付事業用宅地等の適用面積

$$\text{貸付事業用宅地等の適用面積} = 200\text{m}^2 - \left[\text{選択特例対象宅地等とした特定事業用等宅地等の面積} \times \frac{1}{2}\right] - \left[\text{選択特例対象宅地等とした特定居住用宅地等の面積} \times \frac{200}{330}\right]$$

ヘ 選択特例対象宅地等が特定事業用等宅地等，特定居住用宅地等及び貸付事業用宅地等で，特定事業用等宅地等と貸付事業用宅地等を優先して選択した場合の特定居住用宅地等の適用面積

$$\text{特定居住用宅地等の適用面積} = \left\{200\text{m}^2 - \left[\text{選択特例対象宅地等とした特定事業用等宅地等の面積} \times \frac{1}{2}\right] - \left[\text{選択特例対象宅地等とした貸付事業用宅地等の面積}\right]\right\} \times \frac{330}{200}$$

ト 選択特例対象宅地等が特定事業用等宅地等，特定居住用宅地等及び貸付事業用宅地等で，特定居住用宅地等と貸付事業用宅地等を優先して選択した場合の特定事業用等宅地等の適用面積

$$\text{特定事業用等宅地等の適用面積} = \left\{200\text{m}^2 - \left[\text{選択特例対象宅地等とした特定居住用宅地等の面積} \times \frac{200}{330}\right] - \left[\text{選択特例対象宅地等とした貸付事業用宅地等の面積}\right]\right\} \times 2$$

設 例

被相続人の相続財産として、次の三つの宅地がある。下記のケースについて、小規模宅地等の課税価格の計算の特例が適用される面積はいくらになるか。
① 被相続人の事業用宅地（特定事業用等宅地等に該当する）……250㎡
② 被相続人の居住用宅地（特定居住用宅地等に該当する）………165㎡
③ 被相続人の事業用宅地（貸付事業用宅地等に該当する）………150㎡

〔ケース1〕 特定事業用等宅地等と貸付事業用宅地等について特例を適用することとし、特定事業用等宅地等の全部（250㎡）を優先的に選択特例対象宅地等とした場合

〔ケース2〕 特定居住用宅地等と貸付事業用宅地等について特例を適用することとし、特定居住用宅地等の全部（165㎡）を優先的に選択特例対象宅地等とした場合

〔計算〕
(1) ケース1の場合の適用面積
　　特定事業用等宅地等 ……250㎡
　　貸付事業用宅地等 ………200㎡ − （250㎡ × $\frac{1}{2}$）= 75㎡
(2) ケース2の場合の適用面積
　　特定居住用宅地等 ……165㎡
　　貸付事業用宅地等 ……200㎡ − （165㎡ × $\frac{200}{330}$）= 100㎡

(注) 上記のケース1における貸付事業用宅地等の適用面積は、前記（101ページ）の(注)2のイの算式を適用して算出したものであり、ケース2の場合には、同ハの算式を適用して算出している。

なお、この特例の適用に際し、特例対象宅地等として貸付事業用宅地等がある場合には、特定事業用等宅地等又は特定居住用宅地等との選択に注意を要する。これらの宅地等の評価額、限度面積及び下記の減額割合との関係から、選

択の方法によって納税者に有利不利が生じることがあるからである。要は，特例により減額される金額が大きくなるような選択をする必要があるということである。

4 減額の割合

この特例が適用される場合の相続税の課税価格に算入される金額は，小規模宅地等の価額（評価額）に次の割合を乗じた金額である。

① 特定事業用宅地等，特定居住用宅地等及び特定同族会社事業用宅地等である小規模宅地等……100分の20
② 貸付事業用宅地等である小規模宅地等……100分の50

つまり，①に該当する小規模宅地等は通常の評価額から80％減額，また，②の場合は50％減額されるということである。

上記3の適用対象面積と減額割合をまとめると，次のようになる。

小規模宅地等の種類		適用面積	減額割合
特定事業用等宅地等	特定事業用宅地等	400㎡	80％
	特定同族会社事業用宅地等	400㎡	80％
特 定 居 住 用 宅 地 等		330㎡	80％
貸 付 事 業 用 宅 地 等		200㎡	50％

（注） 適用面積はそれぞれについて上限を示すものであるが，貸付事業用宅地等と他の小規模宅地等を選択する場合は，前述した限度面積の調整を要する。

なお，上記の各宅地等を被相続人の複数の親族によって共同（共有）で取得した場合には，後述の特定事業用宅地等，特定同族会社事業用宅地等，特定居住用宅地等又は貸付事業用宅地等の要件を満たす者の取得した持分の割合に応ずる部分に特例が適用される（措令40の2⑤かっこ書，⑦かっこ書，⑪かっこ書）。たとえば，被相続人の居住用宅地等を相続人AとBの2人が，それぞれ2分の1の持分で取得した場合に，Aが特定居住用宅地等の要件を満たし，Bが要件を満たさない場合には，Aの取得した部分（上限330㎡）に特例が適用される。

> 設例

> 　被相続人甲の相続財産のうちに，次の三つの宅地があり，A宅地は相続人Aが，B宅地は相続人Bが，またC宅地は相続人Cがそれぞれ分割により取得した。
> 　相続人A，B及びCは，協議の上，A宅地の全部とC宅地の全部を選択特例対象宅地等とし，B宅地については，適用される面積について，小規模宅地等の課税価格の計算の特例の適用を受けることとした。
> 　それぞれの宅地について，課税価格に算入される金額はいくらになるか。
> ① 事業用A宅地（特定事業用宅地等に該当する）……140㎡，通常の評価額9,100万円
> ② 事業用B宅地（貸付事業用宅地等に該当する）……220㎡，通常の評価額9,900万円
> ③ 居住用C宅地（特定居住用宅地等に該当する）……165㎡，通常の評価額6,600万円

〔計　算〕

① A宅地

　　特例の適用面積 …… 140㎡

　　減額される金額 …… 9,100万円 × $\frac{140㎡}{140㎡}$ × 80％ ＝ 7,280万円

　　課税価格算入額 …… 9,100万円 － 7,280万円 ＝ 1,820万円

② B宅地

　　特例の適用面積 …… 200㎡ － (140㎡ × $\frac{1}{2}$) － (165㎡ × $\frac{200}{330}$) ＝ 30㎡

　　減額される金額 …… 9,900万円 × $\frac{30㎡}{220㎡}$ ×50％ ＝ 675万円

　　課税価格算入額 …… 9,900万円 － 675万円 ＝ 9,225万円

③ C宅地

　　特例の適用面積 …… 165㎡

　　減額される金額 …… 6,600万円 × $\frac{165㎡}{165㎡}$ ×80％ ＝ 5,280万円

課税価格算入額 …… 6,600万円 − 5,280万円 ＝ 1,320万円

(注) この例のB宅地に対する特例の適用面積は，前記（101ページ）の（注）2のホの算式を適用して算出している。なお，上記の計算は，次により限度面積要件を満たしている。

$$140㎡ \times \frac{200}{400} + 165㎡ \times \frac{200}{330} + 30㎡ \leqq 200㎡$$

5　特例対象宅地等の意義

　この特例による減額割合は，前述のとおり特定事業用宅地等，特定同族会社事業用宅地等又は特定居住用宅地等については80％，貸付事業用宅地等については50％であるが，それぞれの適用要件を満たす者が取得した場合に限り，特例が適用される。その意義と適用要件は，下記のように規定されている。

(注) それぞれについて，適用要件を満たす部分と満たさない部分がある場合（たとえば，一の宅地等のうち，その一部が特定事業用宅地等の要件を満たし，一部はその要件を満たさない場合）には，適用要件を満たす部分に限り，特例が適用される。

(1)　特定事業用宅地等

　被相続人等の事業の用に供されていた宅地等で，下記の①と②のいずれかを満たす被相続人の親族が相続又は遺贈により取得したものをいう。

　ただし，相続開始前3年以内に新たに事業の用に供された宅地等は除かれるため，この特例は適用できない。これは，相続開始の間際に駆け込み的に事業用宅地等とし，この特例を利用して相続税の軽減を図る行為を防止するための規制措置である。もっとも，宅地等の上に建物や減価償却資産があり，その価額が相続開始時の宅地等の価額の15％以上である場合には，この規制措置の適用はなく，特例の対象になる（措法69の4③一，措令40の2⑧）。

① その親族が相続開始時から相続税の申告期限までの間に，その宅地等の上で営まれていた被相続人の事業を引き継ぎ，申告期限までその宅地等を所有し，かつ，その事業を営んでいること。

② その親族がその被相続人と生計を一にしていた者であって，相続開始時から相続税の申告期限まで引き続きその宅地等を所有し，かつ，相続開始前

から申告期限まで引き続きその宅地等を自己の事業の用に供していること。

このうち①は，被相続人の事業用宅地等を取得した相続人等が，その相続後に被相続人の事業を引き継いだというケースであり，文字どおり相続による事業承継を想定したものである。

これに対し，②における「自己」とは，宅地等を取得した相続人等のことであり，被相続人の所有する宅地等の上で，相続開始前から相続人等が自らの事業を行っていたというケースが想定されている。

これらを図解すると，次のとおりである。

○ 被相続人の事業用宅地等の場合（上記①）

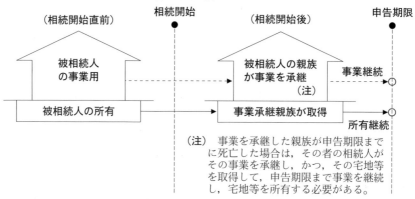

○ 被相続人と生計を一にしていた親族の事業用宅地等の場合（上記②）

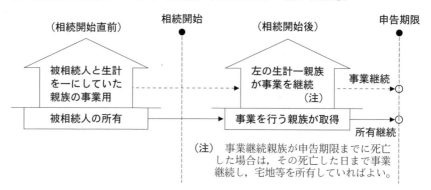

なお，特定事業用宅地等における「事業」には，いわゆる不動産貸付業は含

まれない。したがって，貸宅地や貸家建付地については，後述(4)の貸付事業用宅地等に該当する場合に限り，減額の割合が50％となる。

(2) 特定居住用宅地等

被相続人等の居住の用に供されていた宅地等で，被相続人の配偶者又は次の要件のいずれかを満たす被相続人の親族が相続又は遺贈により取得したものをいう（措法69の4③二，措令40の2⑦）。

① その親族が相続開始の直前において，その宅地等の上に存する被相続人の居住の用に供されていた一棟の建物に居住していた者であって，相続開始時から相続税の申告期限まで引き続きその宅地等を所有し，かつ，その建物に居住していること。

② その親族が次の要件の全てを満たす者であること（被相続人の配偶者又は被相続人に同居の法定相続人がいない場合に限る。）。

　　イ　相続開始前3年以内に国内にあるその者，その者の配偶者，その者の3親等内の親族又はその者と特別の関係のある法人が所有する家屋に居住したことがないこと。

　　ロ　相続開始時にその者が居住している家屋を過去に所有したことがないこと。

　　ハ　相続開始時から相続税の申告期限まで引き続きその宅地等を所有していること。

③ その親族が被相続人と生計を一にしていた者であって，相続開始時から相続税の申告期限まで引き続きその宅地等を所有し，かつ，相続開始前から申告期限まで引き続きその宅地等を自己の居住の用に供していること。

要するに，被相続人の配偶者が居住用宅地等を相続した場合には，無条件で特定居住用宅地等に該当するが，子など他の相続人等が取得した場合には，上記①から③のいずれかに該当しないと特例の適用はないということである。

このうち①は，被相続人と同居していた相続人等が相続後も引き続きその建物に居住するということであり，③は，被相続人と生計を一にしていた相続人

等が，相続前から居住を継続しているということである。また，②は，被相続人と別居・別生計であった子などが被相続人の居住用宅地等を取得した場合であるが，相続開始前3年間は，自己所有家屋や3親等内の親族などの所有する家屋に居住していなかったこと，相続開始時に居住している家屋を過去に所有したことがないこと，被相続人の配偶者又は被相続人と同居していた他の法定相続人がいないことが適用要件とされている。

（注） 上記の②について，3親等内の親族等が所有する家屋に居住したことがないことという要件があるが，これは，この特例の趣旨を逸脱するような財産の承継に規制を加えているものである。たとえば，被相続人の孫が居住用宅地等を遺贈で取得した場合に，その孫が親（3親等内の親族）の所有する家屋に居住しているとすれば，その孫に対して相続税を軽減する必要はないと考えられる。

これらを図解すると，次のようになる。

○ 配偶者が取得した場合

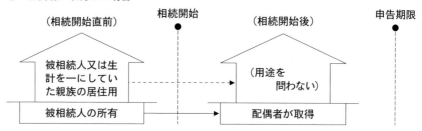

○ 同居の親族が取得した場合（上記①）

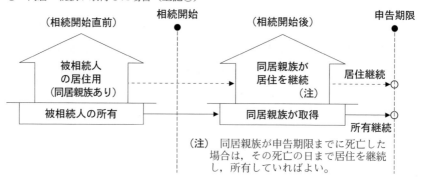

○ 同居親族以外の親族が取得した場合（上記②）

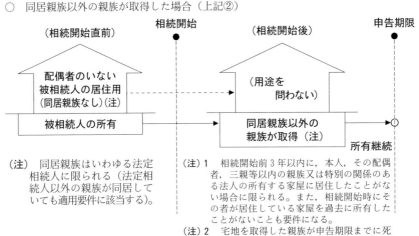

（注）同居親族はいわゆる法定相続人に限られる（法定相続人以外の親族が同居していても適用要件に該当する）。

（注）1　相続開始前3年以内に，本人，その配偶者，三親等以内の親族又は特別の関係のある法人の所有する家屋に居住したことがない場合に限られる。また，相続開始時にその者が居住している家屋を過去に所有したことがないことも要件になる。
（注）2　宅地を取得した親族が申告期限までに死亡した場合には，その死亡した日まで居住し，所有を継続すればよい。

○ 生計を一にしていた親族が取得した場合（上記③）

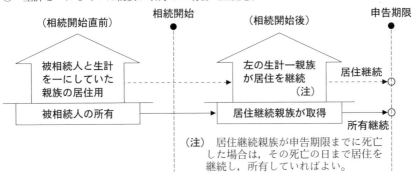

（注）居住継続親族が申告期限までに死亡した場合は，その死亡の日まで居住を継続し，所有していればよい。

（注）上記の特定居住用宅地等の図のうち「同居の親族が取得した場合」（108ページの①の規定）とは，1棟の家屋に被相続人と同居していた親族がその宅地等を取得した場合に適用されるケースであるが，この規定における「同居」とは，その家屋に被相続人と共に起居していたことをいう。

　この場合において，その1棟の建物が，いわゆる分譲マンションのように独立部分を有するものであるときは，その独立部分に居住していた者を同居の親族として取り扱うこととされている（措通69の4－21）。問題は，次図のようないわゆる二世帯住宅の取扱いである。

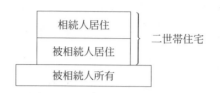

　この建物の1階部分と2階部分がそれぞれ独立した部分であるとすれば、2階部分に居住していた相続人は、被相続人の同居の親族には該当せず、その宅地等を取得しても「同居の親族が取得した場合」の要件を満たさない。したがって、特定居住用宅地等に該当せず、特例は適用されないことになる。しかしながら、分譲マンションと二世帯住宅を同一に取り扱うことは、必ずしも実情にそぐわない面がある。

　このため、上図のような二世帯住宅については、次のように取り扱うこととされている（措法69の4③二イかっこ書、措令40の2⑩、措通69の4－7の3）。
① その1棟の建物が区分所有建物である旨の登記がされている場合には、被相続人の居住の用に供されている部分（上図の二世帯住宅の場合は1階部分）に居住していた者を同居の親族とする。
② その1棟の建物が区分所有登記されていない場合には、被相続人又はその被相続人の親族の居住の用に供されていた部分（上図の1階部分又は2階部分）に居住していた者を同居の親族とする。

　したがって、上図の二世帯住宅が区分所有登記されていない場合には、2階部分に居住していた相続人は、被相続人の同居の親族となり、相続人が取得したその宅地等の全部が特定居住用宅地等に該当することになる。

　なお、相続人が同居の親族に該当しない場合（建物が区分所有登記されている場合）においても、その相続人と被相続人が生計を一にしていたときは、前記の図の「生計を一にしていた親族が取得した場合」（107ページの③の規定）によって特定居住用宅地等に該当することになる。

　ただし、被相続人と生計を一にしていた親族が取得した宅地等については、その親族が「相続開始前から」その宅地等に居住していることが要件とされている。このため、上図の二世帯住宅の場合には、相続人が相続前から居住していた2階部分に対応する敷地部分についてのみ特例が適用されることになる。

　なお、被相続人等の居住の用に供されていた宅地等が2以上ある場合には、次の宅地等が特定居住用宅地等となる（措令40の2⑥）。
① 被相続人の居住用宅地等が2以上ある場合……その被相続人が主として

居住の用に供していた一の宅地等
② 被相続人と生計を一にしていた親族の居住用宅地等が2以上ある場合……その親族が主として居住の用に供していた一の宅地等
③ 被相続人及びその被相続人と生計を一にしていた親族の居住用宅地等が2以上ある場合……次の区分に応じ，それぞれに定める宅地等
  イ その被相続人が主として居住の用に供していた一の宅地等とその親族が主として居住の用に供していた一の宅地等とが同一である場合……その一の宅地等
  ロ イ以外の場合……その被相続人が主として居住の用に供していた一の宅地等及びその親族が主として居住の用に供していた一の宅地等

要するに，特例の対象となる特定居住用宅地等は，1か所に限られるということである。

(3) 特定同族会社事業用宅地等

相続開始の直前において被相続人及びその被相続人の同族関係者が有する株式（出資を含む）の総数がその法人の発行済株式総数（出資金額）の10分の5を超える法人の事業の用に供されていた宅地等で，その宅地等を相続又は遺贈により取得した被相続人の親族（相続税の申告期限においてその法人の役員である者に限られる。）が相続開始時から申告期限まで引き続き所有し，かつ，申告期限まで引き続きその法人の事業の用に供されているものをいう（措法69の4③四，措規23の2⑥）。

(注) 特定同族会社事業用宅地等とは，上記のとおり「法人の事業の用に供されていた宅地等」とされている。その範囲について，その法人に貸し付けられていた宅地等で，その貸付けが事業に該当する場合に限ることとされている（措通69の4－23）。この場合の事業に該当する貸付けとは，相当の対価により継続的に行われているものと解されている。したがって，被相続人が有償で（地代又は家賃を収受して）同族会社に貸し付けていることが特例の適用要件になる。地代又は家賃の授受のない無償による貸付けの場合には，特例の適用はない。

特定同族会社事業用宅地等を図解すると，次のとおりである。

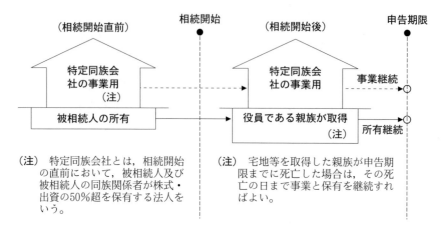

なお、この場合の法人の「事業」には不動産貸付業は含まれない。したがって、法人の事業が不動産貸付業である場合には、80％減額は適用されない。

(4) 貸付事業用宅地等

　被相続人等の貸付事業の用に供されていた宅地等で、下記の①又は②の要件のいずれかを満たす被相続人の親族が相続又は遺贈により取得したものをいう（措法69の4③四）。もっとも、相続開始前3年以内に新たに貸付事業の用に供された宅地等は、特例の適用を受けられない（ただし、相続開始の日まで3年を超えて事業的規模で貸付事業を行っていた場合には、たとえ相続開始前3年以内に新たに貸付事業の用に供された宅地等であっても特例の対象になる。）。

① その親族が相続開始時から相続税の申告期限までの間に、その宅地等に係る被相続人の貸付事業を引き継ぎ、その申告期限まで引き続きその宅地等を所有し、かつ、その貸付事業の用に供していること。

② その被相続人の親族が被相続人と生計を一にしていた者であって、相続開始時から相続税の申告期限まで引き続きその宅地等を所有し、かつ、相続開始時前から相続税の申告期限まで引き続きその宅地等を自己の貸付事業の用に供していること。

　これらは、前述した特定事業用宅地等の「事業」を「貸付事業」とした場合

の要件と同じである。要するに①は，被相続人の不動産貸付に係る宅地等を取得した相続人等が，相続後にその貸付事業を承継したケースであり，②は，宅地等を取得した相続人等が，被相続人の所有する宅地等で，相続開始前から貸付事業を行っており，相続後もその貸付事業を継続するということである。

　この規定における「貸付事業」とは，「不動産貸付業，駐車場業，自転車駐車場業及び事業と称するに至らない不動産の貸付けその他これに類する行為で相当の対価を得て継続的に行うもの」とされている（措法69の4③四，措令40の2①⑥）。したがって，いわゆる貸家建付地や貸宅地も貸付事業用宅地等として特例の対象となるが，特定事業用宅地等と異なり，80％減額ではなく，50％減額となることに注意を要する。

　なお，前述したとおり，相続開始前3年以内に新たに貸付事業の用に供された宅地等は，特例の対象外とされるのであるが，これは，相続開始の直前に貸付用の不動産を取得し，この特例を利用して相続税の軽減を図る行為を規制する趣旨である。

　もっとも，相続開始の日まで3年を超えて特定貸付事業を行っていた場合には，この規制措置は適用されないが，この場合の「特定貸付事業」とは，「準事業以外のもの」とされている（措令40の2⑯）。ここにいう「準事業」とは，上記のとおり「事業と称するに至らない不動産の貸付け」をいう（措令40の2①）。したがって，その不動産の貸付けが事業的な規模であれば，規制措置は適用されないことになる。

（注）　上記の「特定貸付事業」に関して，所得税の取扱いでは，いわゆる「5棟10室基準」（貸間やアパート等については貸与することができる独立した室数がおおむね10以上，独立家屋の貸付けについては，おおむね5棟以上）を満たせば「事業」に該当することとされている（所得税基本通達26－9）。この基準を満たせば，上記の「特定貸付事業」として取り扱われる。また，いわゆる有料駐車場，有料自転車置場等については，自己の責任において他人の物を保管する場合の所得で，その貸付事業が所得税法上の「事業所得」に該当するときも「特定貸付事業」と判定される（措通69の4－24の4）。

　上記の①と②を図解すると，次のようになるが，前記した特定事業用宅地等

の図における「事業」を「貸付事業」に置き換えたものと同じである。

○ 被相続人の貸付事業用宅地等の場合（上記①）

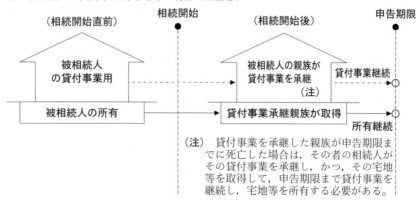

○ 被相続人と生計を一にしていた親族の貸付事業用宅地等の場合（上記②）

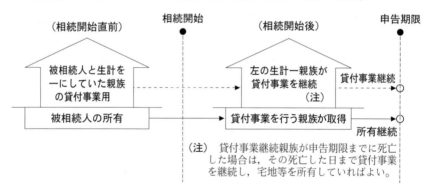

6 特例を受けるための申告手続き

　小規模宅地等についての課税価格の計算の特例を受けるためには，原則として相続税の申告書に，この規定の適用を受けようとする旨を記載し，課税価格算入額の計算に関する明細書その他一定の書類を添付することとされている（措法69の4⑥，措規23の2⑧）。

第8章　相続税額の計算

---- **ポイント** ----

(1) 相続税の総額は、「法定相続分課税方式」が採用されており、相続人等の実際の遺産の取得額にかかわらず、課税遺産額を法定相続分どおり取得したものとして計算する。

(2) 相続税の総額の計算における「遺産に係る基礎控除額」は、3,000万円に法定相続人1人につき600万円を加えた金額となる。

(3) 遺産に係る基礎控除額の計算において、被相続人に養子がある場合は、法定相続人数が1人又は2人に制限されている。

(4) 相続税の税率は、最低10％から最高55％までの8段階の超過累進税率となっている。

(5) 各相続人等の納付すべき相続税額は、相続税の総額を課税価格の合計額に対する各人の課税価格の割合（あん分割合）で配分した「算出税額」が基になる。

(6) 被相続人の一親等の血族と配偶者以外の者が財産を取得した場合のその者の納付すべき相続税額は、算出税額に「2割加算」が適用される。

(7) 相続税の課税価格の計算において、被相続人からの3年以内の生前贈与財産の課税価格加算規定が適用された場合は、「贈与税額控除」により税負担の調整が行われる。

(8) 被相続人の配偶者については、「配偶者に対する相続税額の軽減」により、課税価格の合計額に対する法定相続分相当額（最低1億6,000万円）までの金額は税額控除される。

(9) 法定相続人が未成年者又は障害者の場合は、それぞれ「未成年者控除」又は「障害者控除」により相続税が軽減される。

(10) 10年以内に2回以上相続が開始した場合は、後の相続における相続人について「相次相続控除」が適用される。また、無制限納税義務者が在外財産を取得し、財産の所在地国で相続税に相当する税が課せられたときは、「外国税額控除」により国際間の二重課税が調整される。

第1節　相続税の総額の計算

1　相続税の総額の計算のあらまし

　相続税の課税価格が求められれば，次に，これを基にして相続税額の計算を行うことになる。この場合の税額計算について，「相続税の総額」と「納付税額」に区分できることは前述したとおりである。

　まず，相続税の総額についてみると，次のような手順で計算を行う（法16）。

① すでに計算済みの各人別の課税価格を基に「課税価格の合計額」を求める。

↓

② 「遺産に係る基礎控除額」を計算する。

↓

③ ①の価額から②の金額を控除し，「課税遺産額」を算出する。

↓

④ ③の課税遺産額を法定相続人が法定相続分に応じて取得したものとした場合の各取得金額を求める。

↓

⑤ ④の法定相続分に応ずる取得金額に，相続税の税率を適用し，各法定相続人の税額（相続税の総額の基となる税額）を計算する。

↓

⑥ ⑤の相続税の総額の基となる税額を合計して「相続税の総額」を算出する。

この計算の流れを概念図で示すと，次ページのようになる。

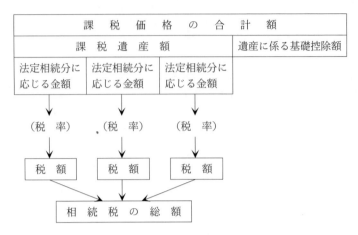

　相続税の総額の計算方法は，被相続人の財産を相続人等の間でどのように分割したかには関係なく，課税遺産額を法定相続人が法定相続分どおり取得したものと仮定して税額計算を行うという点に特徴がある。

　この計算方法を「法定相続分課税方式」というが，これは，遺産の分割状況や遺贈の有無によって相続税の総額が変わらないよう工夫されたものである。また，相続の放棄があっても，その放棄がなかったものとして法定相続人と法定相続分を判定することから，相続放棄の有無によっても相続税の総額は変わらない。

　要するに，法定相続人も法定相続分も相続開始時に確定するため，遺産の総額（課税価格の合計額）が決まれば，相続税の総額も必然的に決定してしまうわけである。

2　遺産に係る基礎控除額

(1) 計算の方法

　相続税の総額の計算において，課税価格の合計額から控除する「遺産に係る基礎控除額」は，次の算式により求める（法15①）。

　　　遺産に係る基礎控除額 ＝ 3,000万円 ＋ 600万円 × 法定相続人の数

　たとえば，法定相続人が3人とすると，

3,000万円 ＋ 600万円 × 3人 ＝ 4,800万円

が遺産に係る基礎控除額となり，法定相続人が4人の場合は，

3,000万円 ＋ 600万円 × 4人 ＝ 5,400万円

になる。

上記算式の3,000万円は定額控除，600万円は法定相続人比例控除で，遺産に係る基礎控除額は，法定相続人が1人増加すると600万円ずつ増加するしくみになっている。

なお，遺産に係る基礎控除額は，相続税の課税最低限を意味しており，課税価格の合計額がこれ以下のときは相続税の課税はなく，また，相続税の申告書を提出する必要もない。

(2) 法定相続人の意義

遺産に係る基礎控除額を計算する際の重要な要素は，「法定相続人」であり，その判定を誤ると，当然のことながら相続税の総額は正確に算出されない。

この場合の法定相続人とは，相続の放棄があった場合にはその放棄がなかったものとした場合の相続人のことをいうが（法15②），この点については，すでに第2章（32ページ）と第5章（72ページ）で説明したとおりである。

ここでは，誤解されやすい例を二つほど示しておくこととする。

〔例1〕

○ この場合の法定相続人は，配偶者，長男，二男，孫A及び孫Bの5人となる（民法上の相続人は，長男と孫Aの2人）。したがって，遺産に係る基礎控除額は，

3,000万円 ＋ 600万円 × 5人 ＝ 6,000万円

になる。

〔例2〕

○ この場合の法定相続人は，配偶者と長男の2人となる（民法上の相続人は，配偶者，兄，妹の3人）。したがって，遺産に係る基礎控除額は，

　　3,000万円 ＋ 600万円 × 2人 ＝ 4,200万円

になる。

(3) 養子の人数制限

ところで，被相続人に養子がある場合は，法定相続人の数の算定に注意を要する。

養子は，養子縁組の時から嫡出子としての身分を取得し（民809），民法上は，当然に相続人になる。しかし，相続税法上は，被相続人に養子がある場合，法定相続人の数に算入する人数を次のように制限している（法15②）。

① 被相続人に実子がある場合又は被相続人に実子がなく，養子の数が1人である場合……1人

② 被相続人に実子がなく，養子の数が2人以上である場合……2人

要するに，被相続人に実子があるときは1人に，また，実子がないときは2人までに制限するということである。これは，相続開始前に養子縁組を行い，意図的に法定相続人の数を増加させて相続税の負担を免れるという租税回避行為に対処する歯止め規定である。

したがって，次ページの例の場合，民法上の相続権者は4人であるが，相続税法上の法定相続人の数は3人となり，遺産に係る基礎控除額は，

　　3,000万円 ＋ 600万円 × 3人 ＝ 4,800万円

になる。

〔例〕

(注) 養子の人数制限は税法上の規定であるから，養子のうちいずれか1人を特定する必要はない（2人の養子について，計算上だけ1人とするということである。）。
　なお，養子の人数制限は，遺産に係る基礎控除額の計算のほか，生命保険金等及び退職手当金等の非課税金額（法12①五，六）の計算にも適用される。したがって，上例の場合，これらの非課税限度額は，500万円 × 3人 = 1,500万円になる。

　なお，特別養子縁組による養子となった者（実親との親子関係を断ち，養親と縁組をした者）や被相続人の配偶者の実子で被相続人の養子となった者など，相続税の回避を目的としない一定範囲の者には，上記の人数制限は適用されない（法15③，令3の2，基通15-6）。

3　相続税の税率

　課税価格の合計額から遺産に係る基礎控除額を差し引いた課税遺産額について，法定相続分に応ずる取得金額を求める。

　相続税の税率が適用されるのは，法定相続分に応ずる取得金額であるが，現行の税率は，次のような8段階の超過累進税率となっている（法16）。

相続税の税率

法定相続分に応ずる各取得金額	税　率
1,000万円以下の金額	10%
1,000万円を超え3,000万円以下の金額	15%
3,000万円を超え5,000万円以下の金額	20%
5,000万円を超え1億円以下の金額	30%
1億円を超え2億円以下の金額	40%
2億円を超え3億円以下の金額	45%
3億円を超え6億円以下の金額	50%
6億円を超える金額	55%

相続税法では、法定相続分に応ずる各取得金額について、それぞれ上表の金額に区分し、それぞれの金額に税率を乗じて計算した金額を求めると規定されている。そして、相続税の総額は、このようにして計算される法定相続人数分の税額を合計した金額とする、とされている（法16）。

この規定に従うと、たとえば、法定相続分に応ずる取得金額が6,000万円の場合、6,000万円を「1,000万円以下の金額」、「1,000万円を超え3,000万円以下の金額」、「3,000万円を超え5,000万円以下の金額」、「5,000万円を超え1億円（6,000万円）以下の金額」の四つに区分し、次のように税額を求めることになる。

```
1,000万円以下の金額……………………… 1,000万円 × 10％ ＝ 100万円
1,000万円を超え3,000万円以下の金額……2,000万円 × 15％ ＝ 300万円
3,000万円を超え5,000万円以下の金額……2,000万円 × 20％ ＝ 400万円
5,000万円を超え6,000万円以下の金額……1,000万円 × 30％ ＝ 300万円
                         計        （6,000万円）        1,100万円
```

しかし、法定相続人の全員について、このような計算を行うことはきわめて面倒なことである。そこで、実務上は、次のような「速算表」を用いて税額の計算を行っている。

相続税の速算表

法定相続分に応ずる各取得金額	税　率	控除額
〜1,000万円以下	10％	—
1,000万円超〜3,000万円以下	15％	50万円
3,000万円超〜5,000万円以下	20％	200万円
5,000万円超〜1億円以下	30％	700万円
1億円超〜2億円以下	40％	1,700万円
2億円超〜3億円以下	45％	2,700万円
3億円超〜6億円以下	50％	4,200万円
6億円超〜	55％	7,200万円

この速算表によれば、上記の取得金額6,000万円の場合、

　　　　　　　　（税率）　　（控除額）
　6,000万円 × 30％ － 700万円 ＝ 1,100万円

という計算をすれば、その税額が求められる。

(注) 速算表による税額計算は，各取得金額に対し，いったん限界税率（適用税率の上限の税率で，取得金額6,000万円の場合は30%）を乗じる。したがって，その限界税率より低い税率が適用される部分には，いわば税額の超過が生ずることになる。このため，その超過分を「控除額」で調整し，実際の税額を算出するわけである。取得金額6,000万円の場合は，税率30%で控除額「700万円」であるが，その根拠を示すと，次のとおりである。

1,000万円以下の部分の超過額 …………………1,000万円 × (30% － 10%) ＝200万円
1,000万円超3,000万円以下の部分の超過額 …2,000万円 × (30% － 15%) ＝300万円
3,000万円超5,000万円以下の部分の超過額 …2,000万円 × (30% － 20%) ＝200万円
　　　　　　　　　　　　　　　　　　　　　　　　　　　　　　　　　　計　700万円

4　相続税の総額の計算例

上記に基づいて，相続税の総額の計算例を示すと，次のとおりになる。

設例

被相続人甲の相続人等は，下図のとおりであり，各人のカッコ内の金額は，取得財産価額等に基づいたそれぞれの課税価格である。

なお，甲の妹と孫（長男の子）は相続人ではないが，甲から遺贈により財産を取得したものである。

```
┌ 被相続人甲       ┌ 長男A（7,829万円）──── 孫D（550万円）
│   ‖            │
│ 配偶者乙（17,426万円）├ 長女B（6,577万円）
│                 │
│                 └ 二女C（相続放棄…取得財産なし）
└ 妹丙（1,100万円）
```

〔相続税の総額の計算〕

① 課税価格の合計額

　　　　(乙)　　　　(A)　　　　(B)　　　　(丙)　　　(D)
　　17,426万円 ＋ 7,829万円 ＋ 6,577万円 ＋ 1,100万円 ＋ 550万円
　　　　　　　　　　　　　　　　　　　　　　　　　　＝ 33,482万円

② 遺産に係る基礎控除額

3,000万円 ＋ 600万円 × $\overset{\text{(法定相続人の数)}}{4人}$ ＝ 5,400万円

(注) 法定相続人は，乙，A，B及びCの4人。

③ 課税遺産額

$\overset{\text{(課税価格の合計額)}}{33,482万円}$ － $\overset{\text{(遺産に係る基礎控除額)}}{5,400万円}$ ＝ 28,082万円

④ 法定相続人の法定相続分に応ずる各取得金額

$\overset{\text{(課税遺産額)}}{}$ $\overset{\text{(法定相続分)}}{}$

乙……28,082万円 × $\frac{1}{2}$ ＝ 140,410,000円

A……28,082万円 × $\frac{1}{2}$ × $\frac{1}{3}$ ＝ 46,803,000円

B……28,082万円 × $\frac{1}{2}$ × $\frac{1}{3}$ ＝ 46,803,000円

C……28,082万円 × $\frac{1}{2}$ × $\frac{1}{3}$ ＝ 46,803,000円

(注) 法定相続分を乗じた各取得金額に1,000円未満の端数が生じたときは，その端数は切り捨てる（基通16－3）。

⑤ 相続税の総額のもととなる税額

$\overset{\text{(法定相続分に応}}{\text{ずる各取得金額)}}$ $\overset{\text{(税率)}}{}$ $\overset{\text{(速算表}}{\text{控除額)}}$

乙…… 140,410,000円 × 40％ － 1,700万円 ＝ 39,164,000円

A…… 46,803,000円 × 20％ － 200万円 ＝ 7,360,600円

B…… 46,803,000円 × 20％ － 200万円 ＝ 7,360,600円

C…… 46,803,000円 × 20％ － 200万円 ＝ 7,360,600円

⑥ 相続税の総額

$\overset{\text{(乙)}}{39,164,000円}$ ＋ $\overset{\text{(A)}}{7,360,600円}$ ＋ $\overset{\text{(B)}}{7,360,600円}$ ＋ $\overset{\text{(C)}}{7,360,600円}$ ＝ 61,245,800円

(注) 相続税の総額に100円未満の端数が生じたときは，その端数は切り捨てる（基通16－3）。

第2節　納付税額の計算

1　納付税額の計算のあらまし

　相続税の総額は，相続や遺贈で財産を取得した人全員の負担税額といってよいのであるが，それぞれの相続人等の納付税額は，相続税の総額を基に個別に算出することになる。

　この場合の納付税額の計算について，そのあらましを図で示すと，次のようになる。

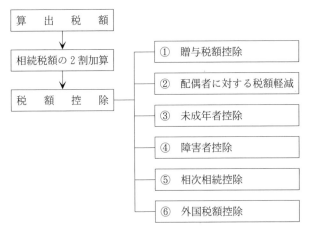

　納付税額の計算は，算出税額を求めることから始まるが，この場合の算出税額とは，相続税の総額を各人の課税価格の比で配分したそれぞれの税額のことである。

　これを基に，相続税の2割加算と税額控除を適用して最終的な納付税額を算出することとなるが，これらは，財産を取得した納税義務者の個々の事情を考慮した税額調整事項である。相続税額の2割加算は，一定の者に対するいわば重課措置，税額控除は軽減措置に当たる。

　なお，納付税額の計算は，必ず上記の順序で行う（6種類の税額控除は，上記

①から⑥の順に適用する。）ことになっている（基通20の2－4）。

(注) 相続時精算課税制度に係る贈与税額の控除は、外国税額控除の次に行うこととされている（令5の3）。

2 算出税額の計算

　算出税額は、納税義務者の1人ごとに算出される相続税額という意味で、前述のとおり、相続税の総額を課税価格の合計額に対する各人の課税価格の比で配分した金額となる。算式で示せば、次のとおりである（法17）。

$$\text{算出税額} = \text{相続税の総額} \times \frac{\text{その者の課税価格}}{\text{課税価格の合計額}}$$

　この算式の分数式部分を「あん分割合」といい、計算に際しては、まず、このあん分割合を求め、相続税の総額にそのあん分割合を乗じて算出税額の計算を行う。

① $\text{あん分割合} = \dfrac{\text{その者の課税価格}}{\text{課税価格の合計額}}$

② 算出税額 ＝ 相続税の総額 × あん分割合

　なお、あん分割合は、通常の場合、小数点以下の数値が連続し、割り切れない数値になる。このため、実務的には、小数点以下第2位までの数値とする例が多いようである。ただし、財産取得者全員のあん分割合の合計値は「1」になるように端数を調整しなければならない（基通17－1）。通常は、小数点以下3位未満の数値を四捨五入する方法によっている。

　　設 例

　　被相続人甲の相続人等は、123ページの〔設例〕のとおりであり、各人の課税価格及び相続税の総額は、123ページ以下の計算により、次のようになっている。
　　各人の算出税額を求めなさい。

① 課税価格

　　配偶者乙……17,426万円

　　長　男　A……　7,829万円

　　長　女　B……　6,577万円

　　妹　　　丙……　1,100万円

　　孫　　　D……　　550万円

　　合　計　　　33,482万円

② 相続税の総額……61,245,800円

〔算出税額の計算〕

① あん分割合

　　配偶者乙……$\dfrac{17,426万円}{33,482万円} = 0.5204\cdots \to 0.52$

　　長　男　A……$\dfrac{7,829万円}{33,482万円} = 0.2338\cdots \to 0.23$

　　長　女　B……$\dfrac{6,577万円}{33,482万円} = 0.1964\cdots \to 0.20$

　　妹　　　丙……$\dfrac{1,100万円}{33,482万円} = 0.0328\cdots \to 0.03$

　　孫　　　D……$\dfrac{550万円}{33,482万円} = 0.0164\cdots \to 0.02$

　　　　　　　　　　　　　　計　1.00

② 各人の算出税額

　　配偶者乙……61,245,800円 × 0.52 ＝ 31,847,816円

　　長　男　A……61,245,800円 × 0.23 ＝ 14,086,534円

　　長　女　B……61,245,800円 × 0.20 ＝ 12,249,160円

　　妹　　　丙……61,245,800円 × 0.03 ＝ 1,837,374円

　　孫　　　D……61,245,800円 × 0.02 ＝ 1,224,916円

3 相続税額の加算

(1) 制度の趣旨

　被相続人は，配偶者や子など相続人以外の者にも「遺贈」で財産を与えることができる。そうすると，被相続人に子があるにもかかわらず，孫に財産を与えることもできるのであるが，この場合，孫に相続税が課税されても，親→子→孫と財産が承継された場合と比べ，相続税の課税は1回分回避できることになる。いわゆる「世代の飛び越し」である。

　そこで，このようなケースの孫には相続税を重課し，通常どおり財産が承継された場合との税負担を調整することとしている。

　また，被相続人の兄弟や血縁関係のない者が財産を取得することは，ある意味では偶然なことであり，また，これらの者は，通常は相続財産で生計を立てていく必要がないケースがほとんである。

　したがって，これらの者の財産取得に対する相続税は，配偶者や子に比べて，ある程度まで負担を重くしてもよいと考えられる。

　こうした趣旨から設けられているのが「相続税額の加算」の制度で，その内容から一般に「2割加算」ともよばれている。

(2) 制度の内容

　相続や遺贈で財産を取得した者が，次に掲げる者以外のものである場合，その者の相続税額は，その者の算出税額に，その2割相当額を加算した金額とされる（法18）。

　① 被相続人の一親等の血族（その被相続人の直系卑属が相続開始以前に死亡し，又は相続権を失ったため，代襲して相続人となったその被相続人の直系卑属を含む。）。
　② 被相続人の配偶者

　この規定は，①と②以外の者を対象にするということであるから，逆に言えば，被相続人の一親等の血族と配偶者にこの加算規定は適用されないということである。

　なお，上記①のカッコ書きは，要するに代襲相続人となった孫のことである。

孫は被相続人からみて二親等の血族になるが、代襲相続の場合は一親等の血族とみなしてこの加算規定は適用されない。

実際に2割加算が適用される例としては、被相続人の兄弟姉妹が相続や遺贈で財産を取得した場合、代襲相続人でない孫などの親族が遺贈で財産を取得した場合、被相続人と血縁関係のない者が遺贈で財産を取得した場合など、が考えられる。

したがって、126ページの算出税額の計算設例では、妹丙と孫Dが適用要件に該当し、それぞれの相続税額は、次のようになる。

　　　　　　　　（算出税額）　　（2割加算額）
　　　妹丙……1,837,374円 ＋ 367,474円（＝ 1,837,374円 × 0.2）＝ 2,204,848円
　　　孫D……1,224,916円 ＋ 244,983円（＝ 1,224,916円 × 0.2）＝ 1,469,899円

なお、上記の①の「一親等の血族」には、被相続人の直系卑属でその被相続人の養子となっている者は含まれない（法18②）。要するに、被相続人が孫を養子とした場合、その孫は一親等の血族であるが、代襲相続人でない限り、その孫である養子には2割加算が適用されるということである。

4　贈与税額控除

(1)　制度の趣旨

納付税額の計算は、このあと税額控除に移るが、最初に適用関係を確認するのは「贈与税額控除」である。

相続税の課税価格の計算のところ（90ページ）で説明したように、相続や遺贈で財産を取得した者が、被相続人からその相続の開始前3年以内に財産の贈与を受けている場合、その贈与財産の価額はその者の相続税の課税価格に加算される（法19、91ページ）。

この場合、その贈与財産に贈与税が課せられていると、結果的に相続税と贈与税の課税が重複することになる。

そこで、相続税の課税価格の計算上、生前贈与財産の加算規定が適用された者については、贈与時の贈与税額をその者の相続税額から控除し、両税の負担を調整することにしている。

(2) 控除額の計算

相続税額から控除される贈与税額は，次の算式により求める（法19後段カッコ書，令4①，基通19－7）。

$$贈与税額控除額 = 贈与を受けた年分の贈与税額 \times \frac{相続税の課税価格に加算された贈与財産価額}{その年分の贈与税の課税価格}$$

この算式は，要するに贈与を受けた年分の贈与税額のうち，相続税の課税価格に加算された贈与財産の価額に対応する金額を求めるということである。

（注） 上記算式の分母及び分子の金額には，「贈与税の配偶者控除」（法21の6）の適用を受けたその控除相当額は含まれない。贈与税の配偶者控除については，後述する（第12章207ページ）。

設 例

> 被相続人甲（令和4年4月10日死亡）から相続により財産を取得した相続人である子A（30歳）の課税価格等は次のとおりであるが，Aの贈与税額控除額はいくらになるか。
> ① Aの相続税の課税価格 …………………………………………8,420万円
> ② Aの算出税額 ……………………………………………………1,160万円
> ③ Aが令和2年中に贈与により取得した財産 ……………………500万円
> 　（内訳　甲からの贈与 ……………………………………300万円）
> 　　　　　乙（母）からの贈与 ……………………………200万円
> ④ Aの令和2年分の贈与税額 ………………………………………48.5万円
> ⑤ ③の贈与財産のうちAの相続税の課税価格に加算された金額（①の課税価格に含まれている。） ……………………………………300万円

〔贈与税額控除額の計算〕

$$48.5万円 \times \frac{300万円}{500万円} = 29.1万円$$

5　配偶者に対する相続税額の軽減

(1)　制度の趣旨

　相続は，被相続人から相続人に対する財産の承継であることはいうまでもないが，親から子への財産の承継と，夫から妻への承継とでは，その意味合いがかなり異なる。前者は世代の交代，つまり財産が上から下へ流れるのに対し，後者は同一世代間の財産のヨコすべりとみることができる。

　このため，配偶者に対する相続税については，課税上，大幅な軽減措置が講じられている。「配偶者に対する相続税額の軽減」がそれで，内容的には税額控除でありながら，「控除」といわず，「軽減」と名付けられているのは，上記のような特別な意味合いがあるからかもしれない。

　この軽減制度の趣旨について，一般には次のように説明されている。

① 配偶者は，被相続人の財産形成に寄与している場合が多く，その財産の相当部分に潜在的な持分が認められること。

② 被相続人の死亡後の配偶者は，その相続財産で生計を維持していくことが通常であり，老後の生活保障が必要であること。

③ 被相続人とその配偶者は，通常は同一世代であるため，配偶者の取得した財産に対し，次の相続税課税までの期間が比較的短いこと。

(2)　軽減額の計算

　被相続人の配偶者が相続又は遺贈により財産を取得した場合には，次の算式で計算される金額がその配偶者の相続税額から控除される（法19の2①，基通19の2-7）。

$$
\text{軽減額} = \text{いずれか少ない金額} \begin{cases} ① \text{相続税の総額} \times \dfrac{\text{相続税の課税価格の合計額} \times \text{配偶者の法定相続分}}{\text{相続税の課税価格の合計額}} \begin{pmatrix} \text{この金額が1} \\ \text{億6,000万円未} \\ \text{満のときは1} \\ \text{億6,000万円} \end{pmatrix} \\ ② \text{相続税の総額} \times \dfrac{\text{配偶者の相続税の課税価格}}{\text{相続税の課税価格の合計額}} \end{cases}
$$

(注) 配偶者の贈与税額控除後の金額が「軽減額」を下回るときは、その贈与税額控除後の金額が軽減額になる。

前記の算式は、次の二つのことを意味している。

① 配偶者の課税価格が課税価格の合計額に対し、その法定相続分相当額以下のときは、配偶者の納付税額はない（配偶者の算出税額からその全額が控除される。）。

② 配偶者の課税価格が1億6,000万円以下のときは、法定相続分相当額を超える課税価格でも、①と同様に配偶者に納付税額はない。

次の〔設例1〕は①の場合を、〔設例2〕は②の場合を示している。もっとも、配偶者が法定相続分を超える割合で財産を取得し、その金額が1億6,000万円を超える場合は、その超える分に対応する納付税額が算出される（下記〔設例3〕）。

設例1

被相続人の相続人は、配偶者と子2人であり、課税価格等は次のとおりである。配偶者に対する税額軽減額はいくらになるか。

課税価格の合計額　　44,000万円

配偶者の課税価格　　19,800万円

（課税価格のあん分割合　0.45）

相続税の総額　　　　10,620万円

配偶者の算出税額　　4,779万円（＝ 10,620万円 × 0.45）

（贈与税額控除はない）

〔軽減額の計算〕

① 軽減額の算式（131ページ）の①の金額

　　（課税価格の合計額）（法定相続分）

　　　44,000万円 × $\frac{1}{2}$ ＝ 22,000万円（＞ 16,000万円）

（相続税の総額）
$$10,620万円 \times \frac{22,000万円}{44,000万円} = 5,310万円$$

② 軽減額の算式（131ページ）の②の金額

（相続税の総額）（配偶者の課税価格）
$$10,620万円 \times \frac{19,800万円}{44,000万円} = 4,779万円$$

③ 軽減額

$$5,310万円 > 4,779万円 \longrightarrow 4,779万円$$

（注） 配偶者の納付税額　4,779万円 − 4,779万円 = 0

設例 2

被相続人の相続人は，配偶者と子1人であり，課税価格等は次のとおりである。配偶者に対する税額軽減額はいくらになるか。

課税価格の合計額　　28,000万円
配偶者の課税価格　　15,400万円
　　（課税価格のあん分割合　0.55）
相　続　税　の　総　額　　6,120万円
配偶者の算出税額　　3,366万円（= 6,120万円 × 0.55）
　　（贈与税額控除はない）

〔軽減額の計算〕

① 軽減額の算式の①の金額

（課税価格の合計額）（法定相続分）
$$28,000万円 \times \frac{1}{2} = 14,000万円 < 16,000万円 \longrightarrow 16,000万円$$
（相続税の総額）
$$6,120万円 \times \frac{16,000万円}{28,000万円} = 34,971,428円$$

② 軽減額の算式の②の金額

（相続税の総額）（配偶者の課税価格）
$$6,120万円 \times \frac{15,400万円}{28,000万円} = 3,366万円$$

③ 軽減額

34,971,428円 ＞ 3,366万円 ⟶ 3,366万円

（注） 配偶者の納付税額　3,366万円 − 3,366万円 ＝ 0

設例3

> 被相続人の相続人は，配偶者と被相続人の2人の兄弟であり，課税価格等は次のとおりである。配偶者に対する税額軽減額はいくらになるか。
>
> 課税価格の合計額　　48,000万円
> 配偶者の課税価格　　38,400万円
> 　　（課税価格のあん分割合　0.80）
> 相 続 税 の 総 額　　13,840万円
> 配偶者の算出税額　　11,072万円（＝ 13,840万円 × 0.80）
> 　　（贈与税額控除はない）

〔軽減額の計算〕

① 軽減額の算式の①の金額

（課税価格の合計額）　（法定相続分）
$$48,000万円 \times \frac{3}{4} = 36,000万円（＞ 16,000万円）$$

（相続税の総額）
$$13,840万円 \times \frac{36,000万円}{48,000万円} = 10,380万円$$

② 軽減額の算式の②の金額

（相続税の総額）（配偶者の課税価格）
$$13,840万円 \times \frac{38,400万円}{48,000万円} = 11,072万円$$

③ 軽減額

10,380万円 ＜ 11,072万円 ⟶ 10,380万円

（注） 配偶者の納付税額　11,072万円 − 10,380万円 ＝ 692万円

(3) 軽減制度の適用対象者

　配偶者に対する相続税額の軽減は，文字どおり「配偶者」に適用される制度であることはいうまでもない。

　この場合の配偶者の範囲について，とくに規定はないが，いわゆる内縁の配偶者はこれに含まれず，被相続人と正式の婚姻の届出が行われている配偶者に適用されることになっている（基通19の2－2）。

　なお，被相続人の配偶者が相続の放棄をしても，遺贈財産があればこの軽減制度が適用される（基通19の2－3）。また，配偶者がいわゆる無制限納税義務者であるか制限納税義務者であるかは問われない（基通19の2－1）。

(4) 未分割遺産に対する不適用等

　ところで，相続財産が相続税の申告時までに相続人間で分割されていない場合，その未分割財産は，民法に規定する相続分に従って取得したものとして課税価格の計算をすることは，前章（96ページ）で説明したとおりである。

　配偶者に対する相続税額の軽減規定の適用上，注意を要するのは，相続財産が未分割の場合である。この軽減規定は，もともと配偶者の相続後の生活保障という趣旨があることから，配偶者が実際に取得した財産についてのみ軽減規定が適用される。相続財産が未分割の場合に計算される配偶者の課税価格は，単に計算上のもので，配偶者が実際に取得したものではない。

　このため，配偶者の課税価格のうちに未分割財産が含まれているときは，その未分割財産の価額は軽減額の対象となる配偶者の課税価格から除くこととされている（法19の2②）。

　ただし，相続税の申告をする時に未分割でも，その未分割財産が申告期限から3年以内（特別の事情がある場合に税務署長の承認を受けたときは，分割ができることとなった日の翌日から4か月以内）に分割されれば，軽減規定の適用を受けることができる（法19の2②ただし書，令4の2）。

(注)　未分割財産が分割された後に軽減規定の適用を受ける場合は，「更正の請求」（法32①八）の手続による。

(5) 隠ぺい・仮装行為の場合の不適用

相続又は遺贈により財産を取得した者が，隠ぺい又は仮装行為（意図的な財産隠し）があった場合において，相続税について調査があったことにより税務署長による更正又は決定があることを予知して期限後申告書又は修正申告書を提出するときは，その隠ぺい又は仮装行為のもととなった財産を配偶者が取得しても，軽減規定の対象にはならない（法19の2⑤，⑥）。

なお，その隠ぺい仮装行為に基づく財産を配偶者が取得した場合には，その隠ぺい仮装をした者が配偶者以外の者であっても，軽減規定が不適用となる。したがって，次表の場合には，④の例を除き，軽減規定が適用されない。

	隠ぺい又は仮装の行為者	隠ぺい又は仮装した財産の取得者
①	相続人である配偶者	相続人である配偶者
②	配偶者以外の納税義務者	相続人である配偶者
③	相続人である配偶者	配偶者以外の納税義務者
④	配偶者以外の納税義務者	配偶者以外の納税義務者

(6) 軽減規定を受けるための申告手続

配偶者に対する税額軽減規定は，相続税の申告書に，この規定の適用を受ける旨と軽減額の計算に関する明細の記載をした書類とともに，遺言書の写し，遺産分割協議書（共同相続人の全員が自署押印したもの）の写し（印鑑証明書を添付）その他の財産の取得の状況を証する書類を添付がある場合に適用される（法19の3③，規1の6③）。

6 未成年者控除

(1) 制度の趣旨

被相続人（親）が死亡したときに，相続人（子）が未成年者であるという場合，その未成年者が成年に達するまでの養育費や教育費は，多くの場合，相続財産に頼らざるを得ない。

そこで，相続や遺贈で財産を取得した者が18歳未満の場合は，その者の相続

税について「未成年者控除」を適用し、相続税の負担を軽減することとしている。

(2) 適用対象者と控除額の計算

相続又は遺贈により財産を取得した者が、次の3要件のいずれにも該当する場合に未成年者控除が適用される（法19の3①）。

① いわゆる無制限納税義務者（国外居住者である無制限納税義務者を含む。）であること

② 法定相続人に該当する者であること

③ 18歳未満の者であること

このうち、①は国内居住者に限るということであるが、この制度がもともとわが国の社会保障制度の一環をなしていることから、国外に居住する者にまでこの軽減措置を適用する必要はない、という考え方によっている。

もっとも、国外居住者である無制限納税義務者（42ページ）は、国内居住者と同様に全ての財産に課税されるため、未成年者控除の適用上もこれと同様に扱われる。

また、②は、「法定相続人」であるから、未成年者が相続の放棄をしても、遺贈財産があればこの控除が適用される。

ただし、次のような場合は、未成年者である孫が代襲相続人でない限り法定相続人とはならず、たとえ遺贈で財産を取得してもこの控除は適用されない。

被相続人 ─── 子 ─── 孫（未成年者）

未成年者控除の額は、その者が18歳に達するまでの年数1年につき、10万円で計算した金額である。

これを計算式で示すと次のようになるが、この場合、18歳に達するまでの年数に1年未満の端数があるときは、その端数は1年として控除額の計算を行う（法19の3①カッコ書）。

未成年者控除額 ＝ 10万円 ×（18歳 － その者の年齢）

なお、この計算による控除額がその者の相続税額を超える場合、つまり、控

除不足が生ずるときは，その控除しきれない金額は，その者の扶養義務者の相続税額から控除することとされている（法19の3②）。この場合において，扶養義務者が2人以上いるときのそれぞれの扶養義務者からの控除は，次のいずれかの方法による（令4の2）。

① 扶養義務者の全員が協議によりその全員が控除する金額を定めて申告書に記載した場合……その記載した金額
② ①以外の場合……扶養義務者の全員が控除できる金額をそれぞれの者の相続税額（未成年者控除前の税額）によりあん分して計算した金額

設例

被相続人の法定相続人である子A（無制限納税義務者）の相続開始時の年齢は，12歳5か月である。Aの未成年者控除額はいくらになるか。
なお，Aの相続税額（未成年者控除適用前の税額）は，100万円と計算されている。

〔未成年者控除額の計算〕
　20歳に達するまでの年数……18歳 － 12歳5か月
　　＝ 6年7か月 ⟶ 7年
　未成年者控除額……10万円×7（年）＝70万円

7　障害者控除

(1) 制度の趣旨

精神や身体に障害のある者については，制度上さまざまな配慮をする必要がある。相続税については，被相続人の死亡後，相続人である障害者が相続財産を生計の資とすることが通常であることから，「障害者控除」により，相続税の負担を軽減することにしている。

(2) 適用対象者と控除額の計算

相続又は遺贈により財産を取得した者が、次の3要件のいずれにも該当する場合に障害者控除が適用される（法19の4①）。

① 国内居住者である無制限納税義務者であること。
② 法定相続人に該当する者であること。
③ 障害者であること。

(注) ①について、「国外居住者である無制限納税義務者」は含まれない。この点は、未成年者控除の適用対象者とは異なっている。

障害者控除額は、その者が85歳に達するまでの年数1年につき、10万円で計算した金額である。ただし、重度の障害のある特別障害者については、85歳に達するまでの年数1年につき、20万円で計算した金額が控除額になる。

障害者控除額 ─┬─ 一般障害者…10万円×（85歳－その者の年齢）
　　　　　　　└─ 特別障害者…20万円×（85歳－その者の年齢）

なお、年数計算における1年未満の端数処理や、上記の計算による控除額が障害者本人の相続税額から控除しきれない場合に扶養義務者の相続税額から控除されることは、未成年者控除の場合と同じである（法19の4③）。

8　相次相続控除

(1) 制度の趣旨

相続税は、親→子→孫という世代の交代に伴う財産移転に課されるものであり、通常の場合、課税と課税の間は30年程度と考えられる。

ところが、親が死亡してから数年を経ずに子に相続が開始すると、短期間のうちに2回の相続税課税が生じることになる。そうすると、同じ財産に相次いで課税が行われることになり、長期間にわたって相続がなかった場合に比べ、税負担が重いものとなる。

そこで、これを調整するため、10年以内に2回以上相続が開始したときは、「相次相続控除」により税負担を軽減することとしている。

(2) 適用対象者と控除額の計算

相次相続控除は，前回の相続（これを「第1次相続」という。）と今回の相続（これを「第2次相続」という。）の間が10年以内の場合に，第2次相続の相続人の相続税額から一定の金額が控除されるものである。

この場合の適用対象者は，第2次相続の「相続人」に限られることに注意を要する。「相続人」の意義については，再々説明したとおり，「相続の放棄をした者及び相続権を失った者を含まない」（法3①本文）ところの相続人をいう。

したがって，相続の放棄をした者やもともと相続権がなかった者が遺贈で財産を取得しても相次相続控除の適用はない。

控除額の計算方法を算式で示すと，次のとおりである（法20，基通20-3）。

(注) 次の算式の「B」，「C」及び「D」における「財産の価額」や「財産の価額の合計額」とは，債務控除をした後の金額（換言すれば，相続開始前3年以内の贈与財産の課税価格加算（法19）の適用前の金額）をいう（基通20-2，20-3）。

ただし，相続時精算課税制度の適用を受けたことにより相続税の課税価格に加算された贈与財産の価額は，これらに含まれる（法20，21の15②）。

相次相続控除額 $= A \times \dfrac{C}{B-A} \times \dfrac{D}{C} \times \dfrac{10-E}{10}$

(注) $\dfrac{C}{B-A}$ が $\dfrac{100}{100}$ を超えるときは $\dfrac{100}{100}$ とする。

この算式における符号の意味は，次のとおりである。

A＝第2次相続の被相続人が，第1次相続で取得した財産に課せられた相続税額
B＝第2次相続の被相続人が，第1次相続で取得した財産の価額
C＝第2次相続の相続人，受遺者の全員が取得した財産の価額の合計額
D＝控除対象者であるその相続人が，第2次相続で取得した財産の価額
E＝第1次相続から第2次相続までの経過年数（1年未満の端数は切捨て）

この算式は，要するに第2次相続の被相続人が第1次相続で負担した相続税額（算式の符号A）について，第1次相続からの経過年数1年につき10％ずつ減額（算式の $\dfrac{10-E}{10}$）した金額を控除総額とし，これを第2次相続の相続人

が取得した財産の比（算式の $\frac{D}{C}$）であん分して，各相続人の控除額を求める，という意味である。

> **設 例**
>
> 被相続人甲の相続人である乙と丙について，相次相続控除額はいくらになるか。
> 1　被相続人甲は，令和4年4月20日に死亡し，その相続人（子）である乙と丙は相続により財産を取得した。
> 2　甲の父は，平成30年6月10日に死亡しており，その際，甲に相続税が課せられている。
>
> 　父（平成30年6月死亡）── 被相続人甲（令和4年4月死亡）┬ 相続人乙
> 　　　　　　　　　　　　　　　　　　　　　　　　　　　　└ 相続人丙
>
> 3　父の相続（第1次相続）及び甲の相続（第2次相続）に係る財産価額等は，次のとおりである。
> 　① 第1次相続で甲が取得した財産の価額（上記算式のB）
> 　　……………………………………………………………12,000万円
> 　② 第1次相続で甲に課せられた相続税額（上記算式のA）
> 　　……………………………………………………………2,500万円
> 　③ 第2次相続により財産を取得した乙及び丙の取得財産価額の合計額（上記算式のC）……………………………………28,000万円
> 　④ 第2次相続により財産を取得した乙及び丙のそれぞれの取得財産の価額（上記算式のD）…………乙17,000万円，丙11,000万円
> 　⑤ 第1次相続（平成30年6月10日）から第2次相続（令和4年4月20日）までの期間（上記算式のE）……………3年10か月 ⟶ 3年

〔相次相続控除額の計算〕

① 相続人乙の控除額

$$2,500万円 \times \frac{28,000万円}{12,000万円 - 2,500万円} \left(> \frac{100}{100} \to \frac{100}{100} \right) \times \frac{17,000万円}{28,000万円} \times \frac{10年 - 3年}{10年} = 1062.5万円$$

② 相続人丙の控除額

$$2,500万円 \times \frac{28,000万円}{12,000万円 - 2,500万円} \left(> \frac{100}{100} \to \frac{100}{100} \right) \times \frac{11,000万円}{28,000万円} \times \frac{10年 - 3年}{10年} = 687.5万円$$

9 外国税額控除(在外財産に対する相続税額の控除)

(1) 制度の趣旨

相続税の納税義務者がいわゆる無制限納税義務者である場合は,相続や遺贈で取得した財産が日本国外に所在していても,わが国の相続税が課せられることは前述したとおりである(法2①,第3章42ページ)。

ところが,国外にある財産に対し,その所在する国でわが国の相続税に相当する税が課せられることがある。そうなると,同一の財産について,日本の相続税とその所在地国の税が重複して課せられ,国際間の二重課税という問題が生ずる。

そこで,いわゆる在外財産について,その所在地国で課税が行われたときは,その外国での課税分をわが国の相続税額から控除し,税負担の調整をすることになっている(法20の2)。

これを「在外財産に対する相続税額の控除」というが,一般には,「外国税額控除」ともよばれている。

なお,この制度は,その趣旨からみて,無制限納税義務者についてのみ適用される。国外居住者である制限納税義務者の場合は,国内に所在する財産についてのみ相続税が課税されるから(法2②),国際間の二重課税という問題はな

く，外国税額控除が適用される余地はない。

(2) 控除額の計算

外国税額控除額は，次の①と②の金額のうち，いずれか少ない金額となる。
① 課せられた外国税額相当額
② 次の算式により計算される金額

$$\text{その者の相続税額} \atop \text{(外国税額控除適用前)} \times \frac{\text{その者が相続又は遺贈により取得した国外にある財産の価額}}{\text{その者が相続又は遺贈により取得した財産の価額}}$$

このうち，②は控除限度額を示すもので，これは，わが国の相続税の税率より外国での税率が高い場合に，その高い部分に対応する外国税額は，わが国の相続税額からは控除しないという趣旨である。

設 例

相続人Aの取得財産の価額及び相続税額は，次のとおりである。外国税額控除額はいくらになるか。
① 相続又は遺贈により取得した財産の価額 ……… 1億円
② ①のうち国外に所在する財産の価額 ……… 2,000万円
③ 相続税額（外国税額控除前の税額）……… 1,500万円
④ ②の財産に課せられた国外での税額 ……… 400万円

〔計 算〕
① 課せられた外国税額相当額　400万円
② 控除限度額

$$1,500万円 \times \frac{2,000万円}{1億円} = 300万円$$

③ 外国税額控除額
　400万円 ＞ 300万円 ——→ 300万円

第9章　相続税の申告と納税

ポイント

(1) 相続税について，課税価格の合計額が遺産に係る基礎控除額を超え，かつ，納付すべき相続税額があるときは，申告義務がある。

(2) 相続税の申告書は，相続の開始があったことを知った日の翌日から10か月以内に，納税地の所轄税務署長に提出する。

(3) 税額の計算の誤り等により過少な申告をした場合は修正申告を，また，過大な申告を行った場合は更正の請求ができる。また，これらの場合，税務署長は，更正の処分を行うことができる。

(4) 相続税は，その申告期限までに，金銭で一時に納付することを原則とする。

(5) 金銭による一時納付が困難である場合は，納税義務者の申請により，原則5年，最長20年の延納を行うことができる。延納の期間は，相続財産のうちに占める不動産等の価額の割合に応じて異なり，延納に伴って支払うこととなる利子税についても，延納の期間及び不動産等の割合により異なる。

(6) 延納によっても金銭で納付することが困難な場合は，物納により相続税の納付を行うことができる。物納は，納税義務者の申請により，税務署長の許可を受けて行うことができるが，物納できる財産については，その種類と範囲が法定されており，かつ，国において管理又は処分できるものでなければならない。

第1節　相続税の申告

1　申告義務者，申告期限，申告先

(1)　申告義務者

　相続税の課税価格から納付税額の計算方法については，前章までにひととおり説明したところであるが，相続税は，「申告納税方式」によっているため，納税者は，自己の課税価格や納付すべき税額を申告しなければならない。

　相続税の申告をしなければならない者，つまり，申告書の提出義務者は，相続や遺贈で財産を取得したものであることはいうまでもない。

　ただし，全ての者に申告義務があるわけではなく，相続税法は，次のいずれにも該当する場合に申告書の提出義務があるものとしている（法27①）。

　①　相続税の課税価格の合計額が遺産に係る基礎控除額を超えること。
　②　納付すべき相続税額があること。

　したがって，これを逆に言えば，課税価格の合計額が遺産に係る基礎控除額以下であれば申告の義務はなく，また，基礎控除額を超えても，税額控除をした結果，納付すべき税額がゼロになるときも申告を行う必要はないことになる。

　ただし，税額控除のうち，配偶者に対する相続税額の軽減の規定と，課税価格の計算におけるいわゆる小規模宅地等の特例は，申告しなければ適用されないことになっている（法19の2③，措法69の4⑥）。このため，これらの規定を適用して納税額がゼロになる場合は申告書を提出する必要がある（法27①カッコ書，基通27-1）。

(2)　申告期限

　相続税の申告書の提出期限は，「相続の開始があったことを知った日の翌日から10月以内」とされている（法27①）。

　この場合の相続の開始を知る，とは，「自己のために相続の開始があったこ

とを知った日をいう」（基通27－4）とされているが，人の死亡は，その日に遺族が知るのが通常であり，被相続人の死亡日が相続開始を知った日となるのが一般的である。

したがって，たとえば，相続開始の日（被相続人の死亡日）が x 年7月10日とすると，その翌日である x 年7月11日から10か月以内，つまり，x_1 年5月10日が申告期限となる。

(注)　10か月という月数は，暦に従って計算する。したがって，x 年4月30日に相続が開始したとすると，x_1 年2月28日が申告期限になる。

(3)　**申告書の提出先**

相続税の申告書の提出先は，納税地の所轄税務署長とされている（法27①）。

この場合の納税地とは，本来は，相続や遺贈により財産を取得した者の住所地をいうが（法62①），実際には，被相続人の死亡時の住所地とするという規定が適用されている（昭和25年法附則3）。

したがって，たとえば，相続人の住所地が大阪や名古屋であっても，被相続人の死亡時の住所地が東京であれば，相続人の全員が東京の被相続人の住所地を所轄する税務署に申告することになる。

2　期限後の申告と申告内容の訂正手続き

(1)　**期限後申告，修正申告，更正の請求**

相続税の申告書は，前述した法定の期限までに提出しなければならないが，後述の決定の手続きが行われる前であれば，法定の期限後でも申告書を提出することができる。これを「期限後申告」という（通則法18）。

ただし，期限後申告の場合は，法定の期限を過ぎたことのペナルティーとして，納付税額に対し15％（税務調査前の自主的な申告の場合は5％又は非課税）の割合で計算した無申告加算税が課税される（通則法66）。

一方，法定の期限までに申告書を提出しても，税法規定の適用ミスや計算違いなどにより，申告した課税価格や税額が誤っているときがある。この場合の

訂正の手続きが修正申告と更正の請求である。

　まず，申告した課税価格や税額が過少であるときは，正しい額に直した申告書を提出することができる。これを「修正申告」というが，税務署長による更正が行われた後は，修正申告を行うことはできない（通則法19）。

　なお，税務調査が行われる前に納税者が自主的に修正申告をした場合は，加算税は課税されないが，税務調査後の修正申告では，増加した税額の10%（増加税額が当初の申告税額と50万円のうちいずれか多い金額を超えるときのその超える部分については15%）相当額の過少申告加算税が課税される（通則法65）。

　修正申告の場合とは逆に，申告した税額が過大になっているときの手続きが「更正の請求」で，更正の請求書を提出してすでに確定した税額を減額してもらうことができる。

　もっとも，更正の請求には，法定申告期限から5年以内という期間制限があり，これを過ぎると，特別な理由がない限り更正の請求を行うことはできなくなる（通則法23）。

(2) 相続税法の特則規定

　上で述べた期限後申告，修正申告，更正の請求の扱いは，所得税や法人税などの国税全体に共通する事項を定めた国税通則法という法律の内容である。

　これに関連して相続税法では，民法の相続制度や相続税に特有な理由に基づく期限後申告等の規定を設けている（法30～32）。

　たとえば，相続税の申告書の提出時には遺産が未分割であったため，各相続人が民法に定める相続分に従って財産を取得したものとして課税価格を計算して申告したところ，後日，遺産の分割が行われ，その分割に基づいて計算すると，すでに申告した課税価格や税額と相違した，という場合である（法32①一）。

　このような事由は，他の国税ではありえない相続税特有の問題であるため，国税通則法の原則規定ではなく，相続税法の特則規定として手当てされている。ちなみに，未分割遺産が分割されたことによって，その段階で初めて申告義務が生じた（納付すべき税額が生じた）という場合は期限後申告を（法30①），その

ことによってすでに確定した税額が過少になった場合は修正申告を（法31①），また，すでに申告した税額が過大となった場合は，4か月以内に限り更正の請求ができることとされている（法32①）。

(3) 更正と決定

上記(1)と(2)の期限後申告，修正申告が納税者サイドの手続きであるのに対し，更正と決定は，税務署長の職権による手続きである。

相続税は，前述したとおり申告納税方式によっており，納税者が自己の課税価格や税額を計算し，申告することで確定することになる。しかし，納税者の申告内容がつねに正しいものとは限らないから，税務署にはそれを確認するための「税務調査」の権限が与えられている。その調査によって，申告内容に間違いがあれば，納税者の申告を是正する処分を行う。これを「更正」といい（通則法24），通常は増額更正であるが，税額を減少させる減額更正もある。

更正の処分によって，納付すべき税額が増加した場合は，その増加額に対し10％（増加税額が申告税額と50万円のうちいずれか多い金額を超えるときのその超える部分については15％）の割合による過少申告加算税が課税されるが，財産を不正な方法で隠すなど，悪質な申告と認められる場合は，過少申告加算税に代え，35％の割合による重加算税となる（通則法68①）。

一方，申告の義務があるにもかかわらず，納税者が申告をしなかった場合は，税務署が調査を行い，納付すべき税額を確定する処分を行う。これを「決定」という（通則法25）。

決定処分が行われると，納付すべき相続税のほかに，その税額の15％又は20％に相当する額の無申告加算税（財産を隠したり，事実を仮装しているときは，40％の割合による重加算税）が課税されることになる（通則法66①，②，68②）。

なお，更正をすることができる期間は，増額更正及び減額更正とも法定申告期限から5年とされている。また，決定ができる期間も5年（ただし，不正な財産隠しなど，いわゆる脱税の場合は7年）であり，これらの期間を経過すると，税務署長は更正も決定もできないこととされている（通則法70）。

第9章 相続税の申告と納税 151

第2節 相続税の納付

1 納付方法の原則

(1) 期限内申告の場合の納付

相続税は，前節で説明した法定申告期限（相続の開始を知った日の翌日から10か月以内）までに，金銭でその全額を納付することを原則とする（通則法35①）。この納期限までに全額を納付しなかった場合は，遅延利息として年14.6％（納期限の翌日から2か月以内は年7.3％）の割合による延滞税が課せられる（通則法60）。

ただし，平成26年1月1日以後の期間に対応する延滞税の割合は，次のようになる（措法94①）。

① 年14.6％の割合……延滞税特例基準割合に年7.3％を加算した割合
② 年7.6％の割合……延滞税特例基準割合に年1％を加算した割合

この場合の「延滞税特例基準割合」とは，各年の前々年の9月から前年8月までの「国内銀行の貸出約定金利の平均」の平均として前年11月30日までに財務大臣が告示する割合に年1.0％を加算した割合をいう（措法93②）。

(注) 令和5年分の財務大臣が告示する割合は，年0.4％とされている（令和4年11月30日財務省告示第301号）。したがって，特例基準割合は，年1.4％（＝0.4％＋1.0％）となり，令和2年分の延滞税の割合は，次のようになる。
　① 年14.6％の割合の延滞税……年1.4％＋年7.3％＝年8.7％
　② 年7.6％の割合の延滞税……年1.4％＋年1％＝年2.4％

(2) 期限申告，修正申告の場合の納期限

相続税について，期限後申告や修正申告を行う場合は，それぞれの申告書を提出した日が納期限となり，その申告による税額を金銭で全額を納付しなければならない（通則法35②一）。

また，更正や決定の処分が行われた場合は，更正通知書や決定通知書が発せられた日の翌日から1か月を経過する日が納期限となる（通則法35②二）。

2 延　納

(1) 延納の意義と要件

　相続税の課税状況をみると、課税対象となる財産の約4割は土地や家屋などの不動産で占められている。このため、多額の相続税を納期限までに金銭で一時に納付することが困難なケースも少なくない。

　そこで、相続税の納付方法については、延納と物納という二つの特例が設けられている。

　まず、延納についてみると、延納とは、年賦による金銭納付、つまり、年1回ずつの金銭による分割納付のことをいい、次のいずれにも該当する場合に延納を行うことができる（法38①）。

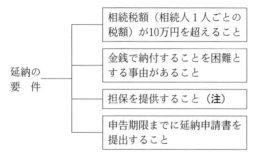

延納の要件
- 相続税額（相続人1人ごとの税額）が10万円を超えること
- 金銭で納付することを困難とする事由があること
- 担保を提供すること（注）
- 申告期限までに延納申請書を提出すること

（注）　延納税額が100万円以下で、延納期間が3年以下の場合は、担保は不要（法38④）。

　延納の許可は、金銭で納付することを困難とする事由がある場合に、その納付を困難とする金額を限度として受けられるが、この場合の「金銭で納付することを困難とする金額」（延納の許可限度額）は、次の算式で求めた金額とされている（令12①）。

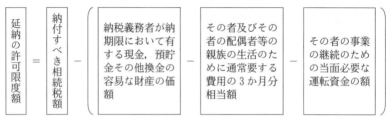

延納の許可限度額 ＝ 納付すべき相続税額 －（納税義務者が納期限において有する現金、預貯金その他換金の容易な財産の価額 ＋ その者及びその者の配偶者等の親族の生活のために通常要する費用の3か月分相当額 ＋ その者の事業の継続のための当面必要な運転資金の額）

　上記の延納の要件のうち「相続税額が10万円を超える」かどうかは、期限内

申告書，期限後申告書，修正申告書により申告された税額，又は更正や決定により納付すべき税額のそれぞれについて各別に判定する（基通38－1）。

なお，期限後申告や修正申告により課せられる延滞税や加算税については延納することはできない（基通38－5）。

(2) 延納の期間と利子税

延納できる期間は，原則として5年以内であるが，課税された相続財産のうちに不動産や立木など，換金することが困難なものが50％以上であるときは最長15年まで，また，不動産等の価額が75％以上であるときは最長20年の延納も認められる（法38①，措法70の10①）。

延納をした場合は，その延納期間に応じて利息に相当する利子税が課税され，毎年の分納税額の納付に合わせて支払うことになる。

延納期間と利子税の関係をまとめると，次のとおりである（法52，措法70の10②，70の11）。

区　　分		延納期間（最高）	利子税（年割合）
		年	％
不動産等の価額が75％以上の場合	不動産等の価額に対応する税額	20	3.6
	その他の財産の価額に対応する税額	10	5.4
不動産等の価額が50％以上の場合	不動産等の価額に対応する税額	15	3.6
	その他の財産の価額に対応する税額	10	5.4
不動産等の価額が50％未満の場合	立木の価額が30％超の場合の立木の価額に対応する税額	5	4.8
	その他の財産の価額に対応する税額	5	6.0

(注) 1　この場合の不動産等とは，次のものをいう（法38①，令13）。
　① 不動産
　② 不動産の上に存する権利
　③ 立木
　④ 事業用の減価償却資産
　⑤ 法人の発行する株式（出資を含む。）を取得した者とその者の特別関係者の所

有する株式の金額の合計額が，その法人の株式金額（出資金額を含む。）の10分の5超であるものの株式（金融商品取引所に上場されている株式を除く。）
2　上表中のほか，緑地保全地区等内の土地についての特例（最高延納期間15年，利子税の割合年4.2％，ただし不動産等の価額が75％以上の場合は3.6％）や計画伐採立木についての特例（同40年，同1.2％）がある（措法70の8の2，70の9）。
3　平成26年1月1日以後の期間に対応する利子税の割合について，各分納期間の開始の日の属する年の延納特例基準割合が年7.3％に満たない場合には，次の算式で計算した割合となる（措法93③，96①）。

$$\text{上記の各利子税の割合} \times \frac{\text{延納特例基準割合}}{\text{年7.3％}}\text{（0.1％未満の端数は切捨て）}$$

この場合の「延納特例基準割合」とは，151ページで説明した延滞税と同様，国内銀行の貸出約定平均金利に年0.5％を加算した割合をいう（措法93②）。令和元年分の貸出約定平均金利が年0.4％とされていることから，延納特例基準割合は年0.9％（＝0.4％＋0.5％）となり，これに基づいて上記の利子税の割合を計算すると，次のようになる。

(イ)　不動産等の価額が75％以上および50％以上の場合の不動産等の価額に対応する税額……………………………………………………………………年0.4％
(ロ)　不動産等の価額が75％以上および50％以上の場合のその他の財産の価額に対応する税額…………………………………………………………………年0.6％
(ハ)　不動産等の価額が50％未満の場合の立木の価額（30％超）に対応する税額
　　……………………………………………………………………………年0.5％
(ニ)　不動産等の価額が50％未満の場合のその他の財産の価額に対応する税額
　　……………………………………………………………………………年0.7％

(3)　延納の手続き

　相続税について延納の許可を受けようとする場合は，その相続税の納期限までに，金銭で納付することを困難とする事由その他必要な事項を記載した延納申請書に担保の提供に関する書類を添えて，これを税務署長に提出しなければならない（法39①）。
　延納申請書が提出されると，税務署長は，延納の要件に該当するかどうかを調査し，原則として3か月以内に，その申請に係る条件又はこれを変更した条

件により延納を許可し,あるいは,延納の条件に該当しないものとしてその申請を却下する(法39②)。

なお,延納申請者の提供しようとする担保が適当でないと認められるときは,税務署長は,その変更を求めることできるが(法39②ただし書),申請者がその変更要求通知を受けた日の翌日から20日以内に担保の変更に応じなかったときは,その延納申請は却下されることになる(法39⑤)。

3 物　　納

(1) 物納の意義と要件

相続税は,一種の財産課税であることから,延納によっても金銭で納付することが困難な場合があり,納付方法のいまひとつの特例として物納の制度が設けられている。

物納とは,文字どおり金銭以外のモノで納めるという意味で,この制度は,わが国の税金の中で相続税だけに認められている独特の納税方法である(延納は贈与税にも認められているが,贈与税に物納制度はない。)。

物納ができる要件は,次のとおりであり,延納によっても金銭で納付することを困難とする金額を限度として物納の許可を受けることができる(法41①)。

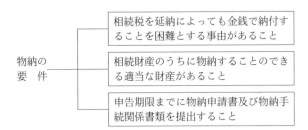

なお,期限後申告等を行った場合に課税される延滞税や加算税について物納によることはできない。

ところで,上記の「延納によっても金銭で納付することを困難とする金額」が「物納許可限度額」となるのであるが,次の算式により求めることとされている(令17,基通47-1)。

物納許可限度額 = 納付すべき相続税額 − 金銭で一時に納付することができる金額 − 延納によって納付できる額

このうち「金銭で一時に納付することができる金額」は、前述(152ページ)した「延納許可限度額」と同様である。また、「延納によって納付できる額」は、物納申請者の年間の収入金額から、生活費とその者が事業者であれば年間の運転資金を控除した残額について、延納できる最長期間の累積額をいう。

(2) **物納できる財産の種類と順位**

物納に充てることのできる財産は、物納をしようとする者の相続税の課税価格の計算の基礎となった財産(その財産により取得した財産——たとえば、相続財産となった株式を売却して土地を購入した場合のその土地——を含む。)で、日本国内に所在するもののうち、次のものに限られる(法41②)。

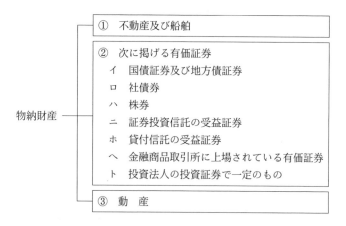

これらのうち②のロからホまでの財産については、①の財産及び②の財産のうち換金の容易なものとして一定のもの、③の財産については、①及び②の財産で納税義務者が物納の申請の際に有するもののうちに適当な価額のものがない場合に限るとされている(法41⑤、規21の2)。

したがって、物納財産の順位は、次のように定められていることになる。

第1順位……不動産、船舶、国債証券、地方債証券、上場有価証券

第2順位……第1順位以外の有価証券
第3順位……動産

物納財産に関しては，物納が認められない「管理処分不適格財産」と，物納が可能であるが他に適当な財産がない場合に限って認められる「物納劣後財産」に区分され，それぞれの範囲が法令で定められている（法41①，④，令18，19）。

管理処分不適格財産としては，抵当権が付されている不動産，権利の帰属について争いがある不動産，境界が明らかでない土地，他の土地に囲まれて公道に通じない土地などが該当し（令18），物納劣後財産には，法令に違反して建築された建物，納税義務者の居住用又は事業用建物とその敷地，間口が道路に2メートル以上接していない土地などが含まれている（令19）。

なお，物納できる財産は，上述のとおり「相続税の課税価格の計算の基礎となった財産」に限られることから，相続税の非課税財産は含まれず，また，相続人が所有していた財産を物納に充てることはできない。

(3) 物納の手続き

相続税の納付について，物納の許可を受けようとする場合は，相続税の納期限までに，物納申請書に物納財産に係る登記事項証明書や地積測量図などの物納手続関係書類を添付し，これを納税地の所轄税務署長に提出しなければならない（法42①）。

これら物納申請書及び物納手続関係書類に記載の不備又は不足等があった場合には，税務署長は，その訂正等を求めることとしており（法42⑧），その訂正等の通知があった日から20日以内に物納申請者がその訂正等をしなかった場合には，その物納の申請を取り下げたものとみなされる（法42⑩）。

物納申請書及び物納関係手続書類が整備されると，税務署長は，その申請事項が物納の要件を満たしているかどうか，物納財産が適当なものか否かを調査し，原則として3か月以内（物納財産が多数の場合は6か月以内，積雪など特別な事情がある場合は9か月以内）に物納を許可し，又はその申請を却下することとされている（法42②，⑯，⑰）。

なお，申請した物納財産が管理処分不適格財産や物納劣後財産であるとしてその申請が却下された場合には，その却下の日から20日以内に，これらの財産以外の財産をもって物納の再申請ができることとされている（法44）。

(4) 延納から物納への変更

ところで，相続税について延納をしていた者が延納期間中に資力の状況が変化し，延納を継続することが困難になる場合がある。

この場合，相続税の申告期限から10年以内であれば，未納の税額（延納税額からその納期限が到来している分納税額を控除した残額）について，金銭で納付することを困難とする金額を限度として，物納申請ができることとされている（法48の2①）。

(5) 物納財産の収納価額

物納財産が管理・処分をするのに適当と認められれば，国に収納されることになり，この場合の収納価額は，相続税の課税価格計算の基礎となったその財産の価額による（法43①）。したがって，通常はその財産の相続税評価額となる。

ただし，物納財産が収納の時までに著しく状況が変化した場合（たとえば，土地が水害等で形状が変わったような場合）は，その収納の時の現況で収納価額が決定されることになる（法43①ただし書）。

なお，物納の許可を受けた相続税額は，物納財産の引渡，所有権の移転の登記その他法令により第三者に対抗できる要件を満たした時に国に納付があったものとされる（法43②）。

(6) 物納の撤回制度

相続税は，物納よりも金銭で納付されることが国にとっても望ましい。そこで，いったん物納の許可があった場合でも，その後に金銭で納税できるようにしているのが物納の撤回とよばれる制度である。

すなわち，物納の許可を受けた不動産のうちに，賃借権など不動産を使用す

る権利の目的となっているものがある場合，その物納の許可を受けた者がその後に金銭で一時に納付したり，延納で納付できることとなったときは，その不動産の収納後でも，その許可を受けた日から1年以内に申請をすれば，物納の撤回が認められる（法46①）。たとえば，借地権が設定されている土地（底地）を物納申請し，許可を受けた後に，その底地が任意に売却できることとなったような事例が典型的なものである。

　もっとも，その不動産が国において換価されていたり，公用もしくは公共の用に供されており，あるいは供されることが確実であると見込まれるときは，物納の撤回はできない（法46①ただし書）。

第10章　贈与税の課税原因と納税義務者

> **ポイント**
>
> (1) 贈与税の課税原因は，贈与による財産の取得であり，この場合の「贈与」とは，贈与者が自己の財産を無償で相手方に与える意思を示し，その相手方が贈与を受けることを承諾する契約のことをいう。
>
> (2) 贈与税は，相続税を補完する目的で課されるものであり，その補完を行う必要のない贈与については，所得税，法人税など他の税が課される。
>
> (3) 贈与税の納税義務者については，相続税の場合と同様に，「無制限納税義務者」と「制限納税義務者」に区分される。このうち無制限納税義務者は，国外に所在する財産を含めた贈与財産の全部に課税されるのに対し，制限納税義務者は，贈与された財産のうち，国内に所在するものだけが課税の対象となる。
>
> (4) 人格のない社団等に対して財産の贈与があったときは，その人格のない社団等は個人とみなされ，例外的に納税義務者となる。
>
> (5) 持分の定めのない法人に対して財産の贈与があった場合において，その贈与により贈与者やその親族などの税負担が不当に減少すると認められるときは，その持分の定めのない法人を個人とみなして贈与税を課税することとしている。

第1節　贈与税の課税原因

1　贈与の意義と贈与税の課税原因

　贈与税の課税原因は，いうまでもなく「贈与により財産を取得した」（法1の4）ことであるが，この場合の「贈与」については，「贈与（贈与をした者の死亡により効力を生ずる贈与を除く。以下同じ。）」（法1の3①五）とされている。この条文のカッコ書は，相続税の課税原因となる「死因贈与」のことであるから，結局，これを除いた贈与が贈与税の課税原因となる。

　ところで，贈与とは，タダで財産を渡すことであるが，民法では，「贈与は，当事者の一方が自己の財産を無償にて相手方に与える意思表示をし，相手方が受諾を為すによってその効力を生ず」る契約であると定めている（民549）。

　要するに，贈与をする者が，自分の財産をタダで（無償にて）与えるという意思を示し，相手方がそれを受け取ることを了解することで贈与が成立するとしているのである。

　したがって，贈与者の一方的な意思表示だけでは贈与が成立したことにはならない。

　いずれにしても，贈与とは，このような意味であり，これを原因として財産を取得すれば，贈与税が課税されることになる。

　なお，上記の贈与の意義は，民法上の概念であり，本来の意味での贈与であるが，相続税法では，「みなし贈与」の規定を設けており，本来の意味での贈与でなくても贈与税が課税される場合があることに注意しなければならない。

2　贈与税の性格と贈与の課税関係

　財産の贈与に対し，なぜ贈与税が課税されるのか，については，第1章（8ページ）で説明したところであるが，いま一度，この点を確認しておくこととする。

将来において，相続税が課税されると予測できれば，その負担を回避又は軽減するために生前に財産を贈与する，という行動が起こりがちである。これに対処するために贈与税を課税する，というのが贈与税の課税理由であり，「贈与税は相続税の補完税である」といわれているところである。

　贈与による財産の取得は，一種の「所得」に近いものであり，所得税を課税するという考え方もありうるが，贈与は相続税を意識して親族間で行われることが多いため，所得税ではなく，贈与税を課税することとしている，ということはすでに述べたとおりである。

　このことは，逆に言えば，相続税を補完する必要のない贈与は，贈与税ではなく，所得税など，他の税目でもよいという考え方になる。

　次の関係は，個人又は法人の間で，贈与によって財産が移転した場合，どのような課税が行われるかをまとめたものである。

　① 個人から個人への贈与……贈与税
　② 法人から個人への贈与……所得税
　③ 個人から法人への贈与……法人税
　④ 法人から法人への贈与……法人税

　これをみてわかるとおり，贈与税が課税されるのは，個人と個人の間の贈与だけで，これ以外は所得税か法人税の課税となる。②から④は，いずれも法人が関係しているケースであるが，会社などの法人には，個人のような死亡ということはなく，もともと「相続」という問題は生じない。

　したがって，贈与税の課税目的である「相続税の補完」は必要ないことから，贈与税以外の税を課すことにしているのである。

　このような課税関係からみても，相続税と贈与税の関係や贈与税の性格が理解できるものと思われる。

　なお，被相続人からの生前の贈与財産と相続財産とを一体的に課税する「相続時精算課税制度」は，財産の贈与を相続の前渡し（贈与税は相続税の前払い）と位置付けているものであり，相続税と贈与税の関係を端的に示すものである（相続時精算課税制度については，後述の第14章を参照されたい。）。

第2節　贈与税の納税義務者

1　無制限納税義務者と制限納税義務者

　贈与により財産を取得した者について贈与税の納税義務が生じることは当然のことであるが，相続税法は，贈与税の納税義務者を次の三つに区分して定めている（法1の4①）。これらのうち，①と②がいわゆる「無制限納税義務者」であり，③と④が「制限納税義務者」である。

① 　国内居住者（無制限納税義務者）
② 　国外居住者（無制限納税義務者）
③ 　国内居住者（制限納税義務者）
④ 　国外居住者（制限納税義務者）

　この区分は，相続税の納税義務者（法1の3，第3章42ページ）とほぼ同じであり，課税される財産の範囲に違いがある。

　すなわち，①と②の無制限納税義務者は，贈与により取得した財産の全部について贈与税が課税されることとなり（法2の2①），国外に所在する財産を贈与されても，わが国で贈与税が課税される。

　これに対し，③と④の制限納税義務者の場合は，贈与により取得した財産のうち，日本国内に所在するものだけが課税対象になる（法2の2②）。したがって，制限納税義務者が国外に所在する財産の贈与を受けても，贈与税は課税されない。

2　国内居住者の区分

　相続税の納税義務者について，国内居住者が無制限納税義務者と制限納税義務者に区分されることは説明したが（43ページ），贈与税の納税義務者についても同様の区分がある。贈与財産を取得した国内居住者について，無制限納税義務者になる場合（上記2の①）は，次のいずれかである（法1の4①一，2の2①）。

① 一時居住者でない個人
② 一時居住者である個人（贈与者が外国人贈与者又は非居住贈与者である場合を除く）

この規定における「一時居住者」,「外国人贈与者」及び「非居住贈与者」の意義は，次のとおりである（法1の4③）。

	用 語 の 意 義
一 時 居 住 者	贈与の時において，在留資格（出入国管理及び難民認定法別表第一の上欄の在留資格をいう。）を有する者で，その贈与前15年以内において国内に住所を有していた期間の合計が10年以下であるものをいう。
外国人贈与者	贈与の時において，在留資格を有し，かつ，国内に住所を有していた贈与者をいう。
非居住贈与者	贈与の時において国内に住所を有していなかった贈与者で，その贈与前10年以内のいずれかの時において国内に住所を有していたことがあるもののうちそのいずれの時においても日本国籍を有していなかったもの又はその贈与前10年以内のいずれの時においても国内に住所を有していたことがないものをいう。

これらのうち「一時居住者」と「外国人贈与者」は，いずれも「在留資格」を有する者とされているから，いずれも外国人である。したがって，上記①の「一時居住者でない個人」とは，国内に居住する一般の国民ということになる。全て無制制限納税義務者となる。受贈者が外国人の場合には，次のようになる。
　イ　受贈者の住所が国内にある場合には，原則として無制限納税義務者となる（上記①の一時居住者でない個人）
　ロ　外国人である受贈者の国内における居住期間が10年以下（上記②の一時居住者である個人）の場合には，原則として無制限納税義務者となるが，贈与者が外国人贈与者（国内に居住しているが，その居住期間が10年以下）又は非居住贈与者（贈与時に国内に住所がなく，また，過去に住所があってもその居住期間が10年以下）の場合には，無制限納税義務者ではなく，制限納税義務者として取り扱われる。

贈与者と受贈者が外国人である場合には，次のようになる。

贈　与　者	受　贈　者	
外国人贈与者（在留資格を有して国内に居住）	贈与前15年間のうち国内の居住期間が10年以下の場合（一時居住者）	贈与前15年間のうち国内の居住期間が10年超の場合
非居住贈与者（国内に住所を有しないもの又は贈与前10年以内に国内に住所を有したことがないもの又は住所を有したことがあるがその間に日本国籍を有していなかったもの）	制限納税義務者（国内財産についてのみ課税）	無制限納税義務者（国内財産及び国外財産の双方に課税）

3　国外居住者の区分

　一方，国外居住者についても，無制限納税義務者になる場合と制限納税義務者になる場合がある。このうち無制限納税義務者については，日本国籍を有するか否かによって，次のように規定されている（法1の4①二，2の2①）。
(1)　受贈者が日本国籍を有する場合
　　その者が贈与前10年以内に国内に住所を有していたときは，無制限納税義務者に該当することになる。ただし，贈与者が外国人贈与者又は非居住贈与者である場合には，次に掲げるものが無制限納税義務者となる。
①　その贈与前10年以内のいずれかの時において国内に住所を有したことがあるもの
②　その贈与前10年以内のいずれの時においても国内に住所を有したことがないもの（贈与者が外国人贈与者又は非居住，贈与者である場合を除く）
　　この規定からみると，受贈者が日本国籍を有する場合には，その者が贈与前10年以内に国内に居住していたときは，無制限納税義務者に該当することになる。ただし，受贈者が過去10年以内に国内に住所がなく，贈与者が「外国人贈与者」（在留資格を有して国内に居住していた者）又は「非居住贈与者」（国内に住所がないか又は贈与前10年以内に国内に住所を有したことがないか住所を

有していても日本国籍を有していなかったもの）である場合には，制限納税義務者として扱われることになる。

　要するに，受贈者が日本国籍を有して過去10年以内に国内に居住していた場合には，無制限納税義務者として国内財産と国外財産の双方に課税されることになるが，贈与者が外国人である場合，又は贈与者が国内に住所を有しない場合か住所を有していても過去10年間は日本国籍を有していない場合には，外国人である贈与者の国内での居住期間にかかわらず制限納税義務者として国内財産のみに課税されるということである。

(2) 日本国籍を有しない個人（被相続人が外国人被相続人又は非居住被相続人である場合を除く）

　また，受贈者が日本国籍有しない場合であっても原則として無制限納税義務者になるが，贈与者が外国人贈与者又は非居住贈与者であれば，無制限納税義務者から除外されて制限納税義務者として取り扱われる。

　ところで，日本国籍を有しない個人（法1の4①第2号のロ）が「短期非居住贈与者」（贈与の時において国内に住所を有していなかった贈与者で，その贈与前10年以内のいずれかの時に国内に住所を有していたことがあるもののうち国内に住所を有しなくなった日前15年以内に国内に住所を有していた期間が10年を超えるもので，その住所を有しなくなった日から2年を経過していないもの）から贈与により財産を取得した場合には，贈与税の申告書を提出する必要はない（法28⑤）。ただし，短期非居住贈与者がわが国に住所を有しなくなった日から2年を経過する日までに再び国内に住所を有することとなった場合には，贈与により財産を取得した者は，国内財産及び国外財産に対する贈与税の申告書を提出しなければならない（法28⑥）。これは，国内に長期間（10年超）滞在した外国人が，出国後5年以内に行った贈与については，国外財産に対しても贈与税を課税するということであり，また，国内に長期間（10年超）滞在した外国人が，その出国の日から2年以内に再びわが国に住所を戻した場合にも，国外財産について贈与税を課税するということである。

　以上の国内居住者の区分及び国外居住者の区分について，贈与税の課税財

産の範囲をまとめると，次図のようになる。

贈与者 \ 受贈者			国内に住所あり		国内に住所なし		
				一時居住者（※1）	日本国籍あり		日本国籍なし
					10年以内に住所あり	10年以内に住所なし	
国内に住所あり							
	外国人贈与者（※2）						
国内に住所なし	日本国籍あり	10年以内に住所あり	国内・国外財産ともに課税				
		10年以内に住所なし				国内財産のみ課税	
	日本国籍なし（※3）						

※1　在留資格を有する者で，贈与前5年以内において国内に住所を有していた期間の合計が10年以下のもの。
※2　外国人贈与者贈与の時において在留資格を有し，国内に住所を有していた贈与者。
※3　贈与の時前10年間，いずれの時においても日本国籍を有していない者に限る。

4　人格のない社団等と持分の定めのない法人に対する課税

　納税義務者について，相続税のところで，原則として個人，例外として人格のない社団等と持分の定めのない法人があることを説明したが（第3章46ページ），贈与税の場合もこれと同様の規定となっている（法66）。

　人格のない社団等とは，町内会，同好会など個人でもなく，かといって会社などのように法人格もないものをいう。これら人格のない社団等が財産の贈与を受けることがないとはいえず，その場合は，その人格のない社団等は個人とみなされて贈与税の納税義務者となる（法66①）。

　また，学校法人や宗教法人などの持分の定めのない法人や，公益社団法人など公益を目的とする事業を営む法人が贈与税の納税義務者となる場合もある。

　これらは，人格のない社団等と異なり，明らかに法人格を有しており，贈与された財産に対しては，本来は法人税を課税すべきところである。

　しかし，公益社団法人等についての法人税法の規定では，いわゆる収益事業

に該当する所得のみに法人税を課税することとされており，贈与された財産が収益事業の用に供されない限り，法人税は課税されないことになる。

もっとも，贈与された財産が，公益社団法人等の本来の目的である公益事業の用に供されるのであれば，公益の増進に寄与することから，法人税も贈与税も課税する必要はない。

問題になるのは，贈与という行為を利用し，税の負担が不当に回避される場合である。相続税のところでも説明したことと同様であるが，課税しなければならないのは，個人の財産を本人やその親族が主宰する公益社団法人等に贈与し，公益事業の用に供したように見せかけて，実は私的にその財産を利用するといったケースである。

そこで，このような事実がある場合は，税負担の公平を維持するため，その公益社団法人等を個人とみなして贈与税の納税義務を負わせることとしている（法66④）。

第11章　贈与税の課税財産と非課税財産

---- **ポイント** ----

(1) 贈与税の課税財産は，民法上の贈与による「本来の贈与財産」と，相続税法が贈与を擬制する「みなし贈与財産」に区分できる。

(2) みなし贈与財産は，次の6種類があるが，課税の要件に該当する場合は，当事者間に贈与の認識がなくても課税される。
① 信託受益権
② 生命保険金
③ 定期金受給権
④ 低額譲受けによる利益
⑤ 債務免除等による利益
⑥ その他の経済的利益

(3) 贈与税の非課税財産は，相続税法に次の7種類が定められているが，このほか取扱いにより非課税とされている香典，祝金等がある。それぞれの非課税財産には，非課税とされる理由がある。
① 法人から受けた贈与財産
② 生活費や教育費に充てるための扶養義務者からの贈与で通常必要なもの
③ 一定の要件に該当する公益事業者が取得した公益事業用財産
④ 特定公益信託で一定のものから交付される金品
⑤ 心身障害者扶養共済制度に基づく給付金の受給権
⑥ 公職選挙の候補者が受ける贈与財産
⑦ 特定障害者が受ける信託受益権で，6,000万円までのもの

　また，租税特別措置として，直系尊属から住宅取得等資金の贈与を受けた場合の非課税制度，直系尊属から教育資金の一括贈与を受けた場合の非課税制度及び直系尊属から結婚・子育て資金の一括贈与を受けた場合の非課税制度がある。

第1節　贈与税の課税財産

1　財産の意義と課税財産

　贈与税は，相続税と同様に，財産の取得に課税されるものであり，「財産」とは何か，が重要になる。もっとも，その内容や範囲は，相続税の課税財産の項（53ページ）で説明したところと同様であり，要するに，有形無形を問わず「金銭に見積ることができる経済的価値のあるすべてのもの」（基通11の2－1）である。

　ところで，贈与とはどのようなことか，については，前章でみたところであり，要は，財産を無償で与えることについて贈与者と受贈者の合意のもとに成立する契約のことである（民549）。

　しかしながら，贈与という行為は，夫婦，親子などの親族間で行われることがほとんどであり，明らかに贈与をしたという認識がないにもかかわらず，これらの者の間で財産が移転する場合がある。たとえば，子の独立や結婚などを機に親の土地や家屋を子の名義に変更したり，夫が買い入れた不動産や株式を妻の名義にしたという場合である。

　このような場合，民法にいうところの契約としての贈与が成立したか否かは必ずしも明確ではない。しかし，民法上の贈与が成立していないからといって，無償による財産の移転に何らの課税もないのは税負担の公平を害することとなる。

　したがって，上記のような財産の名義変更や，本人以外の名義で財産を取得した場合は，その名義人となった者がその財産や取得資金を贈与により取得したものと推定して課税されることになっている（昭39．5．23直評（資）22ほか通達「名義変更等が行われた後にその取消し等があった場合の贈与税の取扱いについて」通達の（趣旨）本文）。

（注）　財産の名義変更等が贈与の意思に基づくものではなく，単に誤り等で行われたも

のとして、贈与税の申告等の前に名義を実際の所有者に戻した場合は、原則として贈与税は課税されない（上記通達1及び2）。

2 本来の贈与財産とみなし贈与財産

上記1の問題は、民法上の贈与に該当するか否か、つまり「本来の贈与」があったかどうかという問題であるが、これとは別に相続税法には、「みなし贈与財産」の規定がいくつか設けられている。

相続税の課税財産のところ（第4章53ページ）で「本来の相続財産」と「みなし相続財産」の区分を説明したが、贈与税の課税財産についても同様で、本来の（民法上の）贈与財産と、民法上の贈与には該当しないが、税法が財産の贈与があったものと疑制して課税するものがあるわけである。

この場合の「みなし贈与財産」は、税法が独自に贈与とみなすものであることから、当事者に贈与の意思がなくても課税されることに注意しなければならない。

第2節　みなし贈与財産の種類と課税要件

1　みなし贈与財産の種類

　贈与税の課税財産のうち，みなし贈与財産は，前述のとおり当事者に贈与という認識がなくても贈与税が課税される。その意味では，どのような場合にみなし贈与となるかが重要である。

　まず，相続税法に定められているみなし贈与財産の種類とその概要をまとめると，次のようになる。

種　類	課税要件	贈与者	受贈者（課税対象者）
信託の受益権 （法9の2～9の5）	信託の効力が生じた場合において，適正な対価を負担せずにその信託の受益者となるときなど	委託者	受益者
生命保険金 （法5）	保険金受取人以外の者が保険料を負担していた生命保険契約の保険金を取得した場合	保険料負担者	保険金受取人
定期金受給権 （法6）	定期金受取人以外の者が掛金を負担していた定期金給付契約の受給権を取得した場合	掛金負担者	定期金受給者
低額譲受けによる利益 （法7）	著しく低い価額の対価で財産の譲渡を受けた場合	譲渡者	譲受者
債務免除等による利益 （法8）	対価を支払わないで又は著しく低い価額の対価で債務の免除，引受け等が行われた場合	債務免除等をした者	債務免除等を受けた者
その他の経済的利益 （法9）	上記に該当する場合のほか，対価を支払わないで又は著しく低い価額の対価で利益を受けた場合	利益を与えた者	利益を受けた者

2 みなし贈与財産の課税要件

(1) 信託受益権

　信託とは，一定の目的に従って自分の財産を他人に預け，その管理や運用を任せることをいう。

　この場合の財産の管理や運用を依頼する者を「委託者」といい，その財産を受け入れる者を「受託者」という（受託者については，信託法という法律で規制が設けられており，信託を業として行う場合には，一定の許可を受けた信託会社だけが受託者となることができる。）。また，受託者が財産の運用をして得た利益の分配を受けたり，元本の返還を受ける者を「受益者」という。

　みなし贈与として贈与税が課税されるパターンはいくつかあるが，典型的な例は，信託の効力が生じた場合において，適正な対価を負担せずにその信託の受益者となるときである。財産を所有する親（委託者）が，その財産を受託者に信託し，その子が受益者となる場合には，親の財産そのものが子に贈与されたわけではない（本来の贈与ではない。）が，信託を通じた実質的な財産又は利益の無償移転であるため，受益者となる子は，委託者である親から信託に関する権利を贈与により取得したものとみなされる（法9の2①）。

　また，次のような場合にもみなし贈与として贈与税の課税が生じることとされている（法9の2②～④）。

① 受益者が存在する信託について，適正な対価を負担せずに新たにその信託の受益者が存在することとなった場合（受益者の変更があった場合）には，新たに受益者となる者は，信託の受益者であった者から信託受益権を贈与により取得したものとみなされる。

② 受益者が存在する信託について，その信託の一部の受益者が存在しなくなった場合において，適正な対価を負担せずに既にその信託の受益者である者がその信託受益権について，新たに利益を受けることとなるとき（複数の受益者の間での受益権の移転があった場合）は，その利益を受ける者は，その利益をその信託の一部の受益者であった者から贈与により取得したも

のとみなされる。
③　受益者が存在する信託が終了した場合において，適正な対価を負担せずにその信託の残余財産の給付を受けるべき，又は帰属すべき者となる者があるときは，その給付を受けるべき又は帰属すべき者となった者は，その信託の残余財産をその信託の受益者から贈与により取得したものとみなされる。

(**注**)　上記のほか，相続税法には，いわゆる受益者連続型信託（信託法91）——たとえば，「委託者Aの死亡後はBを受益者とし，Bの死亡後はCを受益者とする」というように受益権が順次移転する定めのある信託——については，その受益者が前受益者から信託に関する権利を遺贈により取得したとみなすなど，信託の形態に応じた課税方法が定められている（法9の3〜9の6，令1の8〜1の12）。

(2) 生命保険金

生命保険金と贈与税の関係は，みなし相続財産のところ（57ページ）で説明したとおりである。

保険金という経済的利益は，保険料の負担者から保険金の受取人に移転したとみられるため，保険料の負担者と保険金受取人が異なるときは，次の算式で計算した金額がみなし贈与財産となり，その受取人に対して贈与税が課税されることになる（法5①）。

$$\text{贈与により取得したものとみなされる金額} = \text{取得した保険金の額} \times \frac{\text{保険金受取人以外の者が負担した保険料の額}}{\text{保険事故が発生した時までに払い込まれた保険料の全額}}$$

なお，この算式における「保険金受取人以外の者」が被相続人であるときは，みなし相続財産として相続税の課税対象になることはいうまでもない。

(3) 定期金受給権

一定期間にわたり掛金や保険料の払い込みをすると，年金の給付事由の発生（一定の年齢に達した場合など）により，それ以後，定期的に金銭の支給を受けられるものがあり，これを定期金給付契約という。

この場合，年金の受給者と掛金（保険料）の負担者が同一人であるときは贈与にはならない（受給者に対し所得税が課税される。）。しかし，掛金の負担者が夫で，年金の受給者が妻，というケースでは，妻の年金の受給開始時に，夫から妻に定期金受給権の贈与があったものとみなされ，妻に対して贈与税が課税される（法6①）。

なお，贈与税の課税対象となる金額は，生命保険金と同様に，定期金受給権の価額のうち，定期金の受取人以外の者が負担した掛金の額に対応する金額となる。算式で示せば次のようになる。

$$\text{贈与により取得したものとみなされる金額} = \text{定期金受給権の価額} \times \frac{\text{定期金受取人以外の者が負担した掛金の額}}{\text{定期金給付事由が発生した時までに払い込まれた掛金の全額}}$$

(注)　定期金受給権の価額については，別途にその評価方法が定められている（法24）。定期金の支給形態や支給の期間等に応じ評価方法が異なる。概要を示しておくと，次のとおりである。
　　①　有期定期金（一定の期間だけ定期金を受けられるもの）→解約返戻金相当額，一時金の給付を受けられる場合の一時金相当額，給付残存期間に応じた複利年金現価により計算した金額のうち，いずれか多い金額
　　②　無期定期金（無期限に定期金を受けられるもの）→解約返戻金相当額，一時金の給付を受けられる場合の一時金相当額，契約に係る予定利率を基に計算した金額のうち，いずれか多い金額
　　③　終身定期金（受取人の死亡時まで定期金を受けられるもの）→解約返戻金相当額，一時金の給付を受けられる場合の一時金相当額，受取人の余命年数に応じた複利年金現価により計算した金額のうち，いずれか多い金額

(4)　低額譲受けによる利益

贈与というのは，無償の取引であり，対価（金銭の授受）のある売買は，もちろん贈与には該当しない。したがって，時価1,000万円の土地が300万円で売買されたとしても，本来は贈与税の問題は生じないことになる。

しかし，このような売買が親族間など特殊関係者間で行われた場合は，形式的には売買であっても，時価と対価との差額（700万円）は，実質的には贈与し

たとみることができる。

そこで，著しく低い価額の対価で資産を譲り受けた場合には，時価と対価の差額は，譲渡者から譲受者に贈与をしたものとみなし，譲受者に贈与税が課税される（法7）。

ただし，低額譲受けに該当する場合でも，財産を譲り受けた者が資力を喪失し，債務の弁済をすることが困難なため，その債務の弁済に充てる目的で扶養義務者から行われたものであるときは，みなし贈与にはならないこととされている（法7ただし書）。

なお，みなし贈与となる場合は，対象となる財産の時価が問題となるが，この場合の時価とは，土地，家屋，上場株式は通常の取引価額をいい（平元.3.29直評5ほか通達，評基通169(2)），その他の財産は，いわゆる相続税評価額による。

(5) 債務免除等による利益

債務免除等とは，次の三つをいう。
① 債権者が債務者の債務を免除した場合
② 債務者本人に代わって第三者が債務の弁済をした場合
③ 第三者によって債務の引受けが行われた場合

みなし贈与の問題が生ずるのは，主として親族間の行為であり，①については，親が子に対する貸金を免除したような場合，②と③は，子の債務を親が肩代りした場合が典型例である。

このような場合，子は弁済すべき債務に相当する金額の利益を得たとみることができるため，みなし贈与として子に贈与税が課税される（法8）。

ただし，債務者が資力を喪失し，その者の扶養義務者から債務免除等が行われた場合，その債務者の債務の弁済が困難である部分は，みなし贈与にはならない（法8ただし書）。

第3節　贈与税の非課税財産

1　非課税財産の種類

　贈与により取得した財産やみなし贈与財産は，すべて贈与税の課税対象になるのが原則である。しかし，財産の性質によっては課税することが適当でないものもある。
　そこで，相続税法は，次の7種類の財産を非課税とし，これらのものには贈与税を課税しないこととしている。

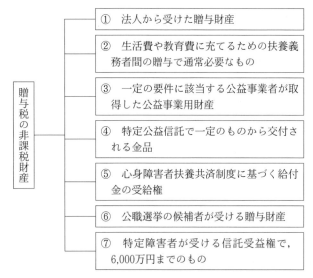

　なお，これらの非課税財産は相続税法（21の3，21の4）に定められているものであるが，このほか実務上の取扱いとして，社交上の必要による香典，花輪代，年末年始の贈答，祝金，見舞金などで社会通念上相当と認められるものも非課税とされている（基通21の3－9）。
　また，租税特別措置として，直系尊属から住宅取得等資金の贈与を受けた場合の非課税制度（措法70の2，後述3参照），直系尊属から教育資金の一括贈与

を受けた場合の非課税制度（措法70の2の2，後述4参照）及び直系尊属から結婚・子育て資金の一括贈与を受けた場合の非課税制度（措法70の2の3，後述5参照）がある。

(注) 被相続人から受けた相続開始の年の贈与財産で，相続税法19条の規定により相続税の課税価格に加算されるものは，贈与税の課税価格には算入されない（法21の2④）。
　　したがって，相続開始の年の被相続人からの贈与財産は実質的には贈与税が非課税となるが，これは，相続税と贈与税の関係を調整する課税技術上の規定であり，財産の性質からみた「非課税」とは意味が異なる（次章199ページ）。

2　非課税となる要件

(1)　法人から受けた贈与財産

　贈与税が相続税の補完税であることは，再々にわたり説明したところであるが，法人からの贈与財産を非課税とするのも，これに由来するものである。

　法人は，個人と異なり自然的な意味での死亡ということはなく，法人の財産に相続税が課税されることはあり得ない。このため，会社などの法人から財産の贈与を受けても，贈与税を課税する必要はないことになる。

　そこで，法人からの贈与により取得した財産については，贈与税を課税しないこととしている（法21の3①一）。

　なお，法人から財産の贈与を受けた者が個人の場合は所得税が課税され，法人が受けた場合は法人税が課税される（164ページ）。

(2)　生活費や教育費に充てるための贈与財産

　贈与が財産の無償による移転ということであれば，親子や夫婦の間で教育費や生活費を与えることも贈与ということになる。

　しかし，親子や夫婦は，互いに扶養する義務があり（民752，877），生活費や教育費を渡すことは当然のことで，したがって，これらに贈与税を課税しないことも当然のことである。

　そこで，扶養義務者相互間で生活費や教育費に充てるために贈与した財産で通常必要と認められるものは非課税とされているのであるが（法21の3①二），

このような規定を設けているのは，不当な税負担の回避を防止することを目的としていると理解すべきである。

つまり，このような非課税規定がないと，生活費や教育費という名目で多額の財産が贈与され，しかも贈与税も相続税も課税されないという結果が生じないとも限らない。

したがって，この規定上は，「通常必要なもの」という要件が付されていることがポイントとなる。このため，親子間あるいは夫婦間で教育費又は生活費として一時に渡した金銭が500万円で，それを受けた者がその大半をその者の名義で預金をしたり，その者の名義で資産を購入したような場合は，通常必要なものには該当せず，贈与税が課税されることになる（基通21の3－5）。

(注) 教育資金の贈与については，「教育資金の一括贈与に係る非課税の特例」がある（後述187ページ）。

(3) 公益事業者が取得した公益事業用財産

贈与により財産を取得した者が，社会福祉事業や学校の経営など，公益性の高い事業を行っている場合において，贈与により取得した財産をその公益事業の用に供することが確実なものは，一定の要件の下に贈与税が非課税となる（法21の3①三）。

その内容や非課税となる要件等は，前述した相続税の非課税と同様である（69ページ）。また，その取得した財産を取得の日から2年以内に公益事業の用に供さなかった場合や，その公益事業が私的に運営されるなど，適正に行われていない場合に非課税が取り消されることも相続税の場合と同様である（法21の3②）。

(4) 特定公益信託から交付される金品

特定公益信託とは，個人や法人が学術に関する顕著な貢献や研究の奨励金の支給のために一定の財産を信託するもので，一定の制限の下に運用され，奨励金等の原資となるものをいう。

この場合，その信託の委託者が個人で，その奨励金等を受けた者が個人という場合は，個人から個人への利益の移転として，一種のみなし贈与となる。

しかし，学術を奨励するという公益目的をもったものであることから，その信託から受ける金品について，贈与税を非課税とすることとしている（法21の3①四）。

(5) 心身障害者扶養共済制度に基づく給付金の受給権

心身障害者扶養共済制度とは，地方公共団体が条例に基づいて実施する障害者のための給付金の受給制度である。この点は，相続税の非課税財産のところ（70ページ）で説明したとおりである。

この受給権について形式的にみれば，制度の加入者（掛金の負担者）から受給者（障害者）への贈与ということになるが，障害者を保護する観点から非課税とすることとしている（法21の3①五）。

この考え方は，相続税の非課税の場合とまったく同じである。

(6) 公職選挙の候補者が受ける贈与財産

衆議院や参議院の議員，都道府県の知事，市町村長や各都道府県・市町村の議会の議員など，公職選挙法の適用を受ける公職の候補者の選挙に際し，その選挙運動の資金として個人や法人が候補者に寄付（贈与）を行うことがある。

この場合の寄付財産で，公職選挙法の規定により選挙管理委員会に報告されたものについては，公職の選挙という性格面を考慮し，贈与税を課税しないこととしている（法21の3①六）。

(7) 特定障害者扶養信託契約に基づく信託受益権

前節のみなし贈与財産で説明したとおり，委託者と受益者が異なる信託が行われた場合は，委託者から受益者に信託受益権の贈与があったものとみなされて，受益者に贈与税が課税される。

しかし，重度の心身障害者を持つ親が，自分の死亡後，その子の生活のために一定の財産を信託し，その運用益で生活を保障しようとする場合があり，このような信託に原則どおり贈与税を課税するのは適当ではない。

そこで，次のような一定の要件を備えた信託（特定障害者扶養信託契約）については，その受益権の価額につき6,000万円（いわゆる知的障害者等については3,000万円）までは贈与税を課税しないこととしている（法21の4，令4の7～4の12）。

信託内容の要件	① 個人が受託者と締結した信託契約であること ② 受託者は，信託会社及び信託業務を営む金融機関であること ③ 信託の受益者は，委託者以外の1人の特定障害者であること ④ 収益の受益権と元本の受益権の全部を特定障害者に与えるものであること ⑤ 信託財産は，金銭，有価証券，金銭債権，立木その他の一定のものであること ⑥ 信託期間は，特定障害者の死亡の日までとなっていること
手続きの要件	① 「障害者非課税信託申告書」を信託銀行を経由して税務署に提出すること ② 特定障害者の住所などの変更があった場合は，異動申告書を提出すること

3 住宅取得等資金の贈与に係る非課税の特例

(1) 特例の概要

住宅の取得に際しては，父母等からの資金援助を受ける例が少なくないが，贈与税の非課税に関して，平成27年（2015年）1月1日から令和5年（2023年）12月31日までの間に，その取得に充てる資金（住宅取得等資金）の贈与を受けた場合に，非課税限度額までの金額は，贈与税を課税しない特例措置が講じられている（措法70の2）。

(2) 受贈者と贈与者の要件

この非課税特例が適用される受贈者（特定受贈者）は，次の要件を満たすものである（措法70の2②一）。

① いわゆる無制限納税義務者（国外居住者である無制限納税義務者を含む。）であること。

② 贈与を受けた時において，贈与者の直系卑属であること。
③ 贈与を受けた年の1月1日において，18歳以上であること。
④ 贈与を受けた年分の合計所得金額が2,000万円以下であること。
⑤ 贈与を受けた年の翌年3月15日までに，住宅取得等資金の全額を一定の住宅用家屋の新築，取得又は増改築等に充てていること。
⑥ 贈与を受けた年の翌年3月15日までに，その家屋に居住する（同日後遅滞なく居住する見込みである）こと。

一方，この特例における住宅取得等資金の贈与者は，特定受贈者の直系尊属とされている。したがって，父母のほか，祖父母からの贈与であっても，特例の適用を受けることができる。

(3) 非課税限度額

この特例による非課税限度額は，次のように規定されている（措法70の2②六）。

取得する住宅用家屋の種類	非課税限度額
省エネ住宅 耐震住宅 バリアフリー住宅	1,000万円
上記以外の住宅	500万円

(**注**) 上表の住宅用家屋の種類における用語の意義は，おむね次のとおりであり，これらの家屋であることについて，住宅性能証明書などを贈与税の申告書に添付することにより証明されたものをいう（措令40の4の2⑦，措規23の5の2⑥）。
　① 「省エネ住宅」……断熱等性能等級4又は一次エネルギー消費量等級4以上であること。
　② 「耐震住宅」……耐震等級（構造躯体の倒壊等防止）2以上又は免震建築物であること。
　③ 「バリアフリー住宅」……高齢者等配慮対策等級（専用部分）3以上であること。

ところで，次章で説明するとおり，贈与税には受贈者1人につき1年当たり110万円の基礎控除がある。この非課税特例の適用を受ける場合であっても，当然に贈与税の基礎控除も適用されるため，その年分の受贈財産が住宅取得等

資金のみの場合には，110万円に上記の非課税限度額を加算した金額まで贈与税の課税はないことになる。

なお，この非課税特例の適用を受けた後7年以内に，その住宅取得等資金の贈与者に相続が開始した場合であっても，非課税限度額の部分について，生前贈与財産の相続税の課税価格への加算規定（法19）は適用されない。たとえば，令和5年4月に締結した住宅取得に係る契約に基づき，子が「省エネ住宅」を取得するために父から1,300万円の住宅取得等資金の贈与を受け，「住宅資金非課税限度額」によってこの特例の適用を受けた後7年以内に父に相続が開始した場合には，非課税限度額である1,000万円について相続税法19条の適用はなく，300万円が子の相続税の課税価格に加算されるということである。

(注)1 この特例における非課税限度額は，受贈者1人についての金額であり，贈与者の数によって変わることはない。したがって，たとえば父と母の双方から住宅取得等資金の贈与を受けて住宅を取得したとしても，上記の非課税限度額が2倍になるわけではない。
   2 住宅取得等資金の贈与について，相続時精算課税の適用を受ける場合には，上記の非課税限度額のほかに相続時精算課税の特別控除額（2,500万円）が適用される（後述228ページ）。

(4) 特例の対象となる住宅用家屋の要件等

この特例は，贈与を受けた住宅取得等資金の全額を日本国内にある一定の住宅用家屋の新築，取得又は増改築に充てた場合に適用される。また，適用要件を満たす住宅の敷地である土地等の取得に充てた場合にも特例の適用を受けることができる。

ただし，住宅取得等資金の贈与を受けた年の翌年3月15日までに住宅を取得し，その日までに居住をするか，その日後遅滞なく居住する見込みであることが適用要件とされている（措法70の2①）。

特例の対象となる住宅用家屋や増改築の要件について，その概要をまとめると，下表のとおりである（措法70の2②二〜四，措令40の4の2①〜④）。

なお，住宅用家屋の敷地となる土地等の取得について，土地等を先に取得し，その後に住宅を新築する場合（いわゆる土地の先行取得）の土地等の取得資金の

贈与にも特例は適用される。ただし，その贈与を受けた年の翌年3月15日までに住宅用家屋の新築をしなければならないことに注意する必要がある。

	要 件
新築又は建築後使用されたことのない住宅用家屋	① その家屋の床面積の2分の1以上に相当する部分が専ら居住の用に供されるものであること。 ② その家屋の床面積が50㎡以上240㎡以下（区分所有建物の場合は区分所有する部分の床面積が50㎡以上240㎡以下）であること。
既存住宅用家屋（建築後使用されたことのある住宅用家屋）	① その家屋の床面積の2分の1以上に相当する部分が専ら居住の用に供されるものであること。 ② その家屋の床面積が50㎡以上240㎡以下（区分所有建物の場合は区分所有する部分の床面積が50㎡以上240㎡以下）であること。 ③ その家屋がいわゆる新耐震基準に適合するものであることの証明があること。（築後経過年数要件はない）。 **（注）** 贈与を受けた年分の受贈者の合計所得金額が1,000万円以下である場合には，家屋の床面積要件の下限が40㎡となる。
住宅用家屋について行う増改築	① 増改築後の家屋の床面積の2分の1以上に相当する部分が専ら居住の用に供されるものであること。 ② 増改築後の家屋の床面積が50㎡以上240㎡以下（区分所有建物の場合は区分所有する部分の床面積が50㎡以上240㎡以下）であること。 ③ 受贈者が所有し，かつ，居住している家屋に対して行った増改築であること。 ④ 増改築に要した工事費用の額が100万円以上であること。

(5) **申告手続**

　住宅取得等資金の贈与に係る非課税の特例の適用を受ける場合には，原則として，この特例の適用を受けようとする旨を記載した贈与税の申告書に，一定の書類を添付して申告しなければならない（措法70の2⑦，措規23の5の2⑥）。

4　教育資金の一括贈与に係る非課税の特例

(1) **特例の概要**

　子や孫の教育費を父母や祖父母が負担することも「贈与」に該当するが，通常必要なもので，その必要な都度贈与したものであれば，贈与税が課税されな

いことは前述したとおりである（181ページ）。

　ただし，教育費については，このような原則とは別に，「直系尊属から教育資金の一括贈与を受けた場合の贈与税の非課税」の特例措置が講じられている（措法70の2の2）。

　この特例は，直系尊属（贈与者）が子又は孫で30歳未満の者（受贈者）のために将来にわたる教育資金を一括して贈与（拠出）し，金融機関に教育資金のための口座等を開設した上で，その口座等から教育資金を支出していくというもので，その支出した教育資金が一定の範囲のものであれば，1,500万円まで（学校等以外の者に支払われるものは500万円まで）は非課税とされる。

　ただし，受贈者の前年の合計所得金額が1,000万円を超える場合には，この特例は適用できないこととされている（措法70の2の2①ただし書）。

　また，金融機関の口座等から教育資金を支出した場合には，その領収書等を金融機関がチェックし，書類等を保管することとされている。

　なお，この特例は，平成25年（2013年）4月1日から令和8年（2026年）3月31日までの間の贈与について適用される。

(2) 教育資金の贈与の方法

　この特例は，次のいずれかの方法で教育資金を贈与（拠出）した場合に適用される（措法70の2の2①）。

　① 贈与者である直系尊属と信託会社（信託銀行）との間の教育資金管理契約に基づいて，受贈者が信託の受益権を取得する。

　② 贈与者である直系尊属からの書面による贈与で取得した金銭を，教育資金管理契約に基づいて銀行等（銀行，信用金庫など）の営業所等に預金又は貯金として預入する。

　③ 教育資金管理契約に基づいて，贈与者である直系尊属からの書面による贈与で取得した金銭等で金融商品取引業者（証券会社）の営業所等において有価証券を購入する。

　なお，この特例の適用を受けようとする受贈者は，その取扱金融機関の営業

所等を経由して,信託がされる日,預金・貯金の預入をする日又は有価証券を購入する日までに,一定の書類を添付した「教育資金非課税申告書」を納税地の所轄税務署長に提出しなければならない(措法70の2の2③,措令40の4の3⑫)。この場合,教育資金非課税申告書が取扱金融機関の営業所等に受理されたときは,その受理された日に所轄税務署長に提出されたものとみなされる(措法70の2の2⑤)。

(3) 教育資金の範囲

この特例の対象となる教育資金とは,次のものをいう(措法70の2の2②一,措令40の4の3⑦⑧)。このうち①の学校等に支払われるものは1,500万円まで非課税とされるが,②の学校等以外の者に支払われるものは500万円が非課税限度額になる。

ただし,受贈者が23歳以上の者である場合には,②の費用は,教育訓練給付金の支給対象になる教育訓練を受講するための費用を除き,教育資金の範囲から除かれる。

① 学校等に直接支払われる次のもの(平成25年3月30日文部科学省告示68号の1)
　イ 入学金,授業料,入園料,保育料及び施設設備費
　ロ 入学又は入園のための試験に係る検定料
　ハ 在学証明,成績証明その他学生等の記録に係る手数料及びこれに類する手数料
　ニ 学用品の購入,修学旅行費又は学校給食費その他学校等における教育に伴って必要な費用に充てるための金銭

② 学校等以外の者に直接支払われるもの(国外において支払われるものを含む)として社会通念上相当と認められるもの(上記の文部科学省告示の2)
　イ 教育に関する役務の提供の対価
　ロ 施設の使用料
　ハ スポーツ又は文化芸術に関する活動その他教養の向上のための活動に係る指導の対価として支払われる金銭

ニ　上記イの役務の提供又は指導において使用する物品の購入に要する金銭で，その役務の提供又は指導を行う者に直接支払われるもの

　　ホ　学用品の購入，修学旅行費，学校給食費その他学校等における教育に伴って必要な費用に充てるための金銭で，学生等の全部又は大部分が支払うべきものとその学校等が認めたもの

　　ヘ　通学定期券代

　　ト　外国の教育施設に就学するための渡航費又は国内の学校等への就学に伴う転居に要する交通費

(注)1　上記の「学校等」とは，次に掲げる施設を設置する者をいう（措法70の2の2②一イ，措令40の4の2⑥，措規23の5の3②③）。
　　①　学校教育法に規定する学校（幼稚園，小学校，中学校，高等学校，中等教育学校，特別支援学校，大学（大学院），高等専門学校，専修学校及び各種学校）
　　②　児童福祉法に規定する保育所，障害児通所支援事業が行われる施設など
　　③　いわゆる認定こども園
　　④　学校教育法に規定する学校若しくは専修学校に相当する外国の教育施設又はこれらに準ずる教育施設（外国に所在する日本人学校など及び国内に所在する外国大学の日本校など）
　　⑤　水産大学校，国立看護大学校，職業能力開発大学校，障害者職業能力開発校など
　　2　上記②の学校等以外の者に直接支払われるもののうち，イの教育に関する役務の提供とは，たとえば学習塾，家庭教師などが該当し，ハのスポーツにはスイミングスクールなどが，文化芸術に関する活動ではピアノや絵画教室などがそれぞれ該当する。

(4)　**金融機関の管理**

　この特例の適用を受ける受贈者は，教育資金の支払に当てた金銭に係る領収書等を取扱金融機関の営業所等に提出しなければならない（措法70の2の2⑦）。

　また，取扱金融機関の営業所等は，受贈者から提出を受けた領収書等により，教育資金の口座等から払い出された金銭が教育資金に充てられたことを確認し，その金額や支払年月日を記録し，その領収書等と記録を保管することとされている（措法70の2の2⑧）。

なお，教育資金管理契約が終了すると，教育資金の支払に充てられた金額などを記載した調書が取扱金融機関から受贈者の住所地の所轄税務署長に提出される（措法70の2の2⑬，措規23の5の3⑭）。

(5) 教育資金管理契約の終了

教育資金管理契約は，次に掲げる区分に応じ，それぞれに定める日のいずれか早い日に終了することになる（措法70の2の2⑩）。

① 受贈者が30歳に達したこと……その受贈者が30歳に達した日
② 受贈者が死亡したこと……その受贈者が死亡した日
③ 教育資金管理契約に係る信託財産の価額がゼロとなった場合，教育資金管理契約に係る預金・貯金がゼロとなった場合又は教育資金管理契約に基づき保管されている有価証券の価額がゼロとなった場合において，受贈者と取扱金融機関の間で教育資金管理契約を終了させる合意があったこと……その教育資金管理契約がその合意により終了する日

(6) 贈与資金の残額に対する贈与税の取扱い

受贈者が30歳に達すると教育資金管理契約は終了するのであるが，その時点で非課税拠出額から教育資金支出額を控除した残額があっても，次に該当するときは，その残額に贈与税の課税はない。

① 学校等に在学していること。
② 教育訓練給付金の支給対象になる教育訓練を受講していること。

ただし，その後に①又は②の事由がなくなった年の12月31日において，資金の残額がある場合には，その残額に対して贈与税が課税される。また，それ以前に受贈者が40歳になると，その時点の資金の残額に贈与税が課税されることになる（措法70の2の2⑫）。この場合の贈与税の適用税率は，受贈者が20歳以上の者であっても，202ページの軽減税率ではなく，201ページの一般税率となる（措法70の2の2⑰二）。

なお，上記(5)の②の事由（受贈者の死亡）により教育資金管理契約が終了し

た場合には，非課税拠出額から教育資金支出額を控除した残額があっても贈与税は課税されない。これは，受贈者が30歳に達する前に死亡したということであり，その受贈者の相続財産として扱われるからである。

(7) 教育資金の贈与者が死亡した場合の取扱い

教育資金の贈与後，その贈与者が死亡した場合においては，受贈者が次のいずれかに該当する場合を除き，贈与者の死亡時の資金残額を受贈者が相続又は遺贈により取得したものとみなされて相続税の課税対象になる（措法70の2の2⑩二，⑪）。

① 受贈者が23歳未満である場合
② 受贈者が学校等に在学している場合
③ 受贈者が教育訓練給付金の支給対象になる教育訓練を受講している場合

この場合において，贈与者（被相続人）から財産を取得した全ての者に係る相続税の課税価格の合計額が5億円を超えるときは，上記の①から③に該当する場合であっても，贈与者の死亡時の資金残額を受贈者が相続又は遺贈により取得したものとみなされて相続税の課税対象になる（措法70の2の2⑬）。

なお，相続税が課税される場合において，受贈者が贈与者の子以外の直系卑属（孫）の場合には，その相続税について相続税法18条の2割加算の規定が適用される。

5　結婚・子育て資金の一括贈与に係る非課税の特例

(1) 特例の概要

上記の「教育資金の一括贈与に係る非課税の特例」にきわめて類似した制度として，「結婚・子育て資金の一括贈与に係る非課税の特例」が措置されている（措法70の2の3）。

この特例は，直系尊属（贈与者）が，子又は孫で20歳以上50歳未満の者（受贈者）のために結婚，妊娠又は育児に要する資金を一括して贈与（拠出）し，金融機関にその資金管理口座等を開設し，その口座等からこれらの結婚・子育

て資金を支出していくもので，その支出の内容が一定範囲のものであれば，1,000万円まで（結婚に際して支出する費用に充てるものは300万円まで）贈与税が非課税となる。

　ただし，受贈者の前年の合計所得金額が1,000万円を超える場合には，この特例は適用できないこととされている。

　また，金融機関の口座等から結婚・子育て資金を支出した場合には，その領収書等を金融機関がチェックし，その書類等を保管することとされており，受贈者が50歳に達した時に拠出資金の残額があれば，その残額について受贈者に贈与税が課税される。

　なお，この特例は，平成27年（2015年）4月1日から令和8年（2026年）3月31日までの間の贈与について適用される。

(2) 教育資金贈与の非課税制度との比較

　この特例は，前述したとおり教育資金の一括贈与に係る非課税の特例と類似する点が多い。二つの特例措置について，主要事項を対比してまとめると，次表のとおりである。

	結婚・子育て資金贈与の特例	教育資金贈与の特例
適用期間	○　平成27年(2015年) 4月1日から令和8年(2026年) 3月31日までの間の贈与に適用する。	○　平成25年(2013年) 4月1日から令和8年(2026年) 3月31日までの間の贈与に適用する。
資金の贈与(拠出)方法	○　贈与者である直系尊属と取扱金融機関との間の資金管理契約に基づいて，受贈者が信託受益権を取得し，預金等として預入をし，又は有価証券を購入する。	○　同左
開始時の手続	○　金融機関を経由して非課税申告書を所轄税務署長に提出する。	○　同左
受贈者の要件	○　資金管理契約を締結する日において20歳以上50歳未満の者とする。	○　資金管理契約を締結する日において30歳未満の者とする。

非課税限度額	○ 1,000万円（結婚に際して支出する費用に充てるものは300万円を限度とする）	○ 1,500万円（学校等以外の者に支払われるものは500万円を限度とする）
金融機関の管理	○ 受贈者から提出された領収書等により，払い出された金銭の内容を確認し，その領収書等及び記録を保管する。 ○ 管理契約が終了した場合には，調書を作成し，受贈者の所轄税務署長に提出する。	○ 同左
資金管理契約の終了	○ 次に定める日のいずれか早い日に終了する。 イ 受贈者が50歳に達した日 ロ 受贈者が死亡した日 ハ 信託財産の価額又は預金等がゼロとなった場合において管理契約の終了の合意があった日	○ 次に定める日のいずれか早い日に終了する。 イ 受贈者が30歳に達した日 ロ 同左 ハ 同左
資金の残額の取扱い	○ 資金管理契約の終了時の残額について受贈者に贈与税を課税する（上記ロの場合には贈与税課税なし）。	○ 資金管理契約の終了時の残額があっても，受贈者が，①学校等に在学している場合，②教育訓練給付金の支給対象になる教育訓練を受講している場合には，贈与税の課税はない。 ○ その後に①又は②に該当しなくなった場合及び受贈者が40歳になった場合には，資金の残額に対し「一般税率」により贈与税を課税する。

資金管理契約の終了前に贈与者が死亡した場合の取扱い	○ 資金管理契約の終了の日までの間に贈与者が死亡した場合には，その資金の残額は，受贈者が相続又は遺贈により取得したものとみなされる。 ○ 受贈者が贈与者の孫の場合には，その相続税について2割加算の規定が適用される。	○ 贈与者の死亡前3年以内にこの特例の適用を受けているときは，①受贈者が23歳未満である場合，②受贈者が学校等に在学している場合，③受贈者が教育訓練給付金の支給対象になる教育訓練を受講している場合を除き，その資金の残額は，受贈者が相続又は遺贈により取得したものとみなされる。 　なお，その死亡した贈与者から相続等により財産を取得した全ての者に係る相続税の課税価格の合計額が5億円を超えるときは，①から③に該当する場合であっても，その資金の残額を受贈者が相続又は遺贈により取得したものとみなされて相続税の課税対象になる。 ○ 受贈者が贈与者の孫の場合には，その相続税について2割加算の規定が適用される。

(3) 結婚・子育て資金の範囲

　この特例の対象になる結婚・子育て資金とは，おおむね次表のものをいう（措法70の2の3②一，措令40の4の4⑥，⑦，平成27年3月31日内閣府告示48号）。

	制度の対象となる支出の範囲
結婚費用	○　婚礼（結婚披露を含む）のための式場費，衣服の借上げ費，贈答品費などで，婚姻の日の1年前の日以後に婚礼事業を行う事業者に支払われるもの ○　婚姻の日の1年前から同日以後1年以内に締結した新居の賃貸借契約に係る家賃，敷金，礼金，共益費等で，その契約日以後3年以内に家屋の賃貸人に支払われるもの及び仲介手数料等で宅地建物取引業者に支払われるもの ○　転居のための家具などの運送費で，運送業者に支払われるもの
妊娠・出産費用	○　人口受精，体外受精その他不妊治療のための費用で，病院又は診療所に支払われるもの ○　母子保健法に基づく妊婦健診に要する費用で，病院，診療所又は助産所に支払われるもの ○　出産の日から1年以内に支払われる分べん費，入院費，検査・薬剤費などで，病院，診療所，助産所又は地方公共団体に支払われるもの ○　出産の日から1年以内に支払われる産後ケアのための費用で，病院，診療所，助産所又は地方公共団体に支払われるもの
子育て費用	○　小学校就学前の子の医療費，予防接種・健康診査又は医薬品代で，病院，診療所，助産所又は薬局に支払われるもの ○　幼稚園，保育所等に支払われる入園料，保育料（ベビーシッター費用を含む），施設設備費　入園のための試験検定料，在園証明等の手数料，行事への参加費用及び食事の提供のための費用など

第12章　贈与税の課税価格と税額の計算

----- **ポイント** -----

(1) 贈与税は，暦年課税方式によっており，その年1月1日から12月31日までの間の受贈財産の価額の合計額が贈与税の課税価格となる。この場合，無制限納税義務者については，贈与による取得財産の全部の価額が課税価格に算入され，制限納税義務者については，贈与により取得した財産のうち日本国内に所在するものの価額が課税価格に算入される。

(2) 相続開始の年に被相続人からの贈与により取得した財産で，その価額が相続税の課税価格に加算されたものは，贈与税の課税価格には算入されない。

(3) 贈与税の基礎控除額は，110万円である。

(4) 贈与税の税率は，最低10％から最高55％の8段階による超過累進税率である。

(5) 贈与税の税率は，「軽減税率」と「一般税率」があり，直系尊属から18歳以上の者への贈与については軽減税率が，その他の贈与については一般税率が適用される。

(6) 贈与税の税額控除としては，「外国税額控除」（在外財産に対する贈与税額の控除）があり，国際間の二重課税を調整する目的で設けられている。

(7) 婚姻期間が20年以上である配偶者間において，居住用不動産又は居住用不動産取得のための金銭の贈与があった場合には，一定の要件の下に「贈与税の配偶者控除」の特例が適用され，贈与税の課税価格から最高2,000万円が控除される。

第1節　課税価格と基礎控除

1　贈与税の課税価格の計算

(1) 課税価格の計算方法

　贈与税は，贈与による財産の取得に課税されるものであるが，その場合の課税対象となる金額を「課税価格」という。

　贈与税の課税方式は，いわゆる暦年課税となっており，その年1月1日から12月31日までの間に贈与を受けた財産の価額をもとに，課税価格の計算を行う。

　したがって，贈与税の課税価格は，その年中において，贈与により取得した財産の価額の合計額となるのであるが，課税価格の計算において，非課税財産の価額はこれに算入されないことはいうまでもない。

$$\boxed{贈与税の課税価格} = \boxed{その年中に贈与により取得した財産の価額の合計額} - \boxed{非課税財産の価額}$$

　なお，贈与により財産を取得した者がいわゆる無制限納税義務者の場合は，その財産の全部が上記算式の取得財産価額の合計額に算入されるが（法21の2①），いわゆる制限納税義務者の場合は，贈与により取得した財産のうち日本国内に所在するものの価額が課税価格に算入される（法21の2②）。

(注)　贈与財産について，相続時精算課税制度の適用を受ける場合の贈与税の課税価格は，贈与者（特定贈与者）ごとに計算することとされている。また，相続時精算課税制度の適用を受ける贈与と同制度の適用を受けない贈与を区分して課税価格の計算を行うことになる（後述の第14章222ページ参照）。

(2) 相続開始の年の被相続人からの贈与の扱い

　ところで，相続や遺贈で財産を取得した者が，その相続に係る被相続人からその相続の開始前7年以内に財産の贈与を受けている場合，その贈与財産の価額はその者の相続税の課税価格に加算される（法19）。

この制度の趣旨と内容については，第7章（91ページ）で説明したところであるが，要するに，生前贈与財産を相続税の課税に取り込み，被相続人の財産課税を清算するという目的がある。

　この規定の対象になるのは，「相続開始前7年以内の贈与」であることから，被相続人からの相続開始の年の贈与財産の価額も相続税の課税価格に加算される。

　たとえば，令和4年4月に父から子に200万円の財産の贈与があり，同年10月に父（被相続人）が死亡し，子が相続で財産を取得した場合である。200万円の贈与は，被相続人からの3年以内のものであり，この場合は，子の相続税の課税価格に加算され，相続税の課税対象になる（令和6年1月1日前の贈与であるため，93ページで説明したとおり令和5年改正前の相続税法19条の規定の適用により「相続開始前3年以内の贈与」として同条が適用される）。

　このようなケースについて，200万円の贈与に贈与税を課税する必要があるか否か，ということになるが，200万円の財産について相続税の課税対象とすれば，財産課税の清算が行われたことになる。このため，その贈与にあえて贈与税を課税する必要はないことになる。

　そこで，被相続人からの相続開始の年の贈与で，相続税の課税価格に加算されたものは，贈与税の課税価格には算入しないこととしている（法21の2④）。

2　贈与税の基礎控除

　贈与税の計算では，課税価格から110万円が控除される（措法70の2の4）。これを贈与税の基礎控除という。

　贈与税は，受贈者に対し，暦年単位で課税することから，年間1人につき110万円が課税最低限になることを意味している。

（注）　贈与税の基礎控除は，「少額贈与不追及」の考え方によるものと思われる。相続税の場合は，相続人等に対する相続後の生活保障という側面から遺産に係る基礎控除額が設定されているが，贈与税の場合はそのような配慮は必要ないと考えられる。

　　また，贈与税の基礎控除額をあまり高額に設定すると，相続税を補完する機能が失われるという問題が生ずる。

　　なお，贈与税の基礎控除額は，平成13年度の税制改正で，60万円（法21の5）から110万円に引き上げられている。

第2節　贈与税額の計算

1　税率と税額計算の方法

　贈与税の額は，課税価格から基礎控除額（110万円）を控除し，その控除後の価格に一定の税率を適用して算出する。

　① 　課税価格 － 110万円（基礎控除額）＝ 基礎控除後の課税価格

　② 　基礎控除後の課税価格 × 税率 ＝ 贈与税額

　贈与税の税率は，最低10％から最高55％までの8段階の超過累進税率であるが，下記のように「一般税率」（相法21の7）と「軽減税率」（措法70の2の5）に区分されることに留意する必要がある。後者は，直系尊属から18歳以上の者に贈与があった場合に適用され，それ以外の贈与については，一般税率により贈与税額を計算することになる。

【贈与税の税率】

① 　下記以外の贈与の場合（一般税率）

基礎控除後の課税価格	税　率
200万円以下の金額	10％
200万円を超え　300万円以下の金額	15％
300万円を超え　400万円以下の金額	20％
400万円を超え　600万円以下の金額	30％
600万円を超え1,000万円以下の金額	40％
1,000万円を超え1,500万円以下の金額	45％
1,500万円を超え3,000万円以下の金額	50％
3,000万円を超える金額	55％

② 直系尊属から20歳以上の者への贈与の場合（軽減税率）

基礎控除後の課税価格	税率
200万円以下の金額	10%
200万円を超え 400万円以下の金額	15%
400万円を超え 600万円以下の金額	20%
600万円を超え1,000万円以下の金額	30%
1,000万円を超え1,500万円以下の金額	40%
1,500万円を超え3,000万円以下の金額	45%
3,000万円を超え4,500万円以下の金額	50%
4,500万円を超える金額	55%

（注） 相続時精算課税制度における税率は，上記と異なり20％（一律）とされている。

　法令上は，上記のように規定されているが，これによって税額を計算するには，基礎控除後の課税価格を税率の段階ごとに区分し，その区分した価額にそれぞれの税率を乗じた金額を求め，その金額を合計して贈与税額を算出するという手順になる。
　このような計算方法は，相続税の総額のところでも説明したところであり，きわめてわずらわしい。そこで，実務上は，上記の表を次のような速算表に改め，計算の簡便化を図っている。

【贈与税の速算表】

① 下記以外の贈与の場合（一般税率）

基礎控除後の課税価格	税率	控除額
～ 200万円以下	10%	——
200万円超～ 300万円以下	15%	10万円
300万円超～ 400万円以下	20%	25万円
400万円超～ 600万円以下	30%	65万円
600万円超～1,000万円以下	40%	125万円
1,000万円超～1,500万円以下	45%	175万円
1,500万円超～3,000万円以下	50%	250万円
3,000万円超～	55%	400万円

② 直系尊属から20歳以上の者への贈与の場合（軽減税率）

基礎控除後の課税価格	税率	控除額
～　200万円以下	10%	──
200万円超～　400万円以下	15%	10万円
400万円超～　600万円以下	20%	30万円
600万円超～1,000万円以下	30%	90万円
1,000万円超～1,500万円以下	40%	190万円
1,500万円超～3,000万円以下	45%	265万円
3,000万円超～4,500万円以下	50%	415万円
4,500万円超～	55%	640万円

この速算表によれば、次のように贈与税額を計算することができる。

〔計算例〕
○ 課税価格が600万円の場合の贈与税額
　① 一般税率が適用される場合

　　（課税価格）　（基礎控除）　（基礎控除後の課税価格）
　　600万円　－　110万円　＝　490万円

　　　　　　（税率）（速算表控除額）（贈与税額）
　　490万円　×　30％　－　65万円　＝　82万円

　② 軽減税率が適用される場合

　　（課税価格）　（基礎控除）　（基礎控除後の課税価格）
　　600万円　－　110万円　＝　490万円

　　　　　　（税率）（速算表控除額）（贈与税額）
　　490万円　×　20％　－　30万円　＝　68万円

（注）1　軽減税率が適用される受贈者の「18歳以上」の年齢要件は、贈与を受けた年の1月1日現在で判定する（措法70の2の5①）。
　　　2　軽減税率は、特例的な措置であるため、その適用を受ける場合には、贈与税の申告書に、その規定の適用を受ける旨を記載し、受贈者の戸籍謄本など一定の書類を添付する必要がある（措法70の2の5④、措規23の5の4）。

〈参　考〉　上記の贈与税の税率は、平成25年度の税制改正時に見直されたものであり、平成27年1月1日以後の贈与から適用されている。同年度の改正前（平成15年分から平成26年分の贈与に適用）は、一般税率と軽減税率の区分はなく、次のような税

率(速算表)によっていた(平成25年改正前の相法21の7)。

基礎控除後の課税価格	税率	控除額
～ 200万円以下	10%	—
200万円超～ 300万円以下	15%	10万円
300万円超～ 400万円以下	20%	25万円
400万円超～ 600万円以下	30%	65万円
600万円超～1,000万円以下	40%	125万円
1,000万円超～	50%	225万円

2 軽減税率と一般税率の双方が適用される場合の税額の計算方法

　贈与税の税率は、上記のとおり軽減税率と一般税率に2区分されており、前者は父母や祖父母など直系尊属からの贈与に適用され、後者は配偶者間の贈与や兄弟間の贈与など、それ以外の場合に適用される。

　ところで、同一の者がこれら税率構造の異なる双方の財産を取得した場合であっても、基礎控除額は年間110万円で変わることはない。そうすると、20歳以上の者が、同一年中に直系尊属から贈与を受けるとともに、配偶者など直系尊属以外の者から贈与を受けた場合の贈与税額の計算方法を明らかにしておく必要がある。

　そこで、この場合の贈与税額は、軽減税率を適用して計算した贈与税額と一般税率を適用して計算した贈与税額を計算し、それぞれの贈与財産の価額の比で按分し、その合計額を納付税額とすることとされている(措法70の2の5③)。これを算式と計算例を示すと、次のとおりである。

```
その年分の贈与税額 = A + B
A =(合計贈与価額－基礎控除額)×軽減税率× 特例贈与財産価額
                                  ─────────
                                   合計贈与価額

B =(合計贈与価額－基礎控除額)×一般税率× 一般贈与財産価額
                                  ─────────
                                   合計贈与価額
 (注) 特例贈与財産……直系尊属から20歳以上の者への贈与財産(軽減税率適用財産)
     一般贈与財産……特例贈与財産以外の贈与財産(一般税率適用財産)
```

設 例

> 甲（30歳）は，本年中に父から500万円の財産の贈与を受けるとともに，配偶者からも300万円の財産の贈与を受けた（特例贈与財産価額500万円，一般贈与財産価額300万円，合計贈与価額800万円）。甲の本年分の納付すべき贈与税額はいくらになるか。

〔贈与税額の計算〕

上記Aの金額 ……（800万円 － 110万円）× 30％ － 90万円 ＝ 117万円

$$117万円 \times \frac{500万円}{800万円} = 731,250円$$

上記Bの金額 ……（800万円 － 110万円）× 40％ － 125万円 ＝ 151万円

$$151万円 \times \frac{300万円}{800万円} = 566,250円$$

納付すべき贈与税額 ……731,250万円 ＋ 566,250円 ＝ 1,297,500円

3 税額控除（外国税額控除）

　贈与税の税額控除には，「在外財産に対する贈与税額の控除」（法21の8）があり，一般に「外国税額控除」ともよばれている。

（注）　相続税の場合はいくつかの税額控除があるが，贈与税には外国税額控除しかない。

　贈与税の無制限納税義務者は，贈与を受けた財産の全部が課税価格に算入され（法2の2①，21の2①），その財産が国外に所在していてもわが国の贈与税が課せられる。

　しかし，その財産の所在地国で贈与税に相当する税が課せられると，国際的な二重課税となる。そこで，一定の要件の下に，その外国税額相当額を贈与税額から控除することにしているのであるが，この控除は，在外財産について課税される無制限納税義務者についてのみ適用され，在外財産に課税のない制限納税義務者には，初めから適用の余地はない。

4 人格のない社団等の場合の贈与税額の計算方法

　贈与税の納税義務者は，原則として個人であるが，人格のない社団等や持分の定めのない法人も例外的に納税義務者となる（第10章169ページ）。

　これらの社団等に贈与税が課税される場合の税額の計算は，上記1とは異なった方法による。すなわち，贈与により取得した財産について，贈与者が異なるごとに，その贈与者の各1人のみから財産を取得したものとみなして上記1の方法により算出した贈与税額の合計額がその年分の贈与税額となる（法66①，④）。

　この場合，その取得財産に法人税等が課税されると，贈与税との二重課税となる。このため，贈与税の額から法人税等の額を控除して納付税額とすることとされている（法66⑤，令33①，②）。

　これを設例で示すと次のとおりであるが，贈与税額の計算方法は，贈与者の数だけ基礎控除を適用することで，複数の者からの少額の贈与は事実上の非課税とし，また課税される場合でも税額を軽減する趣旨である。

　〔設　例〕

　　人格のない社団Xは，本年中に次の財産の贈与を受けた。Xの納付すべき贈与税額はいくらになるか。なお，かっこ内の金額は，それぞれの贈与に対する法人税等の額である。

　　　　個人Aから　3,000万円（891万円）
　　　　個人Bから　　200万円（42万円）

〔計　算〕

　　Aからの贈与分……（3,000万円 － 110万円）× 50% － 250万円 ＝ 1,195万円
　　　　　　　　　　　1,195万円 － 891万円（法人税等の額）＝ 304万円
　　Bからの贈与分……（200万円 － 110万円）× 10% ＝ 9万円
　　　　　　　　　　　9万円 ≦ 42万円 → ゼロ
　　Xの納付すべき贈与税額……304万円 ＋ ゼロ ＝ 304万円
　　（注）　この設例の場合には，「一般税率」を適用して贈与税額を計算する。

5　贈与税の配偶者控除の特例

(1)　特例の趣旨と要件

　配偶者の財産取得について，相続税には「配偶者に対する相続税額の軽減」（法19の2）があったが，贈与税の場合も一定の要件の下に配偶者の税負担を軽減する特例が設けられている。これを「贈与税の配偶者控除」といい，課税価格から最高2,000万円が控除される特例である（法21の6）。

　この特例の適用要件をまとめると次のようになるが，配偶者という同一の世代に対する居住用不動産の贈与について適用するもので，配偶者の老後の生活を保障するという趣旨に基づいている。

〔贈与税の配偶者控除の適用要件〕

① 婚姻期間が20年以上である配偶者間の贈与であること。
② 贈与財産は，居住用不動産か，又は居住用不動産の取得のための金銭であること。
③ 贈与を受けた年の翌年3月15日までに，贈与を受けた居住用不動産に居住し，又は，その日までに贈与を受けた金銭で居住用不動産を取得すること。
④ その後も引き続き，その居住用不動産に居住する見込みであること。
⑤ 前年以前のいずれかの年に，その配偶者からの贈与について，すでにこの配偶者控除の適用を受けていないこと。
⑥ 一定の書類を添付して，贈与税の申告をすること。

　このうち①の婚姻期間は，婚姻の届出があった日から居住用不動産又は金銭の贈与があった日までの期間により計算し（令4の6①，②），この場合の期間に1年未満の端数があるときでも，その端数は切り上げない。したがって，婚姻期間が19年11か月でも適用要件を満たさないことになる（基通21の6－7）。

　なお，⑤の要件は，同じ配偶者間では一生に1回しか適用されないという意味である。したがって，すでに適用を受けた控除額が，たとえば1,800万円と

いう場合に，その後の年分で200万円の控除を受けることはできない。

(2) 居住用不動産の範囲

　贈与税の配偶者控除の特例の対象となる居住用不動産とは，居住の用に供している土地（借地権を含む）や家屋及びこれらを取得するための金銭である。

　この場合，土地と家屋のいずれか一方でも特例の適用があるが，土地のみの贈与の場合は，贈与を受けた配偶者（妻）の配偶者（夫）か，又は贈与を受けた配偶者の親族が家屋の所有者であることが特例の要件になる。

(3) 配偶者控除額と税額の計算

　配偶者控除額は，次のとおりであるが，要するに2,000万円が上限になるということである（法21の6①）。

配偶者控除額 ＝ いずれか少ない金額 ── ① 2,000万円
　　　　　　　　　　　　　　　　　② 贈与された居住用不動産の価額と，贈与された金銭のうち，居住用不動産の取得に充てられた部分の金額の合計額

　この特例を受ける場合の贈与税額の計算にあたっては，贈与税の基礎控除より先に配偶者控除を行うこととされており（基通21の6-6），税額の計算は，次のように行うことになる。

$$課税価格 - \frac{配偶者控除額}{(最高2,000万円)} - \frac{基礎控除額}{(110万円)} = 基礎控除後の課税価格$$

$$基礎控除後の課税価格 \times 税率 = 贈与税額$$

　これを設例で示せば，次のとおりである。

設　例

　婚姻期間21年になる妻Aは，その夫Bから2,500万円の居住用の土地と建物の贈与を受け，贈与税の配偶者控除の適用を受けることとした。

　この年分のAの受贈財産がこの土地建物のみとした場合のAの贈与税額

はいくらになるか。

〔贈与税額の計算〕

　　　　　　（配偶者控除）（基礎控除）
2,500万円 － 2,000万円 － 110万円 ＝ 390万円
　　　　　（税率）（速算表控除額）
390万円 × 20％ － 25万円 ＝ 53万円

(注)　配偶者間の贈与については，「一般税率」を適用して贈与税額を計算する。

(4)　特例の適用を受けるための申告手続き

　この特例の適用を受けるためには，贈与税の申告書に，配偶者控除に関する事項を記載し，戸籍の謄本その他一定の書類を添付して申告しなければならない（法21の6②，規9）。

(5)　相続税の生前贈与財産の課税価格加算の規定との関係

　ところで，贈与税の配偶者控除の規定の適用を受けた後，贈与者について7年以内に相続が開始した場合の相続税の扱いは，次のようになる。

　すなわち，被相続人からの財産の贈与で，相続開始前7年以内のものは，相続税の課税価格に加算されることになるが，次の金額は「特定贈与財産」として相続税の課税価格には加算されない（法19②）。

① 居住用不動産等の贈与が相続開始の年の前年以前にされた場合で，受贈者が贈与税の配偶者控除の適用を受けているとき……適用を受けた配偶者控除額に相当する部分

② 居住用不動産等の贈与が相続開始の年にされた場合で，受贈者が既に配偶者控除の適用を受けた者でないとき……配偶者控除の適用があるものとした場合の控除額に相当する部分

　要するに，相続開始の年の贈与（②）を含め，相続開始前7年以内の贈与に該当しても，配偶者控除額の部分（最高2,000万円）については，相続税の課税価格に加算されないということである。

(注) 208ページの設例において，贈与があった日以後7年間のうちに夫に相続が開始した場合，2,000万円は妻の課税価格に加算されないが，500万円は課税価格に加算されることになる。

第13章　贈与税の申告と納付

----- **ポイント** -----

(1) 贈与により財産を取得した者で，贈与税の課税価格が基礎控除額（110万円）を超え，かつ，納付すべき税額があるときは，贈与税の申告書を提出する義務がある。

(2) 贈与税の申告書は，贈与により財産を取得した年の翌年2月1日から3月15日までの間に，納税地（受贈者の住所地）の所轄税務署長に提出する。

(3) 贈与税は，法定の申告期限（贈与により財産を取得した年の翌年3月15日）までに，金銭で一時に納付することが原則である。

(4) 納付すべき贈与税額が10万円を超え，納税者において金銭で一時に納付することが困難な事由がある場合は，担保の提供と延納申請書の提出を条件として，延納が認められる場合がある。延納の期間は，最長5年で，相続税の場合の長期の延納は認められない。

第1節　贈与税の申告

1　申告義務者，申告期限，申告先

(1)　申告義務者

　贈与税の申告書を提出しなければならないのは，贈与により財産を取得した者の贈与税の課税価格が基礎控除額（110万円）を超え，かつ，納付すべき贈与税額がある場合である（法28①）。

　したがって，贈与税の課税価格が基礎控除額（110万円）以下であれば申告義務はないし，また，基礎控除額を超えていても，税額控除（外国税額控除）により納付すべき贈与税額がないときも申告の義務はない。

(注)　ただし，「贈与税の配偶者控除」は，納付すべき贈与税額がない場合でも申告しなければ適用されない。なお，贈与財産について，相続時精算課税制度（第14章）の適用を受ける場合で，同制度の基礎控除額（110万円）を控除した後の課税価格がある場合も贈与税の申告を要する（法28①）。

(2)　申告期限

　贈与税の申告書は，贈与を受けた年の翌年2月1日から3月15日までの間に提出することとされている（法28①）。

　なお，贈与を受けた年の翌年1月1日から3月15日までに日本国内に住所及び居所を有しないこととなるときは，いわゆる納税管理人の届出をした場合を除き，その住所及び居所を有しないこととなる日までに申告しなければならない（法28①カッコ書）。

(3)　申告書の提出先

　贈与税の申告書は，納税地の所轄税務署長に提出することとされており，この場合の納税地とは，申告義務者（贈与による財産の取得者）の住所地をいう（法28①，62①）。

2 期限後申告，修正申告，更正の請求

　上記1により提出する申告書は，いわゆる期限内申告書であるが，法定申告期限（翌年3月15日）を経過したあとでも，納税者は申告書を提出することができる（期限後申告）。また，いったん提出した申告書に記載した納付すべき贈与税額が過少であるときは，これを修正するための申告書を提出することができる（修正申告）。

　さらに，いったん提出した申告書に記載した課税価格あるいは贈与税額の計算が税法の規定に従っていなかったこと，又はその計算に誤りがあったことにより税額が過大である場合は，原則として法定申告期限から5年以内であれば，更正の請求をすることができる。

　一方，申告義務があるにもかかわらず，納税者が申告書を提出しなかったときは，調査に基づいて税務署長は決定の処分を行い，また，申告書が提出されても，その申告税額が過少の場合は更正の処分を行うことができる。

　この場合，更正をすることができる期間は法定申告期限から5年，決定についても5年（いわゆる不正行為により税額を免れた場合の更正や決定は7年）とされており（通則法70），これらの期間を経過すると，税務署長は更正も決定もできないことは，相続税の項（150ページ）で説明したとおりである。

　ところで，後述（第14章）の相続時精算課税制度の適用を受けた贈与財産の価額は，その贈与が何年前に行われたものであっても，相続税の課税価格に加算することとされている。そうなると，贈与の有無を長期間にわたって調査しなければならず，贈与税の申告が適正に行われていたかどうかも確認しなければならなくなる。

　こうした調査と確認は，税務署においても相当の時間を要すると予測される。このため，相続税法は，「贈与税についての更正，決定等の期間制限の特則」規定を設け，税務署長は，贈与税の更正や決定については，上記の国税通則法の規定にかかわらず，申告書の提出期限から6年を経過する日まで，その処分を行うことができることとされている（法36）。また，贈与税の更正の請求については，法定申告期限から6年間可能とされている（法32②）。

第2節　贈与税の納付

1　納付方法の原則

　贈与税の申告書を提出した者は，その申告書に記載した贈与税額を申告期限（贈与により財産を取得した年の翌年3月15日）までに，全額を金銭で納付しなければならない（法33，通則法35①）。

　また，期限後申告書や修正申告書を提出する場合は，これらの申告書を提出する日が，また，更正や決定の処分が行われた場合は，更正通知書又は決定通知書が発せられた日の翌日から1か月を経過する日がそれぞれ納期限になる（通則法35②）。

　なお，法定申告期限後に納付した場合は，その翌日から納付の日までの間につき，年14.6％（納期限の翌日から2か月以内は年7.3％）の割合による延滞税が課せられる（通則法60）。

　ただし，平成26年1月1日以後の期間に対応する延滞税の割合については，151ページと同様の特例措置が講じられている（措法94①）。

2　贈与税の延納

　贈与税は，相続税と同様に財産課税であることから，金銭による一時納付が困難な場合がある。このため，相続税と同様に延納の制度が設けられている。

　延納が認められる要件は，次のとおりである（法38③）。

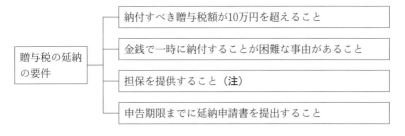

(注) 延納税額が100万円以下で、延納期間が3年以下の場合は、担保は不要（法38④）。

延納できる期間は、5年以内である（法38③）。相続税の場合は、15年ないし20年の長期の延納が認められているが、贈与税の延納については、一律5年以内とされている。

延納が認められた場合は、延納税額に対し年6.6％の割合で計算した利子税が課税される（法52①）。ただし、各分納期間の延納特例基準割合が年7.3％に満たない場合は、次の算式で利子税の割合を計算する特例がある（措法93③,96①）。

$$\text{利子税の割合} \times \frac{\text{延納特例基準割合}}{\text{年7.3％}} \quad （0.1％未満の端数は切捨て）$$

(注) 延納特例基準割合とは、149ページで説明した延滞税と同様、国内銀行の貸出約定平均金利に年0.5％を加算した割合をいう（措法93②）。令和2年分の貸出約定平均金利が年0.4％とされていることから、延納特例基準割合は年0.9％（＝0.4％＋0.5％）となり、これに基づいて贈与税の利子税の割合を計算すると、年0.8％になる。

贈与税の延納の許可を受けようとする者は、その納期限までに、延納申請書に担保の提供に関する書類を添え、これを納税地の所轄税務署長に提出しなければならない。延納の申請書が提出されると、税務署長は、その要件に該当するか否かを調査し、その全部又は一部について許可し、あるいは却下の処分を行う（法39㉙）。

第14章　相続時精算課税制度の
　　　　しくみと相続税・贈与税

---- **ポイント** ----

(1) 相続時精算課税制度は，財産の贈与を相続財産の前渡し（贈与税は相続税の前払い）と位置付ける「相続税と贈与税の一体化措置」である。

(2) 相続時精算課税制度における贈与税では，課税価格を特定贈与者ごとに計算し，その計算上，2,500万円の特別控除額又は110万円の基礎控除額が控除される。

(3) 相続時精算課税制度における贈与税の税率は，特別控除額を超える部分に対し，一律20%とされている。

(4) 相続時精算課税制度は，贈与の年の1月1日において60歳以上である者から，特定贈与者の推定相続人で，その者の直系卑属である者のうち同日において18歳以上であるもの及び同日において18歳以上である特定贈与者の孫が贈与により取得した財産に適用される。

(5) 一定の住宅用家屋の取得に充てるための住宅取得等資金の贈与については，特定贈与者が60歳未満であっても相続時精算課税制度の適用を受けることができる。

(6) 相続時精算課税制度は，選択により適用され，その旨の届出書の提出を要する。この場合，その届出書の撤回はできない。

(7) 相続時精算課税制度の適用を受けた贈与財産は，特定贈与者の相続時に精算課税の対象となり，贈与を受けた時期にかかわらず，その贈与財産の基礎控除後の価額を相続時精算課税適用者の相続税の課税価格に加算して相続税の計算が行われる。

(8) 相続時精算課税適用者の相続税額からは，贈与財産に課せられた贈与税額が控除される。また，控除しきれなかった贈与税額がある場合は，相続税の申告により還付される。

第1節　相続時精算課税制度のしくみと意義

1　制度のあらまし

　贈与税は，いわゆる暦年課税方式が採用されており，相続税とは関係なく，贈与を受けた年ごとに課税を完結させるのが原則である（ただし，被相続人からの贈与で相続開始前3年以内のものは，相続税法19条により，その贈与財産の価額が相続税の課税価格に加算されるため，相続税の課税と関係している。）。

　ところで，これとは別に，「相続時精算課税制度」という課税方式が設けられている。この制度は，受贈者の選択により適用されるもので，贈与時に贈与財産に対する贈与税を申告・納付し，その贈与者の相続時にすべての贈与財産の基礎控除後の価額を相続税の課税価格に加算して計算した相続税額から，すでに納付した贈与税額を控除して，納付すべき相続税額とする制度である。

　この場合の贈与税については，複数年にわたって適用できる2,500万円の特別控除があり，これを超える贈与に対する税率は，超過累進税率ではなく，一律20％とされている。これを図式化すると，次ページの図1のようになる（図は，受贈者及び法定相続人を子1人としている。）。

　要するに，被相続人から相続人に対する生前の贈与について，贈与時の課税を軽減し，一方でその贈与財産の価額は，贈与の時期にかかわらず，すべて相続財産の価額と合算して相続税額を計算するというしくみである。

　また，相続時の精算課税において，相続税額から控除しきれない贈与税額がある場合は，その控除しきれない額の還付を受けられることもこの制度の特徴である（次ページの図2）。ちなみに，相続税法19条の相続開始前3年以内の贈与財産の加算制度における贈与税額控除では，控除税額が相続税額を超えても還付はない。被相続人からの生前贈与に対する贈与税を控除する点では，相続税法19条も相続時精算課税制度も同じであるが，贈与税の還付の有無で異なったしくみとなっている。

220

《図1》

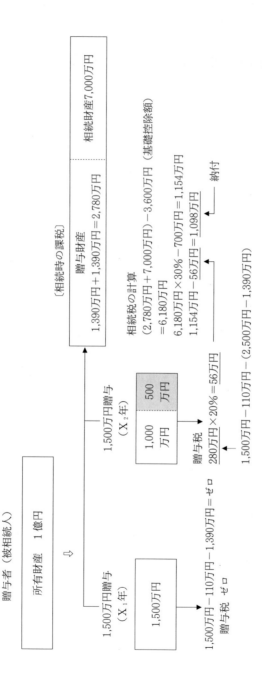

第14章 相続時精算課税制度のしくみと相続税・贈与税 221

《図2》

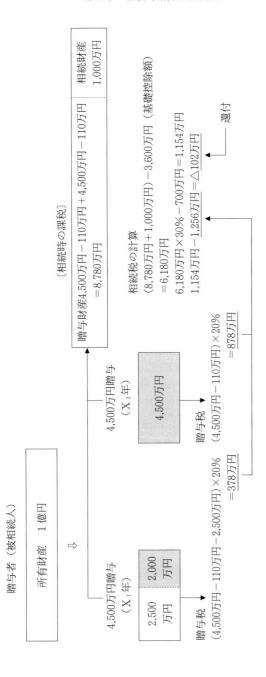

2 相続税と贈与税の一体化措置の意義

　相続時精算課税制度では，前図の例でいえば，贈与者（被相続人）の財産価額が1億円（法定相続人は子1人）の場合，3,000万円の贈与であれば，贈与税額が56万円で相続税額が1,098万円となり，合わせて1,154万円の税額となる（図1）。また，9,000万円の贈与であれば，贈与税額が1,256万円で相続時の還付税額が102万円となり，差引1,154万円の負担税額となる（図2）。

　要するに，どのように贈与をしても，また，贈与をしてもしなくても，贈与時から相続時まで財産価額が変わらない限り，贈与税と相続税を合わせれば税額が同じになるということである。したがって，財産の承継形態に対して税制が中立的である（相続による財産承継と贈与による財産承継との間に税負担の差がない）ということができる。

　このような相続時精算課税制度のしくみは，財産の贈与を相続による承継の前渡し（贈与税は相続税の前払い）とみているわけで，この制度が「相続税と贈与税の一体化措置」とよばれているのはそのためである。

(**注**)　前述（91ページ）した相続税法19条の相続開始前7年以内の贈与財産の加算制度も財産の贈与を相続の前渡しとみて，相続時に財産課税を精算するという考え方を有している。その意味では，同制度の趣旨と相続時精算課税制度の趣旨は同じである。
　　　ただし，相続時精算課税制度の場合は，後述のように，受贈者が制度の選択届出書を提出して適用することとし，また，その選択届出書の効力が贈与者の相続時まで継続することとされている。この点は，相続開始前3年以内の贈与財産の加算制度とはまったく異なっている。相続時精算課税制度は，贈与の時期にかかわらず，相続時の精算課税を適切に行うための手続上の手当がなされている。
　　　また，課税のしくみとすれば，相続開始前7年以内の贈与財産の加算制度は，相続開始時に近い時期の贈与だけを相続税課税に取り込んでいるだけであり，贈与税は独立した税として課税している。このため，相続税を補完するために比較的低額な基礎控除額（110万円）と超過累進税率を適用しており，相続時精算課税制度における特別控除額（2,500万円）や税率（一律20%）とは大きな違いがある。
　　　なお，相続時精算課税制度には，高齢者から若年者への財産移転を促進し，財産の有効活用を図るという経済政策的な趣旨も含まれている。

第2節　相続時精算課税制度の適用対象者と適用手続

1　制度の適用対象者

　相続時精算課税制度は，適用対象者について，贈与をする者と贈与を受ける者のいずれについても一定の要件が定められている（法21の９①，措法70の２の６①）。まず，贈与者（相続時精算課税制度が適用される贈与者を「特定贈与者」という。）は，贈与した年の１月１日において60歳以上の者である。

　一方，受贈者については，特定贈与者の推定相続人で，その者の直系卑属である者のうちその年１月１日において18歳以上のもの及び特定贈与者の孫で同日において18歳以上の者とされている。

　受贈者の要件である「推定相続人」とは，その時点で相続があったと仮定した場合に相続人になる者ということである。したがって，通常の場合は，60歳以上の親から18歳以上の子に財産の贈与があった場合及び60歳以上の祖父母から18歳以上の孫に財産の贈与があった場合にこの制度の適用を受けられる。

　もっとも受贈者は，推定相続人のうち直系卑属とされているから，推定相続人であり，かつ，直系卑属である養子についても年齢要件を満たせば，制度の選択適用が可能である。

　なお，配偶者は推定相続人であるが，直系卑属ではないため，配偶者間の贈与に相続時精算課税の適用はない。

(**注**)　年の中途において贈与者の養子となったことにより推定相続人となった場合には，推定相続人となった時（養子縁組の時）より前に贈与を受けた財産については，相続時精算課税制度の適用はない（法21の９④）。

　　なお，同制度を選択し，その旨の届出書を提出した後に養子縁組が解消され，推定相続人でなくなった場合でも，その特定贈与者からの贈与については，同制度が継続適用される（同⑤）。

2　制度の選択手続と選択届出書の効力

　財産の贈与者が60歳以上の親，その受贈者が18歳以上の子又は贈与者が60歳以上の祖父母で受贈者が18歳以上の孫という場合，贈与税の課税方法は，いわゆる暦年課税方式（基礎控除額110万円，超過累進税率適用）と相続時精算課税制度のいずれかになる。

　このうち相続時精算課税制度は，受贈者の選択により適用され，その適用を受けるには，贈与税の申告期間内（贈与を受けた年の翌年2月1日から3月15日まで）に，贈与税の申告書とともに，戸籍謄本など必要書類を添付した「相続時精算課税選択届出書」を納税地の所轄税務署長に提出する必要がある（法21の9②，令5，規10，11）。

　この場合の選択届出書の効力は，特定贈与者の相続時まで継続することとされている。したがって，この制度の適用を受ける最初の贈与時に選択届出書を提出すれば，その後その特定贈与者から財産の贈与を受けた場合には，全てこの制度の対象となる（法21の9③）。

　なお，この制度は，特定贈与者ごとに適用することとされている。したがって，父親と母親又は祖父と祖母から財産の贈与を受けた場合に，そのいずれについても制度の選択をするときは，それぞれについて別の選択届出書の提出を要する（令5①）。

　ところで，いったん相続時精算課税選択届出書を提出すると，その届出書を撤回することはできないこととされている（法21の9⑥）。要するに，この制度を選択すると，その特定贈与者からのそれ以後の贈与について，暦年課税方式に戻ることはできないということである。

(**注**)　このような選択届出書の効力からみると，届出に係る特定贈与者からのその後の贈与財産の価額は，その全てが相続時に受贈者（相続時精算課税適用者）の相続税の課税価格に加算されることになる。

　　　このため，実務的には，この制度を選択したことに伴う贈与税のほか，贈与財産の価額が相続税の課税対象になることによる相続税の負担を考慮して，制度の選択が納税者に有利になるか否かを判断する必要がある。

第3節　相続時精算課税制度における贈与税の計算

1　贈与税の課税価格の計算と特別控除・税率

　贈与税の課税価格について，受贈者ごとに暦年を単位として計算されることは，暦年課税方式（基礎控除110万円，超過累進税率適用）も相続時精算課税制度も同じである。

　二つの課税方式で違いがあるのは，相続時精算課税制度の場合，特定贈与者ごとに課税価格を計算し，贈与税額を算出することである（法21の10）。もちろん，特定贈与者から贈与された財産に対する贈与税と，特定贈与者以外の者から贈与された財産に対する贈与税は，それぞれ別に計算することになる。

　この場合，相続時精算課税制度には累積で2,500万円の特別控除額があること（法21の12①），特別控除額を控除した後の課税価格に対する贈与税の税率は20％とされていること（法21の13）は，前述したとおりである。

2　相続時精算課税の基礎控除

　相続時精算課税制度には，上述のとおり2,500万円の特別控除があるが，同控除の全額を適用した場合であっても，受贈者1人につき，年間110万円の基礎控除が適用される（相続法21の11の2①，措法70の3の2①）。

　したがって，たとえば父甲から子Aが3,000万円の財産の贈与を受けて相続時精算課税制度を選択適用し，2,500万円の特別控除の適用を受けた後，特定贈与者である父から300万円の贈与を受けたとすれば，
その課税課価格は，300万円 － 110万円（基礎控除）＝ 190万円　となり，
190万円 × 20％（相続時精算課税の税率）＝ 38万円　がその年分の納付すべき贈与税額となる。

　なお，特定贈与者が2人以上ある場合（たとえば，父と祖父からの贈与について，いずれも相続時精算課税の適用を受けた後にそれぞれの者から贈与を受けた場合）の基

礎控除額は，110万円をそれぞれの受贈財産の価額で按分して計算することとされている（措法70の2の2③，措令40の5の2，相令5の2①）。たとえば，特定贈与者である父からの受贈額が300万円，同祖父からの受贈額が200万円とすれば，次のようになる。

父からの贈与に係る基礎控除額……110万円 × $\dfrac{300万円}{300万円 + 200万円}$ ＝ 66万円

祖父からの贈与に係る基礎控除額……110万円 × $\dfrac{200万円}{300万円 + 200万円}$ ＝ 44万円

なお，この制度が特定贈与者ごとに適用されるため，父親と母親または祖父と祖母から財産の贈与を受けて，いずれについてもこの制度を選択すれば，2,500万円の特別控除額は贈与者ごとに適用される。

(注) 相続時精算課税制度の特別控除は，原則として，一定の書類を添付した贈与税の期限内申告書を提出した場合に限って適用される（法21の12②）。したがって，同制度を選択した後の年分の受贈額が特別控除額の範囲内であっても，期限内申告書の提出がないと特別控除は適用されない。

相続時精算課税制度を選択した場合の贈与税の計算方法と計算例を示すと，次のようになる。

贈与税額 ＝〔特定贈与者からの贈与財産価額 － 特別控除額〕× 20％

特別控除額 ＝ いずれか低い金額 ─ 2,500万円（既に控除を受けた金額を除く。）
　　　　　　　　　　　　　　　└ 特定贈与者ごとの基礎控除後の贈与税の課税価格

設 例

個人Ａ（25歳）は，本年中に次の者からそれぞれ次の価額の財産を贈与により取得した。Ａは，父からの贈与財産と祖父からの贈与財産について，相続時精算課税制度を選択することとした。

・父から3,300万円　　・祖父から1,500万円　　・母から600万円

〔贈与税額の計算〕
- 父からの贈与分

  3,300万円 － 66万円（基礎控除額）= 3,234万円

  3,234万円 － 2,500万円（特別控除額）= 734万円

  734万円 × 20% = 146.8万円

- 祖父からの贈与分

  1,500万円 － 44万円 = 1,456万円

  1,456万円 － 1,456万円（特別控除額）= ゼロ

- 母からの贈与分

  〔600万円 － 110万円（基礎控除額）〕× 20% － 30万円 = 68万円

- 納付する贈与税額

  146.8万円 ＋ 68万円 = 214.8万円

3 相続時精算課税制度における住宅取得等資金の贈与の特例

(1) 特例の概要

　相続時精算課税制度における特定贈与者の年齢が60歳以上であることは前述したとおりであるが、受贈者が一定の住宅用家屋を取得するための金銭（住宅取得等資金）の贈与を受け、その全額を住宅用家屋の取得に充てる場合には、60歳以上という要件はない（措法70の3①）。要するに、住宅取得等資金については、特例として60歳未満の親又は祖父母からの贈与に相続時精算課税制度が適用できるということである。

　なお、この場合の受贈者は、相続時精算課税制度における受贈者要件を満たす必要がある。その要件は、前述したとおり、贈与を受けた年の1月1日における年齢が18歳以上であり、特定贈与者（住宅取得等資金の贈与者）の推定相続人である直系卑属又は孫ということである。

(注)　60歳未満の親からの住宅取得等資金の贈与について、相続時精算課税の適用を受けると、その特定贈与者からのその後の贈与は、特定贈与者の年齢が60歳未満であっても、その贈与の全部に相続時精算課税が適用される。たとえば、55歳の父親からの住宅取得等資金の贈与について、相続時精算課税を選択適用した場合において、

その翌年にその父親から財産の贈与を受けると，父親の年齢は56歳であるが，その贈与には相続時精算課税が強制適用されるということである。

(2) 相続時精算課税制度と住宅取得等資金の非課税の特例

ところで，住宅取得等資金の贈与を受けた場合の贈与税の非課税特例（措法70の2）については，第11章の第3節（184ページ）で説明したとおりであるが，同特例における次の「非課税限度額」（185ページ）は，相続時精算課税においても適用を受けることができる（措法70の3）。

① 省エネ住宅・耐震住宅又はバリアフリー住宅……1,000万円
② ①以外の住宅……500万円

なお，相続時精算課税制度の2,500万円の特別控除額は，住宅取得等資金の贈与の特例における非課税限度額と併せて適用できる。したがって，その年中の受贈財産が住宅取得等資金のみの場合で，相続時精算課税制度を選択適用すると，2,500万円に上表の非課税限度額を加算した次の金額までは贈与税の課税はないことになる。

① 省エネ住宅・耐震住宅又はバリアフリー住宅……3,500万円
② ①以外の住宅……3,000万円

なお，住宅取得等資金の贈与について，非課税特例とともに相続時精算課税の適用を受けた場合に，その後その特定贈与者に相続が開始した場合の相続税課税においては，非課税限度額部分は，受贈者の相続税の課税価格に加算されない。たとえば，令和4年4月中にいわゆる耐震・省エネ住宅の取得について，3,500万円の住宅取得等資金の贈与を受けて，特別住宅資金非課税限度額によるこの特例の適用を受けた後，特定贈与者に相続が開始した場合の相続税では，非課税限度額の1,000万円は相続税の課税価格への加算はなく，特別控除額の2,500万円が加算されるということである。

(3) 制度の対象となる住宅用家屋等の要件

住宅取得等資金の贈与に係る相続時精算課税の特例について，その対象とな

る住宅用家屋の要件や増改築等の要件は，前述した暦年課税における非課税の特例の場合（186ページ）と同様である。ただし，相続時精算課税における特例では，家屋の床面積について上限はない（措法70の3②二～四，措令40の5①～④）。

　なお，住宅取得等資金の贈与に係る相続時精算課税の特例の適用を受けるためには，一定の書類を添付して贈与税の申告をしなければならない（措法70の3⑦，措規23の6⑥）。

第4節　相続時精算課税制度における相続税の計算

1　課税価格の計算と贈与財産価額の加算

(1)　相続時精算課税適用者の相続税の課税価格

　相続時精算課税制度の適用を受けた贈与財産の価額は，特定贈与者の相続時に文字どおり精算課税をしなければならない。財産の贈与を受けた時期が相続開始から何年前であっても，その贈与財産の価額を受贈者（相続時精算課税適用者）の相続税の課税価格に加算して，その者の相続税額を計算するわけである（法21の15①）。

　なお，相続税の課税価格に加算される贈与財産の価額は，相続時の価額ではなく，その財産の贈与時の価額となる。

(2)　相続税の課税価格への加算額

　相続税の課税価格に加算される贈与財産の価額は，特定贈与者からの受贈財産の価額であり，特別控除額の部分も加算される。ただし，第3節の2の基礎控除が適用された贈与については，贈与財産の価額から基礎控除額を控除した残額が相続税の課税価格に加算される（法21の15①，21の16①）。これらを設例で確認すると，次のとおりである。

> 設　例
>
> 　個人A（25歳）は，次のとおり贈与により財産を取得した。
> ①　令和5年中に父から2,800万円の贈与を受けた。また，同年中に母から600万円の贈与を受け，さらに祖父から1,500万円の贈与を受けた。
> 　Aは，令和5年分の贈与税について，父からの贈与財産の取得と祖父からの贈与財産の取得について，相続時精算課税制度を選択すること と

② ①のAは，令和6年中に父から300万円の財産を贈与より取得した。
③ 令和8年中に上記の父が死亡し，Aは，父から相続により財産を取得した。
(問1) 令和5年分のA納付すべき贈与税額はいくらになるか。
(問2) 令和6年分のA納付すべき贈与税額はいくらになるか。
(問3) 令和8年の父の死亡に係る相続税について，Aの相続税の課税価格に加算される財産の価額はいくらになるか。

〔贈与税額の計算〕

・令和5年の父からの贈与分

〔2,800万円 − 110万円（基礎控除額）− 2,500万円（特別控除額）〕× 20% = 38万円

・令和5年の祖父からの贈与分

〔1,500万円 − 110万円（基礎控除額）− 1,390万円（特別控除額）〕= ゼロ

・令和5年の母から贈与分

〔600万円 − 110万円（基礎控除額）〕× 20% − 30万円 = 68万円

令和5年分のAの納付すべき贈与税額

38万円 + 68万円 = 106万円

・令和6年の贈与税額（父からの贈与分）

〔300万円 − 110万円（基礎控除額）〕× 20% = 38万円

・〔父の死亡に係る相続税の計算においてAの課税価格に加算される贈与財産の価額〕

2,800万円 − 110万円（令和5年分）+ 300万円 − 110万円（令和6年分）= 2,880万円

ところで，相続税の課税価格に加算される贈与財産の価額は，相続時の価額ではなく，原則としてその財産の贈与時の価額となる。したがって，贈与時の価額が1,000万円である財産について特定贈与者の死亡時の価額が500万円に下落していたとしても，相続時精算課税の適用を受けた者の相続税の課税価格に加算される財産の価額は，1,000万円となる（実務的にいえば，贈与財産の価額が

下落した場合には、課税上は相続時精算課税を選択したことにより不利益が生じるが、逆に財産価額が上昇した場合には、贈与時の低い価額で相続税課税となるため、課税上は有利な結果となる)。

ただし、相続時精算課税適用者が特定贈与者からの贈与により取得した土地又は建物が、その贈与を受けた日から特定贈与者の死亡に係る相続税の期限内申告書の提出期限までの間に震災、風水害、火災などの一定の災害によりその価額の10分の1以上の被害を受けた場合において、その相続時精算課税適用者が贈与税の納税地の所轄税務署長の承認を受けたときは、相続税の課税価格に加算されるその土地又は建物の価額は、贈与の時における価額からその災害によって被害を受けた部分の金額を控除した金額とされる（措法70の3の3、措令40の5の3）。

注意したいのは、相続時精算課税適用者が特定贈与者から相続や遺贈で財産を取得しなかったとしても、必ず相続時に精算課税が行われることである。このため、相続放棄等をしたため、相続財産をまったく取得しなかった者については、相続時精算課税制度の適用を受けた贈与財産の価額（基礎控除後の価額）を相続税の課税価格とみなして相続税の計算を行うこととされている（法21の16①）。

(注) 相続時精算課税適用者が特定贈与者より先に死亡した場合は、その相続時精算課税適用者の相続人（包括受遺者を含む。）は、その相続時精算課税適用者が相続時精算課税制度の適用を受けていたことに伴う納税に係る権利又は義務を承継することとされている（法21の17①）。

したがって、相続時精算課税適用者である子が特定贈与者である親より先に死亡した場合には、特定贈与者の相続時に精算課税を行い、相続時精算課税適用者が納付すべきであった相続税は、その者の相続人が納付することになる。この場合、相続人が2人以上いるときは、法定相続分に応じて納税義務を承継する。

相続税の課税価格に計算方法については、第7章で説明したところであるが、90ページの課税価格の計算手順を相続時精算課税適用者の場合に書き替えれば、次ページのようになる。

第14章　相続時精算課税制度のしくみと相続税・贈与税　233

（相続又は遺贈により財産を取得した相続時精算課税適用者）	（相続又は遺贈により財産を取得しなかった相続時精算課税適用者）
相続（遺贈）財産	
（＋）	
みなし相続（遺贈）財産	
（－）	
非課税財産	
（＋）	（＋）
相続時精算課税に係る贈与財産	相続時精算課税に係る贈与財産
（－）	（－）
債 務 控 除	債 務 控 除
（＋）	（＋）
相続開始前7年以内の贈与財産	相続開始前7年以内の贈与財産
‖	‖
課 税 価 格	課 税 価 格

(2) **相続時精算課税と相続開始前7年以内の贈与財産の加算の関係**

　相続税時精算課税の適用を受けた財産の価額は，贈与の時期にかかわらず相続税の課税価格に算入されるため，上図の「相続開始前7年以内の贈与財産」からは相続税法19条による贈与財産は除かれることになる。なお，93ページで説明したとおり令和6年1月1日前の贈与に係る相続税の場合には，上図の「相続開始前7年以内の贈与財産」は「相続開始前3年以内の贈与財産」となる。たとえば，

　　○　被相続人（特定贈与者）の相続開始……令和5年5月
　　○　被相続人からの生前贈与
　　　　・令和3年5月　1,000万円　──→　相続時精算課税選択なし
　　　　・令和4年5月　2,000万円　──→　相続時精算課税選択適用

とすれば，令和3年5月の1,000万円は，「相続開始前3年以内の贈与財産」と

して課税価格に加算し，令和4年5月の2,000万円は，「相続時精算課税に係る贈与財産」として課税価格に算入することになる。

ところで，相続税の課税価格の計算において「相続時精算課税に係る贈与財産」と「相続開始前3年以内の贈与財産」を区別して扱うのは，債務控除の適用に影響するためである。

すなわち，相続開始前3年以内の贈与財産の価額を課税価格に加算した場合においても，その加算した財産の価額からは債務控除はできないこととされている（基通19－5）。たとえば，

  相続により取得した財産の価額……………　1,000万円
  負担した債務の額……………………………　1,500万円
  相続開始前3年以内の贈与財産の価額……　2,000万円

の場合，債務控除後のマイナス500万円と課税価格に加算される2,000万円とを通算することはできず，その者の課税価格を2,000万円として相続税の計算をしなければならない。

これに対し，課税価格に加算される2,000万円が「相続時精算課税に係る贈与財産」の価額である場合は，その財産の価額から債務控除が適用できるため（法21の15②，令5の4①），上例の場合，課税価格は1,500万円（＝1,000万円＋2,000万円－1,500万円）となる。

2　相続税額の計算と相続時精算課税に係る贈与税額の控除

相続税の課税価格に加算又は算入された相続時精算課税に係る贈与財産について，課せられた贈与税があるときは，その贈与税額は，その者の相続税額から控除される（法21の15③，21の16④）。

相続税額の計算における税額控除の種類と控除する順序については，第8章（125ページ）で説明したとおりであるが，相続時精算課税に係る贈与税額の控除は，外国税額控除の次に行うこととされている（令5の3）。

なお，相続税額から控除しきれなかった相続時精算課税に係る贈与税額がある場合は，その控除しきれなかった税額が還付され（法33の2①），この場合は，

納税者において還付を受けるための相続税の申告書を提出することができる（法27③）。

3 相続時精算課税適用者がある場合の相続税の計算例

相続時精算課税適用者がある場合の相続税の計算方法について，設例で確認すると，次のとおりである。

設例

① 被相続人甲の相続人は次のとおりである（カッコ内は，相続開始時の年齢である。）。

② 各相続人が遺産分割により取得した相続財産の価額と負担することが確定した債務の額は，次のとおりである。

なお，二男Bは，事実上の相続放棄をしたため，相続財産を取得せず，債務も負担していない。

	〔相続財産〕	〔債務〕
配偶者乙	1億9,000万円	300万円
長男A	8,400万円	800万円
三男C	3,800万円	200万円

③ 各相続人は，被相続人甲からそれぞれ次のとおり財産の贈与を受けている。

	〔贈与の時期〕	〔受贈財産価額〕	〔贈与税額〕
長男A	相続開始の前年	500万円	48.5万円
二男B	相続開始の前年	4,500万円	378万円
三男C	相続開始の前々年	300万円	38万円

| | | 相続開始の前年 | 2,800万円 | | 60万円 |

なお，二男Bの相続開始の前年の贈与財産（4,500万円）は土地の購入資金であり，また，三男Cの相続開始の前年の贈与財産（2,800万円）は株式であるが，いずれについても所定の期限まで相続時精算課税選択届出書が提出されている。

〔相続税の計算〕

① 相続税の課税価格

(単位；円)

	配偶者乙	長男A	二男B	三男C	合計
相続財産	190,000,000	84,000,000		38,000,000	312,000,000
相続時精算課税に係る贈与財産			43,900,000	26,900,000	70,800,000
債務控除	△3,000,000	△8,000,000		△2,000,000	△13,000,000
相続開始前3年以内の贈与財産		5,000,000		3,000,000	8,000,000
課税価格	187,000,000	81,000,000	43,900,000	65,900,000	377,800,000

② 相続税の総額

イ 課税相続財産価額

377,800,000円 － 54,000,000円（基礎控除額）＝ 323,800,000円

ロ 法定相続分に応ずる取得金額

配偶者乙　323,800,000円 × $\frac{1}{2}$ ＝ 161,900,000円

長男A　323,800,000円 × $\frac{1}{2}$ × $\frac{1}{3}$ ＝ 53,966,000円

二男B　323,800,000円 × $\frac{1}{2}$ × $\frac{1}{3}$ ＝ 53,966,000円

三男C　323,800,000円 × $\frac{1}{2}$ × $\frac{1}{3}$ ＝ 53,966,000円

ハ ロの金額に対する税額

161,900,000円 × 40％ － 17,000,000円 ＝ 47,760,000円

53,966,000円 × 30％ － 7,000,000円 ＝ 9,189,800円

ニ 相続税の総額

47,760,000円 ＋ 9,189,800円 × 3 ＝ 75,329,400円

③ 納付すべき相続税額

(単位；円)

	配偶者乙	長男A	二男B	三男C	合　計
あん分割分	0.50	0.21	0.12	0.17	1.00
算出相続税額	37,664,700	15,819,174	9,039,528	12,805,998	75,329,400
贈与税額控除		△485,000		△190,000	△675,000
配偶者の軽減	△37,664,700				△37,664,700
障害者控除				△4,800,000	△4,800,000
相続時精算課税に係る贈与税額控除			△3,780,000	△380,000	△4,160,000
納付相続税額	0	15,334,100	5,259,500	7,435,900	28,029,500

(注1) 配偶者に対する相続税額の軽減

$$377,800,000円 \times \frac{1}{2} = 188,900,000円（＞160,000,000円）$$

187,000,000円 ＜ 188,900,000円 → 188,900,000円

$$75,329,400円 \times \frac{188,900,000円}{377,800,000円} = 37,664,700円$$

37,664,700円 ＝ 37,664,700円 → 37,664,700円

(注2) 障害者控除

三男C　100,000円 ×（85歳－37歳）＝4,800,000円

4　相続時精算課税制度と暦年課税方式との違い

　贈与税の課税と相続時の取扱いについて，これまでに説明した相続時精算課税制度と暦年課税方式との違いを次ページにまとめておくこととする。

		暦年課税方式	相続時精算課税制度
贈与時の課税	贈与者の要件	（要件等なし）	特定贈与者—贈与の年の1月1日において60歳以上である者（法21の9①）
	受贈者の要件	（要件等なし）	贈与の年の1月1日において20歳以上の贈与者の直系卑属である推定相続人及び同日において20歳以上である贈与者の孫（法21の9①，措法70の2の6①）
	贈与税の基礎控除・特別控除	基礎控除—受贈者1人につき年110万円（措法70の2の4）	特別控除—受贈者及び特定贈与者ごとに累積で2,500万円（法21の12①）又は年110万円の基礎控除
	贈与税の税率	基礎控除額を超える部分に10%～55%の超過累進税率（法21の7，措法70の2の5）	特別控除額又は基礎控除額を超える部分に20%の比例税率（法21の13）
	制度選択の届出	なし（届出のない場合は暦年課税方式の適用）	「相続時精算課税選択届出書」の提出が必要（法21の9②）
	贈与税の申告の要否	受贈財産価額が基礎控除額以下の場合は申告不要（法28①）	受贈財産価額が基礎控除額を超える場合は申告必要（法28①）
相続時の課税	相続時の贈与財産価額の加算	被相続人からの相続開始前7年以内の贈与財産の価額を受贈者の相続税の課税価格に加算（法19）	特定贈与者からの贈与財産の基礎控除後の価額を受贈者の相続税の課税価格に加算（法21の15①）
	相続税の課税価格の加算対象者	被相続人から相続又は遺贈により財産を取得した者（相続又は遺贈により財産を取得しなかった者には適用なし）（法19）	相続時精算課税適用者（被相続人から相続又は遺贈により財産を取得しなかった者にも適用）（法21の15①，21の16①）
	相続税の課税価格の加算額	加算の対象となる贈与財産の贈与時の価額（法19）	同左（法21の15①，21の16③）
	贈与税の控除	適用対象者の算出相続税額から控除（法19）	適用対象者の相続税額（外国税額控除後の税額）から控除（法21の15③，相令5の3）
	贈与税額の還付	贈与税額控除額が算出相続税額を超える場合でも還付なし	控除税額が相続税額を超える場合には相続税の申告により還付（法27③）

第15章 非上場株式等に係る相続税・贈与税の納税猶予制度

---- **ポイント** ----

(1) 中小企業の円滑な事業承継を税制面から支援するため，非上場株式等に係る相続税及び贈与税について，納税を猶予する制度がある。税制上の措置であるが，その適用に際しては，都道府県知事の認定を受けることが前提条件になる。

(2) 納税猶予制度の適用対象になる会社は，一定範囲の中小企業者であるが，従業員数がゼロの会社や資産管理会社などは，原則として都道府県知事の認定を受けられず，税法上も適用除外になる。

(3) 被承継者（被相続人・贈与者）は，その会社の代表者で，かつ，後継者を除いて筆頭株主であったこと，承継者は，筆頭株主である代表者であることなど，一定の要件を満たす場合に特例が適用される。

(4) 納税猶予の対象になる株式等は，その会社の発行済株式等の3分の2を上限とし，相続税の場合は，その対象株式等の価額の80％相当額に対応する税額が納税猶予となり，贈与税の場合には，対象となる株式等の価額に対する贈与税の全額が納税猶予となる。ただし，納税猶予制度の「特例措置」には，「3分の2」及び「80％」という制限はない。

(5) 納税猶予制度の適用を受けた後，相続税又は贈与税の申告期限の翌日から5年間は，後継者が代表者として事業を行い，当初の従業員数の平均8割以上を雇用することなどの事業継続要件が課せられる。その要件を満たす場合には納税猶予が継続するが，満たさない場合には，納税猶予の期限が到来し，猶予税額の全額納付となる。

(6) 相続税では，制度の対象となった株式等を継続保有した後に相続人が死亡した場合など，贈与税では，受贈者又は贈与者が死亡した場合など，一定の事由が生じたときは，猶予税額は免除される。

(7) 贈与税の納税猶予の適用を受けた後に，株式等の贈与者が死亡したときは，その株式等を受贈者が相続又は遺贈により取得したものとみなされる。

第1節　事業承継税制の意義と背景

1　中小企業の事業承継問題

わが国の企業の大多数を占める中小会社では，経営者の高齢化が進行しているが，適切な後継者がいない企業が少なくない。このため，経営者の相続に伴って，廃業と従業員の雇用の喪失という問題が生じるのであるが，このことは，わが国の経済にも悪影響を及ぼすことになる。

また，経営者の親族に後継者がいるとしても，均分相続を建前とする現行民法の相続制度のもとでは，後継者が確実に事業用資産を取得できる保障はない。さらに，その経営者の相続に伴う相続税負担が事業承継の障害になるケースもみられる。

このような問題を背景として，中小企業の円滑な事業の承継に資する法律や制度が必要になるのであるが，その一環として措置されているのが非上場株式等に係る相続税・贈与税の納税猶予制度である。中小同族会社の株式等に対する相続税と，経営者から後継者に対する株式等の生前贈与に伴う贈与税について，税制上の恩典を与え，事業承継を支援する措置である。

(**注**)　相続税と贈与税の納税を猶予する制度としては，農地，山林，医療法人の持分及び特定の美術品に対する措置が講じられているが，本書では，実務の重要性を考慮して，非上場株式等に係る納税猶予制度について説明しておく。なお，個人事業者の事業用資産に係る納税猶予制度については，次章（267ページ）で説明する。

2　経営承継円滑化法と事業承継税制

ところで，相続税・贈与税の納税猶予制度の適用要件等については，税法（租税特別措置法）に規定されていることは当然のことであるが，この制度のベースになっているのは，中小会社の事業承継を総合的に支援する目的で立法化された「中小企業における経営の承継の円滑化に関する法律」（経営承継円滑化法）である。

同法では，後継者が経営者から生前に贈与を受けた株式等について，民法の遺留分に関する特例（生前贈与株式等を遺留分の算定基礎となる財産から除外するなどの措置）を設け，また，事業承継時に必要となる資金の調達に資するための金融支援措置も制度化されている。

相続税・贈与税の納税猶予制度に関しては，基本的な適用要件を定めており，その適用に当たっては，経営承継円滑化法に基づいて，都道府県知事の「認定」を受けることとされている。さらに，納税猶予の適用を受けた場合には，相続税又は贈与税の申告期限から5年間について，毎年1回，事業の継続をチェックするため，都道府県知事に対する「報告」を求めることとしている（経営承継円滑化法施行規則12①，③）。

都道府県知事の「認定」とは，納税猶予制度の適用対象会社の要件を満たしているかどうか，被相続人（贈与者）と相続人（受贈者）が税制適格であるかどうかをチェックするための手続で（経営承継円滑化法施行規則6①），都道府県知事の認定を受けることを条件として，相続税・贈与税の納税猶予制度を適用することとしている。ちなみに，経営承継円滑化法における認定の要件と税法に定められている納税猶予制度の適用要件とは，当然のことながら同一である。

(注) 都道府県知事に対する「認定」の申請は，相続開始の日の翌日から8か月以内（贈与税の納税猶予の適用を受ける場合は，株式等の贈与の日の属する年の翌年1月15日まで）に都道府県に「認定申請書」を提出して行うこととされている（経営承継円滑化法施行規則7②，③）。

なお，納税猶予制度の適用を受けるための相続税又は贈与税の申告に際しては，都道府県知事の「認定書」を添付する必要がある。

いずれにしても，非上場株式等に係る相続税・贈与税の納税猶予制度は，経営承継円滑化法の上に成立している税制ということになる。

なお，「第2節 非上場株式に係る相続税の納税猶予制度」（次ページ），「第3節 非上場株式に係る贈与税の納税猶予制度」（253ページ）及び「第4節 贈与者が死亡した場合の相続税課税の特例」（259ページ）は，適用期限の定めのない恒久措置であるが，「第5節 非上場株式に係る納税猶予の特例」（260ページ）は，適用期限の定めのある特例措置である。

第2節　非上場株式に係る相続税の納税猶予制度

1　制度の概要

　まず，非上場株式等についての相続税の納税猶予制度をみると，その概要は次のとおりである。
　①　経営承継相続人等（後継者）が相続又は遺贈により取得した非上場株式等（株式のほか出資も含む）について，発行済議決権株式等の3分の2を上限として，その価額の80％相当額に対応する相続税の納税を猶予する。
　②　経営承継相続人等が納税猶予の対象となった株式等を死亡時まで保有を継続するなど，一定の事由が生じた場合には，その猶予税額の全額が納税免除になる。
　③　納税猶予制度の適用を受けた場合には，相続税の申告期限の翌日から5年間を「経営承継期間」とし，その間は，後継者が代表者として事業を継続し，相続開始時の従業員数の平均8割以上の雇用を維持することなど，いわゆる事業継続要件が要求される。このため，経営承継期間内に事業継続要件を満たさないこととなった場合には，納税猶予の期限が到来し，猶予税額の全部を利子税とともに納付する。
　④　経営承継期間が経過した後に，納税猶予対象となった株式等の譲渡等があった場合には，その譲渡等をした株式等に対応する猶予税額を利子税とともに納付する。
　この制度のしくみをイメージ図で示すと，次ページのようになる。
（注）　この制度は，「納税猶予」のしくみが採用されている。これは，その者の税額を確定させた後に，その税額の全部又は一部を文字どおり納税猶予するというものであり，納期限の延長に類似する制度である。納税猶予期間中は，滞納ということはなく，延滞税の問題も生じない。ただし，納期限の延長とは異なり，納税猶予の継続要件が課されるのが通常である。このため，その要件を欠くこととなった場合（いわば特例の適用ルール違反が生じた場合）には，その時点で納税の期限が到来し，法定納期限からの利子税とともに納税することになる。

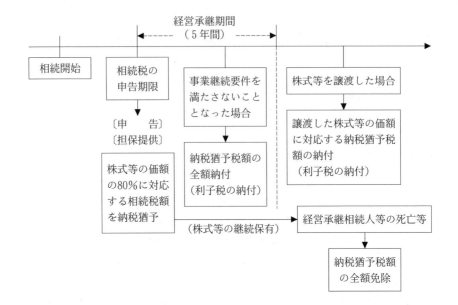

2　認定承継会社の要件

　この制度が適用される会社は，経営承継円滑化法における「中小企業者」であり，その範囲は，次の資本金基準と従業員数基準のいずれかに該当する非上場の同族会社である（経営承継円滑化法2，同施行令1）。

	資本金の額	従業員の数
製造業，建設業，運輸業その他の事業	3億円以下	300人以下
卸　売　業	1億円以下	100人以下
小　売　業	5,000万円以下	50人以下
サービス業	5,000万円以下	100人以下

(注) 　製造業のうち「ゴム製品製造業（自動車又は航空機用タイヤ及びチューブ製造業並びに工業用ベルト製造業を除く）」については，従業員数基準が「900人以下」，サービス業のうち「旅館業」については，同「200人以下」となる。
　また，サービス業のうち「ソフトウェア業・情報処理サービス業」については，「資本金の額3億円以下，従業員の数300人以下」となる。

ただし，次のような会社は，都道府県知事の認定を受けられず（経営承継円滑化法施行規則6①八），納税猶予制度が適用される「認定承継会社」には該当しない（措法70の7の2②一，措令40の8の2⑦～⑩）。

① 従業員数がゼロである会社
② 資産保有型会社
③ 資産運用型会社
④ 総収入金額がゼロである会社
⑤ その会社及びその会社と特別の関係のある会社が上場会社又は風俗営業会社

このうち，②の「資産保有型会社」及び③の「資産運用型会社」とは，それぞれ下記の算式に該当する会社をいう（措法70の7の2②八，九，70の7②八，九）。また，この場合の「特定資産」とは，有価証券，その会社が自ら使用していない不動産，ゴルフ会員権，現金預金などをいう（措法70の7②八，措規23の9⑮）。

$$資産保有型会社 - \frac{特定資産の帳簿価額の合計額}{総資産の帳簿価額} \geq 70\%$$

$$資産運用型会社 - \frac{特定資産の運用収入の合計額}{総収入金額} \geq 75\%$$

これらは，いわゆる資産管理会社であり，通常の事業会社と異なるため，税制の適用除外とする趣旨である。ただし，形式的には資産保有型会社や資産運用型会社に該当する場合であっても，相続開始の日まで3年以上継続して事業を行っている会社で，常時使用する従業員の数が5人以上であるなど，一定の要件を満たせば都道府県知事の認定対象となり（経営承継円滑化法施行規則6②），税法上も「認定承継会社」になる（措令40の8の2⑦二）。

(注) 1　上記④の「総収入金額がゼロである会社」の総収入金額には，営業外収益及び特別利益は含まれない（措法70の7の2③十，措規23の10⑦，23の9⑥）。

2　上記の「3年以上継続して事業を行っている」の「事業」からは，経営承継相続人等の同族関係者に対する資産の貸付けは除かれる（措令40の8の2⑦一イ，二イ，㉚一イ，二イ，措規23の9⑤一，23の10⑥）。

3　上記の「常時使用する従業員」からは，経営承継相続人等と生計を一にする親

族は除かれる(措令40の2⑦一ロ,二ロ,㉚一ロ,二ロ)。

3 被相続人と相続人の要件

この制度は,被相続人と相続人(経営承継相続人等)のそれぞれについて,一定の要件を満たす場合に適用される。主な要件をまとめると,次表のようになる(措法70の7の2①,②三,措令40の8の2①,措規23の10⑧)。

なお,納税猶予を受けられる相続人は,1社について1人とされている。

被相続人の要件	相続人(経営承継相続人等)の要件
① 相続開始前において,その認定承継会社の代表権を有していたこと。 ② 相続開始の直前において,同族関係者と合わせて50%超の議決権を有していたこと。 ③ 相続開始の直前において,同族関係者(経営承継相続人等となる者を除く)内で筆頭株主であること。 (注) 相続人(後継者)が既に相続税又は贈与税の納税猶予制度の適用を受けているか,又は代表権を有していた者から納税猶予の適用に係る株式等を取得している場合には,①から③の要件は不要になる。	① 相続開始の日から5か月を経過する日において,その認定承継会社の代表権を有していること。 ② 相続開始の時において,同族関係者と合わせて50%超の議決権を有すること。 ③ 相続開始の時において,同族関係者内で筆頭株主であること。 ④ 相続開始の時から相続税の申告期限まで,相続又は遺贈により取得した対象非上場株式等(納税猶予の適用を受ける株式等)のすべてを有していること。 ⑤ 被相続人が70歳未満で死亡した場合を除き,相続開始の直前において,その会社の役員であったこと。

4 特例の対象になる株式等の範囲

この制度によって納税猶予の対象になる株式等は,その認定承継会社の発行済株式等の3分の2に達するまでの部分であるが,後継者である経営承継相続人等が相続開始の直前に有していた株式等は,3分の2部分から控除することとされている(措法70の7の2①,措令40の8の2④,措通70の7の2-2)。たとえば,

○ 発行済株式等の総数　　3,000株

○ 被相続人の保有株数　　2,500株

○ 相続人の保有株数　　　　500株

とすれば，〔3,000株×$\frac{2}{3}$－500株＝1,500株〕となるから，被相続人から相続等により取得する2,500株のうち，1,500株が納税猶予の対象になるということである。

なお，相続又は遺贈により取得した株式等が，相続税の申告期限までに相続人間で分割されていない場合のその分割されていない株式等は，制度の対象にはならない（措法70の7の2⑦）。

5　相続税の納税猶予税額の計算方法

この制度により納税猶予になる相続税の額は，次の手順により計算することとされている（措法70の7の2②五，措令40の8の2⑫～⑭）。

---

①　相続又は遺贈により財産を取得した者の全員について，通常どおりの税額計算を行う。→　経営承継相続人等以外の者の税額は，経営承継相続人等の納税猶予の適用に影響されず，この計算により確定する。

---

②　経営承継相続人等以外の者の取得財産価額は不変としたうえで，経営承継相続人等が対象非上場株式等（納税猶予対象株式等）のみを相続したものとして，経営承継相続人等の税額計算を行う。
（注）経営承継相続人等が控除すべき債務を負担した場合には，対象非上場株式等以外の財産の価額から控除し，控除しきれない債務の額があるときは，対象非上場株式等の価額から控除した残額（特定価額）を基に税額計算を行う。

---

③　経営承継相続人等以外の者の取得財産価額は不変としたうえで，経営承継相続人等が対象非上場株式等の20％相当額の財産のみを相続したものとして，経営承継相続人等の税額計算を行う。
（注）経営承継相続人等が控除すべき債務を負担した場合には，特定価額の20％相当額を基に税額計算を行う。

---

④　上記②により計算された経営承継相続人等の税額から，③により計算された経営承継相続人等の税額を控除した額を納税猶予税額とする。

相続税の納税猶予税額の計算方法を計算例で示すと，次のようになる。

> **設 例**
>
> ① 相続財産　　対象非上場株式等　1億5,000万円
> 　　　　　　　その他の財産　　　2億5,000万円
> ② 相続人　　子A（経営承継相続人等）と子Bの2人
> ③ 遺産分割による取得財産
> 　　子A　対象非上場株式等1億5,000万円とその他の財産5,000万円
> 　　子B　その他の財産2億円

〔通常の計算による相続税額〕
① 課税価格の合計額　4億円（遺産に係る基礎控除額　4,200万円）
② 相続税の総額（計算過程省略）　10,920万円
③ 各人の相続税額（あん分割合　子A，子Bともに0.5）
　　子Aの相続税額　10,920万円×0.5＝5,460万円
　　子Bの相続税額　10,920万円×0.5＝5,460万円

〔納税猶予税額の計算〕
① 子Aが対象非上場株式等（1億5,000万円）のみを相続した場合の税額
　・課税価格の合計額　3億5,000万円（子A 1億5,000万円，子B 2億円）
　・相続税の総額（計算過程省略）　8,920万円
　・子Aの相続税額　8,920万円×1億5,000万円÷3億5,000万円＝38,228,571円
② 子Aが対象非上場株式等の20％相当額（1億5,000万円×20％＝3,000万円）の財産のみを相続した場合の税額
　・課税価格の合計額　2億3,000万円（子A 3,000万円，子B 2億円）
　・相続税の総額（計算過程省略）　4,240万円
　・Aの相続税額　4,240万円×3,000万円÷2億3,000万円＝5,530,434円
③ 納税猶予税額　38,228,571円－5,530,434円＝32,698,100円（100円未満切捨て）
（注）子Aの納付税額は，5,460万円－32,698,100円＝21,901,900円になる。なお，子Bの納付税額は，通常の計算による税額（5,460万円）で確定する。

6 納税猶予期限の確定と猶予税額の納付

納税猶予制度の適用を受けた場合において，相続税の申告期限から5年間（経営承継期間）のうちに一定の事由が生じた場合には，納税猶予の期限が到来し，その時点の猶予税額は，その事由が生じた日から2か月以内に利子税とともに全額を納税しなければならない（措法70の7の2③，措令40の8の2㉘，㉚，㉛）。

また，経営承継期間が経過した後においても一定の事由が生じれば，猶予税額を納付することになる（措法70の7の2⑤，措令40の8の2㉞〜㊳）。猶予税額の納付となる主な事由を経営承継期間内と経営承継期間の経過後に区分してまとめると，次のようになる。

経営承継期間内の納付事由	経営承継期間経過後の納付事由
① 経営承継相続人等が認定承継会社の代表権を有しないこととなった場合 ② 経営承継期間における認定承継会社の常時使用従業員数の平均値が，相続開始の日における常時使用従業員数の80％未満となった場合 ③ 経営承継相続人等及びその同族関係者の有する議決権の合計数が50％以下となった場合 ④ 経営承継相続人等が同族関係者内で筆頭株主でないこととなった場合 ⑤ 経営承継相続人等が対象非上場株式等の一部の譲渡・贈与をした場合 ⑥ 経営承継相続人等が対象非上場株式等の全部の譲渡・贈与をした場合 ⑦ 認定承継会社が解散をした場合 ⑧ 認定承継会社が資産保有型会社又は資産運用型会社に該当することとなった場合 ⑨ 認定承継会社の総収入金額がゼロとなった場合	① 経営承継相続人等が対象非上場株式等の全部の譲渡・贈与をした場合 ② 認定承継会社が解散をした場合 ③ 認定承継会社が資産保有型会社又は資産運用型会社に該当することとなった場合 ④ 認定承継会社の総収入金額がゼロとなった場合 ⑤ 経営承継相続人等が対象非上場株式等の一部の譲渡・贈与をした場合

これらを比較してみると，経営承継期間内の納付事由の①から④は，経営承継期間が経過した後の納付事由にはない。要するに，これらの事由については，相続税の申告期限から5年を経過した後に生じたとしても，納税猶予が継続するということである。

(注) 1 経営承継期間内の納付事由のうちの①について，経営承継相続人等が身体障害者手帳の交付を受けた場合など，やむを得ない理由で代表権を有しないこととなった場合には，納税猶予が継続する（措規23の10⑮，23の9⑰）。

2 経営承継期間内の納付事由のうちの②について，この場合の「常時使用従業員」とは，次のいずれかの者をいう（措規23の10⑤，23の9④）。

イ 厚生年金保険法，船員保険法又は健康保険法に規定する被保険者

ロ その会社と2か月を超える雇用契約を締結している者で75歳以上であるもの及び後期高齢者医療の被保険者である一定の障害のある70歳以上75歳未満のもの

なお，「80%」の雇用確保要件を満たさないこととなったために納税猶予が確定した場合の納付すべき相続税については，一定の要件の下に延納又は物納ができる（措法70の7の2⑭九）。

3 経営承継期間内の納付事由のうち③について，経営承継相続人等が身体障害者手帳の交付を受けたことなど，やむを得ない理由で代表権を有しないこととなった場合において，その経営承継相続人等が，贈与税の納税猶予制度の適用を受けるその者の後継者に対象非上場株式等を贈与したことにより，議決権の合計数が50%未満となった場合には，納税猶予が継続して適用される（措法70の7の2③三かっこ書）。

4 経営承継期間内の納付事由のうちの⑧及び経営承継期間経過後の納付事由のうち③について，資産保有型会社又は資産運用型会社に該当しても，従業員数が5人以上であるなどの要件を満たせば，納税猶予が継続する（措令40の8の2㉚）。

また，事業に必要な資金を調達するための借入れ，事業用資産の譲渡，事業用資産について生じた損害に基因する保険金の取得などのやむを得ない事情により資産保有型会社又は資産運用型会社に該当した場合であっても，その該当した日から6か月以内にこれらの会社に該当しなくなったときは，納税猶予が継続する（措令40の8の2㉕，㉗，措規23の10⑬，⑭）。

5 経営承継相続人等が対象非上場株式等の一部を譲渡又は贈与した場合（上記⑤），経営承継期間内であれば，猶予税額の全額納付となるが，経営承継期間の経過後であれば，猶予税額のうち譲渡等をした株式の数に対応する税額を納付すること

とされている（措令40の8の2㉞）。

6　経営承継期間内の納付事由のうちの⑨及び経営承継期間経過後の納付事由のうちの④について、総収入金額には、営業外収益及び特別利益は含まれない（措法70の7の2③十、措規23の10⑦、23の9⑥）。したがって、本来の事業に係る売上高がゼロになった場合には、納税猶予が確定し、猶予税額を納付しなければならない。

7　猶予税額を納付する場合には、法定納期限の翌日からの期間について、年3.6％の割合で計算した利子税を納付しなければならない（措法70の7の2㉘）。なお、延納特例基準割合が年7.3％未満の場合には、利子税について「特例割合」が適用され（措法93②③）、延納特例基準割合が年1.6％（平成31年分に適用される国内銀行の貸出約定平均金利である年0.6％に年1％を加算した割合）の場合には、年0.7％となる。

8　経営承継期間の経過後に猶予税額を納付することとなった場合の経営承継期間（5年間）中の利子税の割合は、「年ゼロパーセント」とされており（措法70の7の2㉙）、その納付は要しない。

7　猶予税額の免除

相続税について納税猶予制度の適用を受けた後、一定の事由が生じた場合には、納税免除の措置が適用される。主な免除事由を列挙すると、以下のとおりである（措法70の7の2⑯、⑰）。

①　経営承継相続人等が死亡した場合
②　経営承継相続人等が対象非上場株式等を「贈与税の納税猶予制度」の適用を受けるその者の後継者に贈与した場合
③　経営承継相続人等が、その保有する株式等の全部を同族関係者以外の1人に一括譲渡した場合
④　認定承継会社について、破産手続開始の決定又は特別清算開始の命令があった場合

注意したいのは、上記の①以外の事由は、経営承継期間（相続税の申告期限の翌日から5年間）を経過した後に生じた場合に納税免除になることである。したがって、これらの事由が経営承継期間内に生じても免除にはならず、猶予税

額の全額納付となる。

　もっとも，上記の②について，経営承継期間内に経営承継相続人等が身体障害者手帳の交付を受けたことなどのやむを得ない理由により，その認定承継会社の代表権を有しないこととなった場合において，その者の後継者に対象非上場株式等を贈与し，その後継者が贈与税の納税猶予制度の適用を受けるときは，その贈与した対象非上場株式等に対応する相続税について納税免除を受けられる（措法70の7の2⑯二かっこ書）。

　なお，上記の③は，その会社の株式等の全部を第三者に譲渡した場合に，その譲渡対価が猶予税額を下回るときは，その差額が納税免除になるということである。

(注) 1　上記③について，株式等の譲渡対価がその株式等の時価を下回る場合には，時価と猶予税額の差額が納税免除になる（措法70の7の2⑰一イかっこ書）。

　　　2　上記③と④について，それぞれの事由が生じた日前5年以内に，経営承継相続人等及びその者と生計を一にする親族が認定承継会社から受けた剰余金の配当等及び法人税法34条又は36条の規定により損金不算入とされた役員給与がある場合には，その配当等及び給与の額は免除されない（措法70の7の2⑰一ロ，二ロ，措令40の8の2㉖，㊼）。

8　特例の適用を受ける場合の手続

　相続税の納税猶予制度は，相続税の申告期限までに，猶予税額に相当する担保を提供するとともに，一定の書類を添付した申告書を提出した場合に適用される（措法70の7の2①，⑨，措規23の10㉒）。

　また，その適用後の5年間（経営承継期間）は，毎年1回，税務署に納税猶予の「継続届出書」を提出し，経営承継期間の経過後は，3年に1回，継続の届出を行うこととされている（措法70の7の2⑩，措令40の8の2㊷，措規23の10㉓～㉖）。

第3節　非上場株式に係る贈与税の納税猶予制度

1　制度の概要

　非上場株式等の生前贈与に係る贈与税についても，一定の要件の下に納税猶予制度が措置されている。その基本的なしくみは，相続税の場合と同様である。
　①　一定の要件を満たす会社（認定贈与承継会社）の代表者であった者から，一定の要件を満たす者（経営承継受贈者）に，その認定贈与承継会社の株式等の贈与があった場合には，発行済議決権株式等の3分の2部分を上限として，その贈与に係る贈与税について，その納税を猶予する。
　②　経営承継受贈者が対象受贈非上場株式等（納税猶予の適用を受ける株式等）を死亡時まで保有を継続した場合又は贈与者が死亡した場合には，その猶予税額の全部が納税免除になる。
　③　贈与税の納税猶予の適用を受けた後は，相続税の場合と同様に，申告期限の翌日から5年間（経営贈与承継期間）は，従業員数の平均8割以上を雇用することなどの事業継続要件がある。その要件を満たさないこととなった場合には，猶予税額を納付しなければならない。また，経営贈与承継期間が経過した後に株式等の譲渡等があった場合には，その譲渡等をした株式等に対応する贈与税を納付する。

2　認定贈与承継会社の要件

　贈与税の納税猶予制度の適用対象になる会社を「認定贈与承継会社」という（措法70の7②一，措令40の8⑥～⑩）。その範囲や要件等は，前述した相続税の「認定承継会社」と同様である。
　したがって，経営承継円滑化法における「中小企業者」を対象とするが，都道府県知事の「認定」を受けることが税制の適用要件となるため，その認定を受けられない会社（従業員数がゼロの会社や，いわゆる資産保有型会社・資産運用型会社など）には，納税猶予制度は適用されない。

3 贈与者と受贈者の要件

　この制度が適用される贈与者と受贈者の要件は，相続税の納税猶予制度における被相続人と相続人に類似する点が多い（措法70の7①，②三，措令40の8①，⑪，措規23の9⑨，⑩）。参考のために前述した相続税の場合と対比してまとめると，次のようになる。

	相続税の納税猶予制度	贈与税の納税猶予制度
被承継者（被相続人・贈与者）の要件	① 相続開始前に，その会社の代表権を有していたこと。 ② 相続開始の直前において，同族関係者と合わせて50％超の議決権を有していたこと。 ③ 相続開始の直前において，同族関係者（後継者である経営承継相続人等を除く）内で筆頭株主であったこと。	① 贈与の時前において，その会社の代表権を有していたこと。 ② 贈与の直前において，同族関係者と合わせて50％超の議決権を有していたこと。 ③ 贈与の直前において，同族関係者(後継者である経営承継受贈者を除く)内で筆頭株主であったこと。 ④ 贈与の時において，その会社の代表権を有していないこと。
承継者（相続人・受贈者）の要件	① 相続開始の日から5か月を経過する日において，その会社の代表権を有していること。 ② 相続開始の時において，同族関係者と合わせて50％超の議決権を有すること。 ③ 相続開始の時において，同族関係者内で筆頭株主であること。 ④ 被相続人が70歳未満で死亡した場合を除き，相続開始の直前において，その会社の役員であったこと。	① 贈与の日において20歳以上（令和4年（2022年）4月1日以後の贈与の場合は，18歳以上）であること。 ② 贈与の時において，その会社の代表権を有していること。 ③ 贈与の時において，同族関係者と合わせて50％超の議決権を有していること。 ④ 贈与の時において，同族関係者内で筆頭株主であること。 ⑤ 贈与の日まで3年以上にわたり，その会社の役員であったこと。

　贈与税の場合には，贈与者が会社の代表者を退任する必要があるが，代表者以外の役員であってもよい。

　(注) 贈与税の納税猶予制度における贈与者の要件について，受贈者（後継者）が既に相続税又は贈与税の納税猶予制度の適用を受けているか，又は代表権を有していた者から納税猶予の適用に係る株式等を取得している場合には，上表の①から③の要

件は不要になる（相続税の納税猶予制度における被相続人の要件も同じ）。

4　特例の対象になる株式等の贈与

相続税の納税猶予の対象となる株式数について，発行済議決権株式等の3分の2が上限になること，後継者が保有していた株式の数は3分の2部分から控除することはすでに説明したが，贈与税の場合もまったく同じである（措法70の7①，措令40の8②）。

注意したいのは，贈与する株数で，次のいずれかに該当する贈与の場合に限り，納税猶予制度が適用される（措法70の7①一，二）。

> ①　その贈与の直前において，贈与者が有していた株式の数が，発行済株式総数の3分の2から受贈者が贈与前に有していた株式の数を控除した残数を超える場合→その控除した残数に相当する株式の数以上の贈与
> ②　①以外の場合→贈与者が贈与の直前に有していた株式の全ての贈与

たとえば，発行済株式総数を3,000株とし，贈与前の持株数が次のようであったとする。

〔ケース1〕　贈与者 2,500株　　受贈者 100株
〔ケース2〕　贈与者 1,500株　　受贈者 300株

この場合，ケース1では，

$$2,500株 > 3,000株 \times \frac{2}{3} - 100株 = 1,900株$$

となるから，上記の①に該当する。したがって，贈与者の保有する2,500株のうち1,900株以上を贈与した場合に，この納税猶予制度が適用されることになる。

一方，ケース2では，

$$1,500株 \leq 3,000株 \times \frac{2}{3} - 300株 = 1,700株$$

となるため，上記の②に該当する。したがって，この場合には，贈与者の保有する株式の全部（1,500株）を贈与しないと，この制度は適用されない。

(注) 上記のケース1について，1,900株未満の贈与の場合には，納税猶予制度の適用はない。また，1,900株を超える株式の贈与をすることは任意であるが，その超える部分については，納付税額が生じる。

なお，上記の①（ケース1）の場合，贈与後の受贈者の持株数は，発行済株式総数の3分の2となる。

5 贈与税の納税猶予税額の計算方法

この制度では，納税猶予対象となる株式の価額をその受贈者の贈与税の課税価格とみなして，いわゆる暦年課税方式又は選択により相続時精算課税のいずれかの方法で納税猶予税額の計算を行うこととされている（措法70の7②五）。計算例を示すと，次のようになる。

設 例

経営承継受贈者Aが，本年中に父甲から贈与を受けた財産は，次のとおりである。Aが贈与税の納税猶予制度の適用を受ける場合の納税猶予税額及び納付すべき贈与税額は，いくらになるか。
・対象受贈非上場株式等　5,000万円
・現金　　　　　　　　　500万円

〔計 算〕

	暦年課税による場合	相続時精算課税を選択した場合
① 贈与税の課税価格	5,000万円+500万円=5,500万円	5,500万円（左に同じ）
② ①に対する税額	〔5,500万円−110万円（基礎控除額）〕×55%（税率）−640万円（速算表控除額）=2,234.5万円	〔5,500万円−110万円（基礎控除額）−2,500万円（特別控除額）〕×20%（税率）=578万円
③ 納税猶予税額	〔5,000万円−110万円〕×55%−640万円=2,049.5万円	〔5,000万円−110万円−2,500万円〕×20%=478万円
④ 納付税額	2,234.5万円−2,049.5万円=275万円	578万円−478万円=100万円

なお，納税猶予の期限が到来した場合（納税猶予が取消となった場合）には，上記の納税猶予税額（暦年課税方式によっているときは2,049.5万円，相続時精算課税を選択したときは478万円）を納付することになる。

(注) この例で，贈与により取得した財産が納税猶予対象株式（5,000万円）のみであれば，その税額（2,049.5万円又は478万円）の全部が納税猶予となり，納付税額は生じない。

6 猶予税額の納付と免除の事由

非上場株式等に係る納税猶予制度は，相続税と贈与税に共通した規定が多く，猶予税額を納付することとなる事由も前述した相続税の場合とほぼ同様である（措法70の7③〜⑤，措令40の8㉓〜㉛）。

もっとも，贈与税の場合には，贈与者の要件として，贈与の時までに「会社の代表者を退任すること」とされていることとの関係から，経営贈与承継期間（贈与税の申告期限の翌日から5年間）において，贈与者が代表者になった場合には，納税猶予の期限が到来し，猶予税額の全額を納付することとされている（措法70の7③十七，措令40の8㉕四）。

一方，猶予税額が免除になるのは，主として次の場合であり，このうち④と⑤は，相続税の場合と同じである（措法70の7⑮，⑯）。

① 贈与者の死亡の時以前に経営承継受贈者が死亡した場合
② 贈与者が死亡した場合
③ 経営贈与承継期間の経過後に，経営承継受贈者が，贈与税の納税猶予を受けるその者の後継者に対象受贈非上場株式等を贈与した場合
④ 経営承継受贈者が，その保有する株式等の全部を同族関係者以外の1人に一括譲渡した場合
⑤ 認定贈与承継会社について，破産手続開始の決定又は特別清算開始の命令があった場合

上記①の場合には，通常の相続となり，死亡した経営承継受贈者の相続人について，相続税が課税されることになるが，その相続人とその株式等について，

一定の要件を満たせば，相続税の納税猶予制度の適用を受けることができる。

なお，上記③について，経営承継受贈者が身体障害者となったことなどのやむを得ない理由によりその会社の代表権を有しないこととなった場合には，経営贈与承継期間内のその者の後継者への贈与であっても，納税が免除される。

(注) 上記②の場合の相続税課税については，第4節（次ページ）を参照されたい。

7　特例の適用を受ける場合の手続

贈与税の納税猶予制度は，贈与税の申告期限までに一定の書類を添付した申告書を提出した場合に限り適用される（措法70の7⑧，措規23の9㉒）。

また，経営贈与承継期間中は毎年1回，その後は3年に1回の「継続届出書」を提出する必要がある（措法70の7⑨，措令40の8㊱，措規23の9㉓～㉕）。

第4節　贈与者が死亡した場合の相続税課税の特例

1　株式等の贈与者の死亡とみなし相続

　非上場株式等について贈与税の納税猶予の適用を受けた後，贈与者に相続が開始した場合に，納税猶予されていた贈与税が免除になることは前述したとおりであるが，一方で，その相続に係る相続税については，次のように取り扱われる（措法70の7の3①）。

① 　贈与税の納税猶予の適用を受けた株式等は，経営承継受贈者が贈与者から相続又は遺贈により取得したものとみなす。

② 　この場合に，相続税の課税価格に算入する株式等の価額は，贈与により取得した時における価額とする。

　要するに，株式等の贈与者に相続があると，納税猶予を受けていた贈与税を免除すると同時に，既に贈与を受けた株式等について，贈与時の価額で相続税課税に取り込むということである。この規定は，納税猶予について，贈与と相続の「つなぎ」の役割を果たしている。

2　相続税の納税猶予の適用

　上記1による相続税の課税において，一定の要件を満たせば，その相続税について納税猶予制度の適用を受けることができる（措法70の7の4①）。

　この場合は，前述した第2節の相続税の納税猶予とほぼ同内容になるから，その会社（認定相続承継会社）の発行済議決権株式等の3分の2を上限とし，その会社の代表権を有するなど一定の要件を満たす者（経営相続承継受贈者）に対し，適用対象株式等（対象相続非上場株式等）の価額の80％に対応する相続税が納税猶予になる（措法70の7の4②四）。

　非上場株式等に対する相続・贈与税制では，一定の要件を満たす事業承継であれば，相続と贈与のいずれであっても，連続的に納税猶予制度が適用されるよう措置されている。

第5節　非上場株式に係る納税猶予の特例

1　特例制度の趣旨

　中小企業の事業承継問題については，既に説明したとおりであるが（241ページ），近年においては，急速に経営者の高齢化が進行しており，遠からず経営者の引退や中小企業の廃業が増加することが予測されており，問題が拡大化する懸念が高まっている。このため，早期に後継者を決定し，円滑な事業承継を促進させることが重要な政策課題となっている。

　こうした現状に対処するため，前節までに説明した納税猶予制度とは別に，平成30年（2018年）1月1日から令和9年（2027年）12月31日までの10年間の非上場株式等の相続・贈与について，時限措置として，特例的な制度が設けられている（措法70の7の5，70の7の6）。

　上記の10年間は，前節までの恒久的な制度と特例措置としての事業承継税制が併存することになり，いずれかの選択適用とされている。もっとも，特例措置としての納税猶予制度のほうが納税猶予対象株式等の範囲が拡充されるとともに，適用要件や納税免除の取扱いなどの緩和が図られており，実務上のメリットが大きいものとなっている。要するに，特例措置は，上記の10年間において可能な限り事業承継問題の解決を図るという政策目的がある。

2　特例制度の概要

　事業承継税制の特例措置は，恒久措置をベースとして制度化されており，たとえば，前述（244ページ）した認定承継会社の要件について，経営承継円滑化法における「中小企業者」を対象とするが，従業員数がゼロの会社や資産保有型会社などは，納税猶予制度の適用はない（措法70の7の6②一〜四，70の7の5②一〜四，措規23の12の2②，③）。

　納税猶予制度について，恒久措置と特例措置で違いがあるのは，主として次

表の項目である。

	恒久措置	特例措置
①納税猶予対象株式等の範囲	発行済議決権株式等の3分の2まで	相続・贈与により取得した全ての株式等
②納税猶予税額の計算	相続…納税猶予対象株式等の価額の80％に対応する相続税額	相続…納税猶予対象株式等の価額に係る相続税の全額
	贈与…納税猶予対象株式等の価額に係る贈与税の全額	贈与…(同左)
③後継者の人数	その会社の代表権を有する後継者1人に適用	その会社の代表権を有する複数の株式等の取得者（最大3人）にも適用
④雇用確保要件	経営承継期間（5年間）における常時使用従業員数の平均値が相続・贈与時の人数の80％未満の場合には、納税猶予の取消し	経営承継期間における常時使用従業員数が80％未満となった場合であっても、その理由を記載した書類を都道府県知事に提出すれば、納税猶予は継続
⑤株式等の譲渡、会社の合併・解散等の場合の減免	原則として、納税猶予の取消しとなり、納税猶予税額の納付	一定の要件に該当する場合には、株式等の譲渡の対価、合併の対価又は解散時の株式評価額を基に、相続税・贈与税の額を再計算し、その税額が当初の納税猶予税額を下回るときは、その差額を免除
⑥相続時精算課税制度の適用対象者	贈与者が60歳以上の父母又は祖父母で、受贈者が20歳以上の直系卑属に適用	60歳以上の贈与者が、20歳以上の推定相続人以外の後継者に株式等を贈与した場合にも適用

　これらについて、その概要を説明すると、以下のとおりである。

① 納税猶予対象株式等の範囲

　非上場株式等に係る相続税・贈与税の納税猶予の対象となる株式等について、恒久措置では、発行済議決権株式等の3分の2までとされている（246ページ・255ページ）。したがって、被承継者（被相続人又は株式等の贈与者）がその会社の株式等を100％所有していた場合に、その全部を後継者に相続・贈与で承継させても3分の1部分は納税猶予にはならない。

これに対し，特例措置では「3分の2」という上限が撤廃されており，後継者が株式等のみを相続・贈与で取得した場合には，全て納税猶予の対象となり，その時点での納税はない（措法70の7の6①，70の7の5①）。

② 納税猶予税額の計算

納税猶予税額の計算について，贈与の場合には恒久措置と特例措置で違いはなく，納税猶予対象となる株式等の価額に対する贈与税の全額が納税猶予になる（256ページ）。

一方，相続の場合には，恒久措置では「80％納税猶予」とされており（247ページ），納税猶予対象株式等のみを相続しても，その価額の20％分に対応する相続税額は納税する必要がある。これに対し，特例措置では，「100％納税猶予」とされており，承継した株式等の価額に対応する相続税額は，その全額が納税猶予になる（措法70の7の6②八，措令40の8の6⑯～㉒）。

③ 後継者の人数

納税猶予制度が適用される後継者について，恒久措置では1社につき1人とされている（246ページ）。

これについて，特例措置では，最大3人までの複数の後継者にも同制度が適用できることとされている。たとえば，後継者を先代経営者の長男と二男の2人とし，両者に株式等を承継させれば，いずれの者も納税猶予を受けられることになる（措法70の7の6②七，70の7の5②六）。もっとも，この場合には，2人ともその会社の代表者となるなど後継者の要件を満たす必要がある（246ページ，254ページ）。

④ 雇用確保要件

相続税及び贈与税の納税猶予の適用を受けてから5年間は，いわゆる事業継続要件として「80％雇用確保」を求められるのが恒久措置である（249ページ）。

これに対し，特例措置では，経営承継期間（5年間）において常時使用従業員数の平均値が80％未満となった場合でも納税猶予の取消しにはならない（措法70の7の6③かっこ書，70の7の5③かっこ書）。もっとも，その場合には，その理由を記載した書類を都道府県知事に提出しなければならないが，雇用確保要

件は事実上撤廃されているといってよい。

⑤ **株式等の譲渡，会社の合併・解散等の場合の減免**

会社は，経営上の理由から，その株式等の全部を第三者に譲渡（事業譲渡）したり，合併によって消滅し，あるいは解散することがある。納税猶予制度の適用を受けた後，これらの事由が生じた場合には，原則として納税猶予が確定し，原則として，その税額を全額納付するというのが恒久措置の取扱いである（249ページ）。

これに対し，特例措置では，納税猶予を受けてから5年経過後に，株式等の譲渡，会社の合併，解散等があった場合において，次のような事由に該当するときは，納税猶予税額を免除する措置が講じられている（措法70の7の6⑬，70の7の5⑫，措令40の8の6㉙，40の8の5㉒，措規23の12の3㉓〜㉖，23の12の2㉓〜㉖）。

　イ　過去3年間のうち2年以上，会社が赤字となった場合
　ロ　過去3年間のうち2年以上，会社の売上高が前年より減少した場合
　ハ　会社の有利子負債の額が売上高の6か月分以上の場合
　ニ　類似業種の上場会社の株価が前年の株価を下回る場合
　ホ　心身の故障等により後継者による事業の継続が困難となった場合（解散の場合を除く）

これは，納税猶予制度の適用を受けた後に，経営環境の変化が生じ，事業の継続が困難になったような場合に，納税猶予の取消しというリスクを軽減するための措置である。

具体的には，株式等の譲渡・合併の対価の額又は解散の時における株式等の評価額を基に再計算した贈与税又は相続税を納付することとし，再計算した税額が当初の納税猶予税額を下回る場合には，その差額を免除することとされている。次のような仕組みである。

```
〔相続・贈与時〕────5年経過後──→〔譲渡・解散等〕
株式等の評価額　3,000 ────────→ 株式等の評価額　2,000
相続・贈与税額　　800 ────────→ 相続・贈与税額　　300※
（納税猶予税額）                      （譲渡対価の額　1,200）
　※　譲渡対価の額（1,200）を基に再計算した税額
○　譲渡時に再計算した税額（300）を納付する。
○　当初の納税猶予税額（800）と再計算した税額（300）との差額500は
　　免除される。
```

ただし、株式の譲渡又は解散等の日以前5年以内に後継者及びその者と特別関係のある者が、その会社から受けた配当や法人税法の規定により損金不算入となった過大役員給与等の額は、上記の再計算した税額に加算し、納税する必要がある（措法70の7の6⑬、70の7の5⑫、措令40の8の6⑫、㉞、40の8の5⑭、㉗）。

(注)　恒久措置においても後継者がその保有する株式等の全部を第三者に譲渡した場合の免除規定があるが（251ページ）、納税免除になるのは、株式等の譲渡対価の額が納税猶予税額を下回る場合であり、上記の免除措置とは異なっている。

なお、このほか株式等の譲渡又は会社が合併により消滅する場合において、その譲渡等の対価の額がその時の株式の評価額の2分の1を下回るときは、次のような減免措置が適用される（措法70の7の6⑭〜⑯、70の7の5⑬〜⑮、措令40の8の6㉝、㊳、40の8の5㉛〜㉝）。

イ　株式の評価額の2分の1相当額を基に、上記と同様により再計算した税額を納税猶予とし、再計算した税額と当初の納税猶予税額との差額は免除する。

ロ　その2年経過後に、その会社の事業が継続していることなど一定の要件を満たす場合には、実際の譲渡等の対価の額を基に税額を再々計算し、その税額がイによる納税猶予税額を下回るときは、その差額を免除する。

⑥　相続時精算課税制度の適用対象者の要件

　贈与税の相続時精算課税制度の適用対象者については，前述したとおりであるが（223ページ），特例措置としての納税猶予制度では，その適用対象者が推定相続人以外の者に拡充されている。したがって，会社の後継者が叔父や叔母など父母又は祖父母以外の者から株式等の贈与を受けた場合にも，納税猶予税額の計算において相続時精算課税制度の適用を受けることができる（措法70の7の7①）。

3　特例措置の適用を受ける場合の手続

　非上場株式等に係る特例措置としての納税猶予制度の適用を受けるためには，相続税又は贈与税の申告期限までに，猶予税額に相当する担保を提供するとともに，一定の書類を添付した申告書の提出を要する（措法70の7の6①，⑥，70の7の5①，⑤，措規23の12の3⑯，23の12の2⑯）。

　これらの手続は恒久措置と同様であるが，特例措置の適用に際して恒久措置の場合と異なるのは，平成30年（2018年）4月1日から令和6年（2023年）3月31日までに「特例承継計画」を都道府県知事に提出し，その確認を受けなければならないことである（経営承継円滑化法規則16，17①）。

　この場合の「特例承継計画」とは，認定経営革新等支援機関（税務，金融及び企業財務について専門的な知識と経験のある者として国が認定した者）の指導及び助言を受けて会社が作成した計画で，会社の後継者，事業承継までの経営計画及び事業承継後の経営計画などが記載されたものをいう。

　なお，特例経営（贈与）承継期間中は年に1回，その後は3年経過ごとに継続届出書の提出を要することは，恒久措置の場合と同様である（措法70の7の6⑦，70の7の5⑥，措令40の8の6㉗，40の8の5⑳，措規23の12の3⑰，23の12の2⑰）。

第16章　個人事業者の事業用資産に係る相続税・贈与税の納税猶予制度

ポイント

(1) 個人事業者の事業承継を税制面から支援するため，事業用資産の相続や贈与について，非上場株式等に係る事業承継税制と同様の仕組みで，相続税及び贈与税の納税を猶予する措置が講じられている。

(2) 相続税の納税猶予制度と特定事業用宅地等に係る小規模宅地等の特例とは，選択適用となる。

(3) 納税猶予制度の適用に際しては，「個人事業承継計画」を作成し，都道府県知事の確認と認定を受けることが前提になる。

(4) 納税猶予制度の適用を受けられる後継者は，一定の期間にわたり被承継者（被相続人・贈与者）の事業に従事しており，また，所得税の事業所得について青色申告を行うことなどの要件がある。

(5) 納税猶予の対象になる特定事業用資産は，被相続人又は贈与者の事業の用に供されていた次の資産で，事業所得に係る青色申告書の貸借対照表に計上されているものをいう。

① 宅地等で，その面積のうち400㎡以下の部分

② 建物で，その床面積のうち800㎡以下の部分

③ 減価償却資産で，固定資産税，自動車税・軽自動車税において営業用の標準税率が適用される自動車その他これらに準ずるもの

(6) 納税猶予税額は，適用対象になる特定事業用資産のみを取得したものとして計算した相続税又は贈与税の額になる。ただし，事業用の債務を承継した場合には，その資産の価額から控除して猶予税額を計算する。

(7) 事業の承継者が事業を廃止した場合など，一定の事由が生じたときは，猶予税額を納付する。

(8) 事業の承継者や特定事業用資産の贈与者が死亡した場合など，一定の事由が生じたときは，猶予税額が免除される。

第1節　個人事業者の事業承継問題と税制の背景

1　個人事業者の事業承継問題

　中小会社の事業承継問題については，前章で説明したとおりであるが，個人事業者の場合も同様で，事業者本人の高齢化，後継者不足，廃業の増加などの問題が深刻化している。また，事業承継がうまくいったとしても，事業用資産に対する相続税や贈与税の問題がある。

　そこで，非上場株式に係る事業承継税制とほぼ同様のしくみで，個人事業者の事業用資産に係る相続税・贈与税の納税猶予制度が設けられている。

　なお，この制度は，平成31年（2019年）1月1日から令和10年（2028年）12月31日までの10年間に，後継者が特定事業用資産を相続・贈与により取得し，事業を継続する場合に適用される。

2　経営承継円滑化法と個人事業者の事業承継税制

　前章で説明した非上場株式等に係る相続税・贈与税の納税猶予制度は，「経営承継円滑化法」をベースにした税制措置であるが，個人事業者に係る事業承継税制も同様である。

　このため，個人事業者に係る事業承継税制の適用に際しても，経営承継円滑化法の規定に基づいて，都道府県知事の「認定」を受けることが税制の適用要件とされている（経営承継円滑化法規則7⑩～⑫）。

　さらに，その前提として，平成31年（2019年）4月1日から令和6年（2024年）3月31日までの5年間に，後継者や特定事業用資産の承継前後の経営見通し等が記載された「個人事業承継計画」を作成し，都道県知事の確認を受けることとされている（同6⑯，16③，17①，④）。

第2節　特定事業用資産に係る相続税の納税猶予制度

1　制度の概要

　まず，事業用資産についての相続税の納税猶予制度をみると，その基本的なしくみは，次のとおりである（措法70の6の10）。

① 　特例事業相続人等（後継者）が，平成31年（2019年）1月1日から令和10年（2028年）12月31日までの10年間に，相続又は遺贈により特定事業用資産を取得し，事業を継続していく場合には，担保の提供を条件に，特例事業用資産（特定事業用資産で相続税の申告書に納税猶予の適用を受ける旨の記載があるもの）の価額に対応する相続税の納税を猶予する。

② 　納税猶予の適用を受けた後，特例事業相続人等又は贈与者が死亡するなど，一定の事由が生じた場合には，その猶予税額の全額が免除される。

③ 　特例事業相続人等が事業を廃止した場合や特例事業用資産が事業の用に供されなくなった場合など，一定の事由が生じたときは，猶予税額の全部又は一部を納付する。

2　納税猶予制度の適用対象事業

　個人事業者の「事業」の範囲について，その事業が不動産貸付業等（不動産貸付業，駐車場業及び自転車駐車場業）の場合には，この制度の適用を受けることはできない（措法70の6の8②一，措令40の7の8⑤）。

　また，資産保有型事業及び資産運用型事業に該当する場合には，都道県知事の認定を受けられないため，適用対象外となる。これらは，非上場株式等に係る事業承継税制における「資産保有型会社」及び「資産運用型会社」（前章の245ページ）に対応するものであり，「資産保有型事業」とは，総資産のうちに占める有価証券や現金預金などの「特定資産」の保有割合が70％以上の事業をいい，「資産運用型事業」とは，特定資産の運用収入が事業所得に係る総収入金

額の75％以上であるものをいう（措法70の6の10②二ホ，70の6の8②四五，措規23の8の8⑧）。

これら以外に事業について限定はなく，いわゆる風俗営業でない限り，納税猶予制度の対象になる。

3　被相続人と相続人の要件

この制度の適用上，被相続人については，生前の事業について，所得税の青色申告を行っていたことが要件とされているが，それ以外に特別な要件はない。

一方，この制度の適用を受けられる特例事業相続人等（後継者）とは，次の全ての要件を満たす者をいう（措法70の6の10②二，措規23の8の9①）。

① 相続開始の直前において特定事業用資産に係る事業に従事していること（被相続人が60歳未満で死亡した場合には，この要件はない）。

② 経営承継円滑化法の規定に基づき，都道府県知事の認定を受けていること。

③ 相続開始の時からその相続に係る相続税の申告期限までの間に，特定事業用資産に係る事業を引き継ぎ，その申告期限まで引き続きその特定事業用資産の全てを有し，かつ，自己の事業の用に供していること。

④ 相続税の申告期限において，所得税の青色申告の承認を受けていること又はその承認を受ける見込みであること。

⑤ 被相続人から相続又は遺贈により財産を取得した者が，特定事業用宅地等について，小規模宅地等の特例（措法69の4①）の適用を受けていないこと。

このうち①の要件について，後継者が被相続人の「事業に従事している」場合はもちろん，同種又は類似の事業であれば，被相続人以外の事業者の事業に従事していても認められる（措規23の8の9①，23の8の8⑤）。

なお，上記の⑤は，この納税猶予制度と特定事業用宅地等に係る小規模宅地等の特例とは，選択適用になるということである。

4 納税猶予の対象になる事業用資産の範囲

この制度により納税猶予の対象になる「特定事業用資産」とは，被相続人の事業の用に供されていた次の資産で，事業所得に係る青色申告書の貸借対照表に計上されているものをいう（措法70の7の10②一）。

① 宅地等で，その面積のうち400㎡以下の部分
② 建物で，その床面積のうち800㎡以下の部分
③ 減価償却資産で，固定資産税，自動車税・軽自動車税において営業用の標準税率が適用される自動車その他これらに準ずるもの及び乗用自動車で，取得価額500万円以下の部分に対応する部分

これらの資産は，被相続人が所有していた場合はもちろんのこと，被相続人と生計を一にしていた親族（たとえば，被相続人の配偶者）が所有していた事業用資産であっても青色申告書の貸借対照表に計上されていれば，納税猶予の対象になる（相続の日から1年以内に，被相続人の生計一親族の所有する特定事業用資産を相続・贈与で取得した場合も納税猶予の適用対象になる）。

注意したいのは，上記の①に関して，被相続人から相続又は遺贈により取得した宅等について，小規模宅地等の特例の適用を受ける者がいる場合には，次の面積を特定事業用資産である宅地等の面積（上限400㎡）から控除した部分が納税猶予の対象になることである（措法70の6の10②一イかっこ書，措令40の7の10⑦）。

　イ 特定同族会社事業用宅地等について小規模宅地等の特例の適用を受ける者がいる場合 …… 選択をした特定同族会社事業用宅地等の面積
　ロ 貸付事業用宅地等について小規模宅地等の特例の適用を受ける者がいる場合 …… 選択をした貸付事業用宅地等の面積×2
　ハ 特定居住用宅地等について小規模宅地等の特例の適用を受ける者がいる場合 …… ゼロ

これは，特定事業用資産に係る納税猶予制度と特定居住用宅地等に係る小規模宅地等の特例との併用適用に制限はないが，特定同族会社事業用宅地等又は

貸付事業用宅地等との併用の場合には，納税猶予の対象となる宅地等の面積が制限されるということである。

なお，特定事業用宅地等に係る小規模宅地等の特例と納税猶予制度との併用は認められず，いずれかの選択適用となることは前述したとおりである。

このほか，相続税の申告期限までに，事業用資産が相続人間で遺産分割が行われていない場合のその分割されていない資産は，納税猶予の対象にはならないこととされている（措法70の6の10⑦）。

5　相続税の納税猶予税額の計算方法

相続税の納税猶予税額は，特例事業相続人等について，特例事業用資産のみを取得したものとして計算する。ただし，被相続人に事業用の借入金などの債務がある場合には，特例事業用資産の価額からその債務の額を控除した価額が猶予税額の計算の基礎となる（措法70の6の10②三，措令40の7の10⑨～⑪）。

相続税の納税猶予税額の計算例を示すと，次のようになる。

設　例

① 相続財産　特例事業用資産　　2億円
　　　　　　その他の財産　　　1億円
② 債　　務　事業用の債務　　　3,000万円
　　　　　　その他の債務　　　1,000万円
③ 相 続 人　子A（特例事業相続人等）と子Bの2人
④ 遺産分割による取得財産と承継する債務
　　子A　特例事業用資産　2億円とその他の財産　3,000万円，
　　　　事業用の債務　3,000万円
　　子B　その他の財産　7,000万円，その他の債務　1,000万円

【通常の計算による相続税額】

① 各相続人の課税価格

　　子A　　2億円＋3,000万円－3,000万円＝2億円

　　子B　　7,000万円－1,000万円＝6,000万円

② 課税価格の合計額　　2億円＋6,000万円＝2億6,000万円

③ 遺産に係る基礎控除額　　3,000万円＋600万円×2＝4,200万円

④ 相続税の総額（計算過程省略）　　5,320万円

⑤ 各相続人の相続税額（あん分割合　子A 0.77，子B 0.23）

　　子A　　5,320万円×0.77＝40,964,0000円

　　子B　　5,320万円×0.23＝12,236,0000円

【納税猶予税額の計算】

① 子Aが特例事業用資産のみを取得した場合の課税価格

　　子A　　2億円－3,000万円＝1億7,000万円

　　子B　　7,000万円－1,000万円＝6,000万円

② 課税価格の合計額　　1億7,000万円＋6,000万円＝2億3,000万円

③ 遺産に係る基礎控除額　　3,000万円＋600万円×2＝4,200万円

④ 相続税の総額（計算過程省略）　　4,240万円

⑤ 子Aの納税猶予税額

$$4,240万円 \times \frac{1億7,000万円}{2億3,000万円} = 31,339,100円（100円未満切捨て）$$

（注）　子Aの納付税額は，40,964,000円－31,339,100円＝9,624,900円（子Bの納付税額は12,236,000円）になる。

6　納税猶予期限の確定と猶予税額の納付

　この制度の適用を受けた後，一定の事由が生じた場合には，猶予税額を納付しなければならない。猶予税額の全部確定（全額納付）となる主な事由をまとめると，次のとおりである（措法70の6の10③）。

① 特例事業相続人等がその事業を廃止した場合

② 特例事業相続人等について破産手続が開始した場合
③ その事業が資産保有型事業又は資産運用型事業に該当することとなった場合
④ 特例事業相続人等のその事業に係る総収入金額がゼロとなった場合
⑤ 特例事業用資産の全てが青色申告書の貸借対照表に計上されなくなった場合
⑥ 特例事業相続人等が青色申告の承認を取り消された場合又は青色申告を取りやめる旨の届出書を提出した場合

また、特例事業用資産が事業の用に供されなくなった場合には、その供されなくなった資産の価額に対応する猶予税額を納付することになる。ただし、資産の陳腐化、腐食、損耗などによる廃棄の場合には、猶予税額の納付は要しない（措法70の6の10④、措令40の7の10⑮）。

なお、特例事業用資産を譲渡した場合において、その譲渡があった日から1年以内に、その譲渡対価をもって事業用資産を取得する見込みであることについて、税務署長の承認を受けたときは、納税猶予が継続する。もっとも、その譲渡があった日から1年以内に譲渡対価の全部又は一部が事業用資産の取得に充てられていない場合には、猶予税額の全部又は一部を納付することになる（措法70の6の10⑤、措令40の7の10⑯～⑳）。

(注) 猶予税額の全部又は一部を納付する場合には、法定納期限の翌日からの期間について、年3.6％の割合で計算した利子税を納付しなければならない（措法70の6の8㉕、70の6の10㉖）。ただし、利子税特例基準割合が年7.3％未満の場合には、利子税について「特例割合」が適用され（措法93②、⑤）、特例基準割合が年0.9％（令和5年分に適用される国内銀行の貸出約定平均金利である年0.4％に年0.5％を加算した割合）の場合には、年0.4％となる。

7 現物出資による会社設立の場合の取扱い

ところで，個人事業者の場合には，会社組織に変更する「法人成り」ということがあるが，この場合には，原則として猶予税額の全額納付になる。ただし，「現物出資」（金銭に代えて現物資産を出資すること。）の場合には，特例的な取扱いがある。すなわち，相続税の申告期限の翌日から5年経過後に，特定事業用資産の全てを現物出資して会社を設立した場合において，税務署長の承認を受けたときは，その会社の株式を継続して保有することなどの要件を満たせば，納税猶予が継続することとされている（措法70の6の9⑥，措令40の7の10㉒）。

8 猶予税額の免除

この制度の適用を受けた後，一定の事由が生じた場合には，猶予税額の納付が免除される。その事由は，次のとおりである（措法70の6の10⑮，措令40の7の10㉗，措規23の8の9⑱，23の8の8㉓）。

① 特例事業相続人等が死亡した場合
② 相続税の申告期限から5年を経過した後に，次の（3代目の）後継者に特例事業用資産の全てを贈与し，その後継者が事業用資産に係る贈与税の納税猶予制度の適用を受ける場合
③ 特例事業相続人等が一定の身体障害になったこと等により，事業を継続することが困難になった場合

なお，上記①の場合は，通常の相続開始となるが，その相続税について，一定の要件を満たせば，相続人である後継者に納税猶予制度が適用できる。

9 納税猶予の適用を受ける手続

事業用資産について相続税の納税猶予制度の適用を受けるためには，相続税の申告期限までに一定の書類を添付した申告書を税務署に提出しなければならない。また，その適用後は，申告期限から3年毎に「継続届出書」を税務署に提出することとされている（措法70の6の10⑨⑩，措規23の8の9⑭）。

第3節　特定事業用資産に係る贈与税の納税猶予制度

1　制度の概要

　個人事業者が事業用資産を生前に贈与した場合の贈与税についても納税猶予制度が措置されており（措法70の6の8），その基本的なしくみは，相続税の場合と同じで，次のとおりである（措法70の6の8）。
　①　特例事業受贈者（後継者）が，平成31年（2019年）1月1日から令和10年（2028年）12月31日までの10年間に，贈与により特定事業用資産を取得し，事業を継続していく場合には，担保の提供を条件に，特例受贈事業用資産（特定事業用資産で贈与税の申告書に納税猶予の適用を受ける旨の記載があるもの）の価額に対応する贈与税の納税を猶予する。
　②　納税猶予の適用を受けた後，特例事業受贈者又は贈与者が死亡するなど，一定の事由が生じた場合には，その猶予税額の全額が免除される。
　③　特例事業受贈者が事業を廃止した場合や特例受贈事業用資産が事業の用に供されなくなった場合など，一定の事由が生じたときは，猶予税額の全部又は一部を納付する。

2　贈与者と受贈者の要件

　贈与税の納税猶予制度における贈与者と受贈者（特例事業受贈者）の要件は，相続税の場合とほぼ同様であるが，受贈者については，18歳以上（令和4年（2022年）3月31日までの贈与については，20歳以上）という年齢要件がある（措法70の6の8②二イ）。
　また，受贈者について，特定事業用資産に係る事業の従事期間は，贈与の日まで引き続き3年以上とされている（措法70の6の8②二ハ，措規23の8の8⑤）。

3 贈与税の納税猶予税額の計算方法

　贈与税の課税方法は，暦年課税（110万円の基礎控除及び累進税率の適用）と相続時精算課税（2,500万円の特別控除及び20％の一律税率の適用）の二つがあるが，贈与税の納税猶予税額の計算もいずれかによる（措法70の6の8②三）。

　その際，特例事業受贈者が贈与者から事業用の債務を引き受けた場合には，特例受贈事業用資産の価額からその債務の金額を控除して猶予税額を計算することとされている（措法70の6の8②三かっこ書，措令40の7の8⑧）。

4 納税猶予期限の確定と猶予税額の納付

　贈与税の納税猶予の適用を受けた後，猶予税額が納付になる事由は，特例事業受贈者が事業を廃止した場合など，相続税の場合と同じである（措法70の6の8③）。

　また，特定事業用資産の全部又は一部が事業の用に供されなくなった場合には，その資産の価額に対応する猶予税額を納付することになるが，資産の陳腐化，腐食，損耗などによる廃棄の場合には，猶予税額の納付は要しない（措法70の6の8④，措令40の7の8⑱）。この点も相続税の場合と同じである。

　さらに，特例事業用資産を譲渡した場合において，その譲渡の日から1年以内に，事業用資産を取得する見込みである場合には，納税猶予の納付を要しないこと（措法70の6の8⑤），贈与税の申告期限の翌日から5年経過後に，特定事業用資産の全てを現物出資して会社を設立した場合には，一定の要件の下で，納税猶予が継続することも相続税の場合と同じである（措法70の6の8⑥）。

5 納税猶予の適用を受ける手続

　事業用資産について贈与税の納税猶予制度の適用を受けるためには，贈与税の申告期限までに一定の書類を添付した申告書を税務署に提出しなければならない。また，その適用後は，申告期限から3年毎に「継続届出書」を税務署に提出することとされている（措法70の6の8⑧⑨，措令40の7の8㉘，措規23の8

第16章 個人事業者の事業用資産に係る相続税・贈与税の納税猶予制度　279

の8⑯)。

<参　考>　前章で説明した非上場株式等に係る事業承継税制（特例措置）と個人事業者に係る事業承継税制を比較しておくと，次のようなる。

	非上場株式等に係る税制	個人事業者の税制
事前の事業承継計画の策定提出	平成30年（2018年）4月1日から令和6年（2023年）3月31日までの間に都道府県知事に計画書を提出	平成31年（2019年）4月1日から令和6年（2024年）3月31日までの間に都道府県知事に計画書を提出
税制の適用期間	平成30年（2018年）1月1日から令和9年（2027年）12月31日までの間の相続・贈与に適用	平成31年（2019年）1月1日から令和10年（2028年）12月31日までの間の相続・贈与に適用
対象となる資産	非上場株式等	特定事業用資産
納税猶予割合	100%	100%
承継のパターン	複数の株主から最大3人の後継者への相続・贈与	原則として，1人の被承継者から1人の後継者への相続・贈与（一定の場合には，同一生計親族からの相続・贈与も可能）
贈与の要件	一定数以上の非上場株式等の贈与	その事業に係る特定事業用資産の全ての贈与
雇用確保要件	あり（特例措置には弾力的な取扱い）	なし
経営環境変化に応じた減免措置	あり	あり（後継者が重度の障害等の場合は免除）

第4節　贈与者が死亡した場合の相続税課税の特例

1　事業用資産の贈与者の死亡とみなし相続

　非上場株式等に係る贈与税の納税猶予制度の適用を受けた後、贈与者に相続が開始した場合の「みなし相続」については、前述したとおりであるが（259ページ），個人事業者の場合も同様のしくみとなっている（措法70の6の9①）。
　①　贈与者が死亡した場合には，特例事業受贈者が特例受贈事業用資産をその贈与者から相続又は遺贈により取得したものとみなす。
　②　この場合に，相続税の課税価格に算入する特例受贈事業用資産の価額は，贈与時の価額とする。
　要するに，特定事業用資産の贈与者が死亡した場合には，特例事業受贈者が適用を受けていた猶予税額は，前述したとおり免除になるのであるが，同時に，納税猶予の適用対象となっていた事業用資産は，相続税の課税対象になるということである。

2　相続税の納税猶予の適用

　上記による相続税の課税について，第2節で説明した要件等を満たせば，その相続税について，事業用資産に係る相続税の納税猶予制度の適用を受けることができる（措法70の6の10，措令40の7の9，40の7の10㉟）。
　非上場株式等に対する相続税・贈与税と同様に，一定の要件を満たす事業承継であれば，相続と贈与のいずれであっても，事業用資産について連続的に納税猶予制度が適用されるということである。

第17章　相続税・贈与税の財産評価

---- ポイント ----

(1) 相続税・贈与税における財産の価額は，取得した時における「時価」によることを原則とする。財産の時価の算定については，財産の種類に応じて法定評価と通達による評価の取扱いが定められている。

(2) 土地（宅地）の評価に際しては，次の点がポイントになる。
  ① 土地の評価方法は地目ごとに異なり，地目は課税時期の現況による。
  ② 宅地は，利用の単位となっている1区画の宅地ごとに評価する。
  ③ 宅地の評価方法には，路線価方式と倍率方式の二つがあり，前者は路線価を基に評価し，後者は宅地の固定資産評価額を基に評価する。
  ④ 路線価方式の場合は，宅地の形状等に応じて各種の画地調整計算が適用される。
  ⑤ 貸宅地，貸家建付地は，借地人や借家人に帰属する権利をしん酌して評価する。

(3) 家屋の価額は，自用の家屋と貸家の別に，前者は固定資産税評価額により，後者は借家権の価額を控除して算定する。

(4) 株式の評価に際しては，次の点がポイントになる。
  ① 株式は，「上場株式」，「気配相場等のある株式」，「取引相場のない株式」の三つに区分し，それぞれ別個に評価方法が定められている。
  ② 上場株式の価額は，課税時期の最終価格及び課税時期の属する月を含む前3か月間の最終価格の月平均額のうち，最も低い価格による。
  ③ 取引相場のない株式は，株式取得者が同族株主に該当するか否かにより原則的評価方法と特例的評価方法に分かれる。
  ④ 原則的評価方法は，評価会社の規模により株価の計算方法が異なる。
  ⑤ 株価の具体的計算方法は，類似業種比準方式と純資産価額方式を原則的評価方法とし，特例的評価方法として配当還元方式がある。

(5) 預貯金の評価では，定期預金等の場合，課税時期の預入額に既経過利子の額が加算される。

第1節　財産評価の意義と評価の原則

1　財産評価の意義

　相続税も贈与税も財産に対して課される税であり，相続，遺贈，贈与により取得した財産の価額をいくらとみるかが重要な問題になる。

　ところが，相続や遺贈は，被相続人や遺贈者から無償で財産を取得することであり，売買などによる移転と異なり，実現した価額がない。この点は，贈与の場合も同様である。

　そうなると，相続税や贈与税の課税価格を計算するには，その前提として，財産の価額を見積るという作業が必要になる。これを財産評価というが，実際の取引価額をベースに課税関係を考える所得税や法人税に比べ，相続税や贈与税では，評価の問題がより重要になる。

2　評価の原則と「時価」の意義

　相続税や贈与税の課税上の財産の価額は，その財産を取得した時の時価によるのが原則である（法22）。

　しかし，「時価」というのは，言葉としては概念的に理解できるとしても，どのようにそれを求めるかは，実際問題とするとかなり難しい。

　時価とは，ある一定の時における価額という意味であるが，これにはいろいろな考え方があり，また，財産の種類や取引の状況によってもとらえ方が異なる。たとえば，ある土地の時価を求めるという場合，その土地について売却できる価額を時価と考えることができるが，売り手側が予想する価額と買手側が考える価額とには違いがあるし，また，いわゆる売り急ぎがあった場合とそうでない場合とでもその価額は異なるはずである。

　この場合，異なる価額は，いずれも「時価」といえることになるが，相続税や贈与税の課税上の価額は，いずれでもよいというわけにはいかない。課税の

公平と客観性という観点からは、「時価」は一つでなければならないのである。

このように、時価とは、きわめてむずかしい概念であり、いわばとらえどころないものであるが、その意義に関しては、課税時期（相続税の場合は相続開始の日、贈与税の場合は贈与が行われた日）において「それぞれの財産の現況に応じ、不特定多数の当事者間で自由な取引が行われる場合に通常成立すると認められる価額」をいうという解釈が一般的である（評基通1(2)）。

3　評価の基準

時価の意義については、一応、上記のような考え方があるが、もちろんこれだけですべての財産の評価を行うことはできない。

そうなると、財産の種類に応じた具体的な評価基準が必要になる。その基準について、現行は、次の二つに分かれている。

① 法定評価……相続税法で評価方法を定めるもの
② 通達評価……法律ではなく、国税庁の取扱基準（財産評価基本通達）で評価方法を定めるもの

このうち、法定評価が適用されるのは、地上権や定期金に関する権利など、ごくわずかな財産に限られている（法23〜26）。

このため、土地、家屋、株式といった一般的なものは、そのほとんどが財産評価基本通達という国税庁が作成した取扱基準によって評価しているのが現状である。

なお、上記の評価基準は、相続税と贈与税に共通するものであり、相続税はもちろん、贈与税の課税価格計算上の財産価額もこれらの基準で評価することになる。

以下、具体的な財産評価の方法について、土地（宅地）、家屋、株式など主要なものをとり上げて説明することとする。

第2節　土地の評価

1　土地の評価上の区分

　土地といっても，建物の敷地となっている宅地，農地である田や畑など，さまざまなものがある。財産評価において，土地の価額は，次の9種類の地目に区分し，それぞれの別に評価することとされている（評基通7）。

　なお，この場合の地目は，不動産の登記上の区分であるが，財産評価にあたっては，課税時期の現況によって地目を判定する。したがって，登記上は「畑」でも，その土地に建物が建っていれば「宅地」として評価することになる。

地　目	内　　　　容
①宅　地	建物の敷地及びその維持や効用を果たすために必要な土地 (注)　駐車場，テニスコート，プールについては，宅地に接続するものは宅地に該当する。
②　田	農耕地で用水を利用して耕作する土地
③　畑	農耕地で用水を利用しないで耕作する土地
④山　林	耕作によらないで竹木の生育する土地
⑤原　野	耕作によらないで雑草，灌木類の生育する土地
⑥牧　場	獣畜を放牧する土地
⑦池　沼	灌漑用水でない水の貯溜池
⑧鉱泉池	鉱泉（温泉を含む）の湧出口及びその維持に必要な土地
⑨雑種地	以上のいずれにも該当しない土地 (注)　駐車場（宅地に該当するものは除く），ゴルフ場，遊園地，運動場，鉄軌道用地等は雑種地となる。

　なお，以下では土地の評価のうち最も重要である「宅地」の評価について説明することとする。

　(注)　他の者の土地を借り受けて使用する場合は，その借受者に「土地の上に存する権利」があるのが通常である。

土地の上に存する権利の価額は、次の10種類に区分してそれぞれ別個に評価することとされている（評基通9）。

　本書では、実務的な重要性からみて、「借地権」の評価方法を取り上げておくこととする。

区　分	内　　　　　容
①地上権	他人の土地において工作物又は竹木を所有するためにその土地を使用する権利をいう（民265）。 （注1）　次の②の区分地上権に該当するものは除く。 （注2）　建物の所有を目的とする地上権は、下記⑤の借地権に該当するため、借地権として評価する。
②区分地上権	民法第269条の2第1項の規定により設定される地下又は空中の地上権をいう。 （注）　たとえば、道路、トンネル、橋梁等の所有を目的とし、土地の一定層（空中又は地中）のみを客体として設定されるものが該当する。
③永小作権	小作料を支払って他人の土地で耕作又は牧畜をなす権利をいう（民270）。
④区分地上権に準ずる地役権	地価税法施行令第2条第1項に規定される特別高圧架空電線の架設、高圧のガスを通ずる導管の敷設、飛行場の設置、建築物の建築その他の目的のために地下又は空間について上下の範囲を定めて設定されたもので、建造物の設置を制限するものをいう。
⑤借地権	建物の所有を目的とする地上権又は賃借権をいう（借地借家法2）。 （注）　次の⑥の定期借地権等に該当するものは除く。
⑥定期借地権等	借地借家法第22条（定期借地権）、第23条（建物譲渡特約付借地権）、第24条（事業用借地権）及び第25条（一時使用目的の借地権）をいう。
⑦耕作権	農地法第2条第1項に規定する農地又は採草放牧地の上に存する賃借権（賃借耕作権）をいう。
⑧温泉権	鉱泉地において温泉を排他的に利用することができる権利をいう。また、引湯権とは、温泉権者から温泉を引湯することができる権利をいう。
⑨賃借権	賃貸借契約に基づき、賃借人がその目的とする土地を使用収益することができる権利をいう。 （注）　借地権、定期借地権等、耕作権及び温泉権に該当するものを除く。
⑩占用権	地価税法施行令第2条第2項に規定する権利をいう。 （注）　たとえば、河川敷内においてゴルフ場や自動車練習場等の設置を目的とする河川占用許可に基づく権利、地下街、駐車場等の設置を目的とする道路占用許可に基づく経済的利益を生ずる権利等が該当する。

2　宅地の評価方法

土地の評価で最も重要なのは，宅地の評価であるが，その方法は，次の二つに区分される（評基通11）。

このうち，路線価方式は，宅地の面する路線（道路）に設定された標準的な価額，つまり路線価格を基に評価する方法で，路線価格は国税局長が定め，「財産評価基準書」（いわゆる路線価図）によって一般に公表される。

一方の倍率方式は，評価する宅地の固定資産税評価額に一定の倍率を乗じて評価額を求める方法をいう。この場合の固定資産税評価額は，各市町村で決定され，また，倍率は国税局長が定めて財産評価基準書（いわゆる倍率表）で公表される。

なお，宅地の評価は，上記二つのうちいずれかの方法が適用される。ひとつの宅地について両方が適用されることはない（路線価の設定地域と倍率方式適用地域は区分されている。）。

3　宅地の評価単位

宅地を評価するときの区画を「評価単位」といい，宅地の価額は，利用の単位となっている1区画の宅地ごとに評価する（評基通7－2）。1区画の宅地は必ずしも1筆であるとは限らないし，また，1筆の宅地でも2区画以上の宅地として利用されている場合もある。

要は，実際の利用状況に区画して価額を計算するのである。例を示すと，次図のA図の場合，①部分も回部分も自用地（土地の所有者が使用している宅地）であるため，全体を1画地として評価する。ただし，B図の場合，①部分は自用地でないため，回部分の自用地と区分し，それぞれを1画地として別に評価

することになる(評価の単位は,後述する画地調整計算を行ううえで重要である。)。

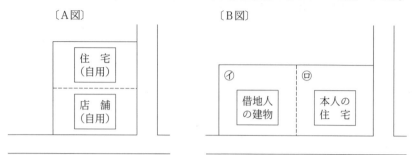

4 路線価方式による評価

(1) 評価方法

路線価方式とは,前述のとおり,その宅地に接する路線に付された「路線価格」に,その宅地の地積を乗じて計算した価額で評価する方式をいう(評基通13)。

これを算式で示せば,次のとおりである。

宅地の評価額 = (路線価) × (地積)

したがって,下図の場合は,

50万円×200㎡ = 1億円

が相続税評価額になる。

(2) 画地調整の意義と種類

ところで路線価とは,道路に接した標準的な宅地の1㎡当たりの価額をいうが,この場合の標準的な宅地とは,適当な間口があり,奥行もそれほど深くない正方形又はそれに近い形状の宅地をいい,路線価もそのような宅地を想定し

て設定されている。

このため，評価する宅地の奥行距離，間口距離，道路との接触度合，形状等によって，設定された路線価に一定の方法による加算又は減算を行って修正する必要が生じてくる。

これを「画地調整」といい，主なものを説明すれば，次のとおりである。

① 奥行価格補正

宅地は，道路に接した部分は利用価値が高いが，道路から離れれば離れるほど利用価値が下がることになる。そこで，一方のみが路線に接する宅地の価額は，路線価にその宅地の奥行距離に応じて定められた「奥行価格補正率」（評基通付表1・291ページ）を乗じて求めた価額に，その宅地の地積を乗じて計算した金額によって評価される（評基通15）。

これを算式で示すと，次のとおりになる。

　　評価額 ＝（路線価）×（奥行価格補正率）×（地積）

② 側方路線影響加算

正面と側方に路線がある宅地（いわゆる「角地」）は，一方のみに路線がある宅地より利用価値が高いのが普通である。そこで，角地の場合は，正面路線の路線価に基づいて計算した金額に，側方路線の路線価を正面路線とみなして，その路線価に基づき計算した金額に「側方路線影響加算率」（評基通付表2・288ページ）を乗じて計算した金額を加えたものを1㎡当たりの価額として評価される（評基通16）。

これを算式で示すと，次のようになる。

　　評価額 ＝ {（正面路線価）×（奥行価格補正率）＋（側方路線価）×
　　　　　　（奥行価格補正率）×（側方路線影響加算率）} ×（地積）

なお，この場合の「正面路線」とは，原則として路線価に「奥行価格補正率」を乗じて計算した価額が高い方の路線をいい，「側方路線」とは，正面路線以外の路線をいう。

③ 二方路線影響加算

正面と裏面に路線がある宅地は一方のみが路線に接する宅地よりも利用価値

が高い。そこで，正面路線価を基にして計算した価額に，裏面路線（路線価の低い方の路線をいう。）を正面路線の路線価とみなし，その路線価に基づき計算した価額に「二方路線影響加算率」（評基通付表3・295ページ）を乗じて計算した金額を加えた価額を1㎡当たりの価額として評価される（評基通17）。

　　評価額 ＝ ｛(正面路線価)×(奥行価格補正率)＋(裏面路線価)×

　　　　　　　　(奥行価格補正率)×(二方路線影響加算率)｝×(地積)

(注) 上記のほか，評価する宅地が不整形地や無道路地であったり，間口距離が一定以下の場合の「間口狭小補正」，間口距離に対する奥行距離が一定以上の場合の「奥行長大補正」，宅地の全部又は一部ががけ地（斜面）となっている場合の「がけ地補正」がある（評基通20～20－5）。

(3) 路線価方式の評価計算例

　上記の画地調整を適用した宅地の評価例を示すと，以下のようになる。

　なお，画地の調整率は，「地区区分」により異なるが，地区区分は各国税局長が定めることになっており（評基通14－2），実務上は，いわゆる路線価図に示される。

〔計算例1―奥行価格補正が適用される例〕

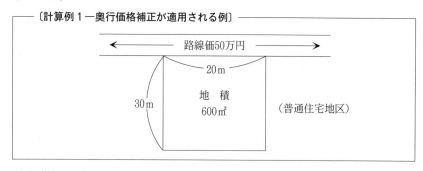

〔計　算〕

① 1㎡当たりの価額

　　（路線価）　　（奥行30mに応ずる奥行価格補正率）
　　500,000円 ×　　　0.95　　　＝ 475,000円

（注）奥行価格補正率は，次のとおり定められている。

奥行価格補正率表

奥行距離（メートル）	ビル街地区	高度商業地区	繁華街地区	普通商業・併用住宅地区	普通住宅地区	中小工場地区	大工場地区
4未満	0.80	0.90	0.90	0.90	0.90	0.85	0.85
4以上6未満		0.92	0.92	0.92	0.92	0.90	0.90
6 〃 8 〃	0.84	0.94	0.95	0.95	0.95	0.93	0.93
8 〃 10 〃	0.88	0.96	0.97	0.97	0.97	0.95	0.95
10 〃 12 〃	0.90	0.98	0.99	0.99	1.00	0.96	0.96
12 〃 14 〃	0.91	0.99	1.00	1.00		0.97	0.97
14 〃 16 〃	0.92	1.00				0.98	0.98
16 〃 20 〃	0.93					0.99	0.99
20 〃 24 〃	0.94					1.00	1.00
24 〃 28 〃	0.95				0.97		
28 〃 32 〃	0.96		0.98		0.95		
32 〃 36 〃	0.97		0.96	0.97	0.93		
36 〃 40 〃	0.98		0.94	0.95	0.92		
40 〃 44 〃	0.99		0.92	0.93	0.91		
44 〃 48 〃	1.00		0.90	0.91	0.90		
48 〃 52 〃		0.99	0.88	0.89	0.89		
52 〃 56 〃		0.98	0.87	0.88	0.88		
56 〃 60 〃		0.97	0.86	0.87	0.87		
60 〃 64 〃		0.96	0.85	0.86	0.86	0.99	
64 〃 68 〃		0.95	0.84	0.85	0.85	0.98	
68 〃 72 〃		0.94	0.83	0.84	0.84	0.97	
72 〃 76 〃		0.93	0.82	0.83	0.83	0.96	
76 〃 80 〃		0.92	0.81	0.82			
80 〃 84 〃		0.90	0.80	0.81	0.82	0.93	
84 〃 88 〃		0.88		0.80			
88 〃 92 〃		0.86			0.81	0.90	
92 〃 96 〃	0.99	0.84					
96 〃 100 〃	0.97	0.82					
100 〃	0.95	0.80			0.80		

② 評価額

$$\underset{\text{(1 ㎡当たりの価額)}}{475,000円} \times \underset{\text{(地積)}}{600㎡} = 285,000,000円$$

―〔計算例2－側方路線影響加算が適用される例（角地の場合）〕―

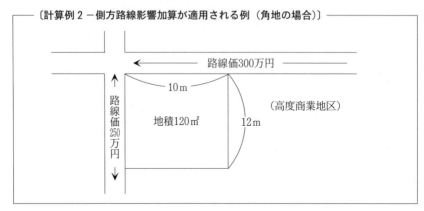

〔計 算〕

① 基本価額

$$\underset{\text{(正面路線価)}}{3,000,000円} \times \underset{\substack{\text{(奥行12mに応ずる}\\\text{奥行価格補正率)}}}{0.99} = 2,970,000円$$

（注） 2,970,000円 ＞ 2,500,000円 × 0.98 ＝ 2,450,000円のため，3,000,000円の路線が正面路線になる。

② 側方路線影響加算額

$$\underset{\text{(側方路線価)}}{2,500,000円} \times \underset{\substack{\text{(奥行10mに応ずる}\\\text{奥行価格補正率)}}}{0.98} \times \underset{\substack{\text{(側方路線影}\\\text{響加算率)}}}{0.10} = 245,000円$$

③ 1㎡当たりの価額

$$\underset{\text{①}}{2,970,000円} + \underset{\text{②}}{245,000円} = 3,215,000円$$

④ 評価額

$$\underset{\text{(1㎡当たりの価額)}}{3,215,000円} \times \underset{\text{(地積)}}{120㎡} = 385,800,000円$$

（注） 側方路線影響加算の適用上，二つの路線価格が同額の場合は，原則として，路線に接する間口距離の長いほうの路線を正面路線として画地調整を行う。

第17章　相続税・贈与税の財産評価　293

──〔計算例3－側方路線影響加算が適用される例（準角地）〕──

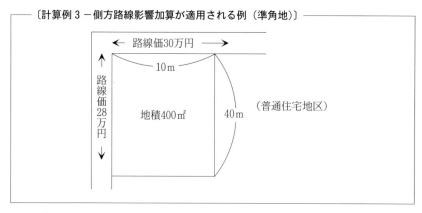

〔計　算〕

① 基本価額

(正面路線価)　(奥行10mに応ずる奥行価格補正率)
280,000円　×　1.00　＝　280,000円

（注）　280,000円 ＞ 300,000円 × 0.91 ＝ 273,000円となるため，280,000円の路線が正面路線になる。

② 側方路線影響加算額

(側方路線価)　(奥行40mに応ずる奥行価格補正率)　(側方路線影響加算率)
300,000円　×　0.91　×　0.02　＝　5,460円

③ 1 ㎡当たりの価額

　　　　(①)　　　(②)
280,000円 ＋ 5,460円 ＝ 285,460円

④ 評価額

(1 ㎡当たりの価額)　(地積)
285,460円　×　400㎡　＝　114,184,000円

（注）　側方路線影響加算率は，次のとおり定められている。

側方路線影響加算率表

地区区分	加算率	
	角地の場合	準角地の場合
ビル街地区	0.07	0.03
高度商業地区 繁華街地区	0.10	0.05
普通商業・併用住宅地区	0.08	0.04
普通住宅地区 中小工場地区	0.03	0.02
大工場地区	0.02	0.01

(注) 準角地とは，次図のように一系統の路線の屈折部の内側に位置するものをいう。

―〔計算例4－二方路線影響加算が適用される例〕―

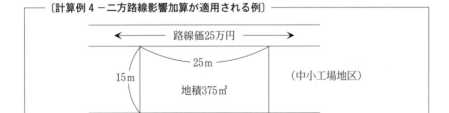

〔計 算〕

① 基本価額

$$\underset{(正面路線価)}{250,000円} \times \underset{\binom{奥行15mに応ずる}{奥行価格補正率}}{0.98} = 245,000円$$

② 二方路線影響加算額

$$\underset{(裏面路線価)}{200,000円} \times \underset{\binom{奥行15mに応ずる}{奥行価格補正率}}{0.98} \times \underset{\binom{二方路線影}{響加算率}}{0.02} = 3,920円$$

③ 1 ㎡当たりの価額

$$\underset{(①)}{245{,}000円} + \underset{(②)}{3{,}920円} = 248{,}920円$$

④ 評価額

$$\underset{(1㎡当たりの価額)}{248{,}920円} \times \underset{(地積)}{375㎡} = 93{,}345{,}000円$$

(注) 二方路線影響加算率は，次のとおり定められている。

二方路線影響加算率表

地 区 区 分	加 算 率
ビ ル 街 地 区	0.03
高 度 商 業 地 区 繁 華 街 地 区	0.07
普通商業・併用住宅地区	0.05
普 通 住 宅 地 区 中 小 工 場 地 区 大 工 場 地 区	0.02

5　倍率方式による評価

　路線価方式が適用される宅地以外の宅地の価額は，倍率方式によって評価する。

　この方式は，前述のとおり，評価する宅地の固定資産税評価額に一定の倍率を乗じて相続税評価額を求めるものであり，路線価方式にくらべれば計算方法が簡明である。

　算式で示せば，次のとおりである（評基通21－2）。

　　宅地の評価額 ＝ その宅地の固定資産税評価額 × 倍率

　この場合の倍率は，地価事情の類似する地域ごとに，その地域における宅地の売買実例価額，公示価格，精通者意見価格等を基として国税局長が定め，「財産評価基準書」（倍率表）により一般にも公表されている。

　なお，固定資産税評価額は，原則として登記上の地積に基づいて評定されて

いるが，相続税評価額は，原則として実際の地積により算定する（評基通8）。このため，実際の地積と登記上の地積が異なるときは，次の算式により相続税評価額を求めることになる。

$$\text{その宅地の固定資産税評価額} \times \frac{\text{実際の地積}}{\text{固定資産税評価額の基となる地積}} \times \text{倍率}$$

(注) 倍率方式では，路線価方式のような宅地の形状等に応じた画地調整は行わない。これは，固定資産税評価額が決定される際に形状等が勘案されていることによる。

〔計算例〕

・宅地の固定資産税評価額	6,800,000円
・土地課税台帳上の地積	400㎡
・実際の地積	450㎡
・財産評価基準書に定められている評価倍率	1.2倍

〔計　算〕

$$\text{相続税評価額} = 6,800,000円 \times \frac{450㎡}{400㎡} \times 1.2 = 9,180,000円$$

6　貸し付けられている宅地の評価

(1)　貸宅地の評価

上記4の路線価方式，5の倍率方式により求められる宅地の価額は，自用地としての価額であり，土地所有者自身が使用している宅地の価額という意味である。これに対し，貸宅地など土地所有者以外の者が使用している宅地は，借地人等がいることを勘案して評価する必要がある。

貸宅地とは，文字どおり貸し付けられている宅地のことであるが，正確にいうと借地権の目的となっている宅地をいう。

都市部では，土地を他人に貸し付けるに際し，地主は借地人から権利金とよばれる一時金を受け取るのが通常である。その代わり，借地人には，借地権という財産的価値が発生する。借地人は，借地借家法などによってその地位に法的な保護が与えられており，地主はその土地を自由に使用できないし，処分す

ることも困難である。

　そこで，貸宅地の価額は，自用地としての価額から，借地権の価額を控除した価額で評価することとされている（評基通25(1)）。

　この場合の借地権の価額は，

　　　（自用地としての価額）×（借地権割合）

により求められる（評基通27）。したがって，貸宅地の価額は，次の算式によって評価することになる。

　　貸宅地の価額 ＝ 自用地としての価額 －（自用地としての価額 × 借地権割合）

　　　　　　　　 ＝ 自用地としての価額 ×（1 － 借地権割合）

　なお，借地権割合は，借地権の売買実例価額，精通者意見価格，地代の額などを基として地域ごとに国税局長が定め，財産評価基準書に示されている。

(注)　上記の貸宅地の評価方法は，通常の借地権（普通借地権）が設定されている場合の取扱いである。現行の借地借家法では，借地期間が満了した場合，契約の更新をしない「定期借地権」の制度が設けられている。定期借地権が設定されている場合の貸宅地の評価は，上記と異なった取扱いになり，具体的には〈財産評価基本通達25(2)及び平10.8.25課評2－8通達〉に定められている。

　　また，いわゆる相当の地代を収受している貸宅地など，特殊な賃貸借契約に基づくものの評価方法も上記とは異なった扱いになる（昭60．6．5直資2－58通達）。

設　例

　貸宅地となっている評価対象地の路線価は次のとおりであり，この地域に適用される借地権割合は60％である。

　貸宅地としての評価額はいくらになるか。

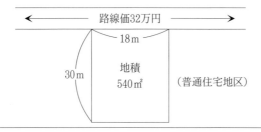

〔計　算〕

① 自用地としての価額

（路線価）　（奥行価格補正率）　（地積）
320,000円 ×　　0.95　　× 540㎡ ＝ 164,160,000円

② 貸宅地の評価額

（自用地としての価額）　　（借地権割合）
164,160,000円 ×（1 － 0.6）＝ 65,664,000円

(2) 使用貸借による貸宅地の評価

　貸し付けられている土地であっても，使用貸借による土地の評価は，上記(1)とは異なった取扱いになる。

　ここにいう「使用貸借」とは，「賃貸借」に対応する言葉で，賃貸借が地代などの授受がある有償契約であるのに対し，無償で（つまりタダで）モノを貸し借りすることを使用貸借という。

　通常の第三者間の土地の貸し借りでは，権利金や地代を授受する賃貸借によるのが一般的であるが，親子，兄弟などのいわゆる特殊関係者間の土地の貸借では，これらの授受が行われないことが多い。親の土地を無償で子が借り受けて住宅を建てるというのが典型的な例である。

　この場合，形式的には親が地主，子が借地人となるのであるが，子の土地に対する権利は，使用貸借に基づく権利（使用借権）となり，通常の賃貸借契約に基づく借地権とは法的性格が異なる。使用貸借には，借地借家法などの適用がなく，法的保護がほとんど与えられていないことから，使用借権は借地権に比べてきわめて弱い権利とみられている。

　そこで，相続税や贈与税の取扱い上も，使用借権の価額はゼロとして扱われ，地主である親に相続が開始した場合のその貸付地は，自用地として評価することとされている（昭48. 11. 1直資2－189ほか通達の3）。

7　貸家の敷地となっている宅地の評価

　貸家の敷地となっている宅地を「貸家建付地」という。一戸建ての貸家の敷

地はもちろん，賃貸アパートや賃貸マンションの敷地も貸家建付地である。

貸家建付地は，建物に借家人がいるだけであり，土地に対して借地権のような強い権利が設定されているわけではない。したがって，貸宅地よりは処分しやすいといえるが，建物に借家人がいるため，自用地と同様に評価するのは不適当である。

そこで，貸家建付地の価額は，借地権割合と借家権割合（借家権割合も各国税局ごとに定められている。）によって，次のように評価することとされている（評基通26）。

$$\begin{aligned}\text{貸家建付地の価額} &= \text{自用地としての価額} - (\text{自用地としての価額} \times \text{借地権割合} \times \text{借家権割合} \times \text{賃貸割合}) \\ &= \text{自用地としての価額} \times (1 - \text{借地権割合} \times \text{借家権割合} \times \text{賃貸割合})\end{aligned}$$

なお，この算式における「賃貸割合」は，貸アパート等で各独立部分がある場合に，次の算式により計算した割合である。

$$\text{賃貸割合} = \frac{\text{Aのうち課税時期において賃貸されている各独立部分の床面積の合計}}{\text{その家屋の各独立部分の床面積の合計（A）}}$$

(注) 継続的に賃貸されていたアパート等で，課税時期に一時的に空室であったと認められる部分がある場合は，その部分を含めて課税時期において賃貸されていたものとして取り扱われる。

設　例

賃貸アパートの敷地となっている次の宅地の評価額はいくらになるか。
- 自用地としての価額……1億円
- この地域に適用される借地権割合……70%
- この地域に適用される借家権割合……30%
- 賃貸割合……100%

〔計　算〕

$$\underset{\text{(自用地としての価額)}}{1\text{億円}} \times (1 - \underset{\text{(借地権割合)}}{0.7} \times \underset{\text{(借家権割合)}}{0.3} \times \underset{\text{(賃貸割合)}}{1.0}) = 7{,}900\text{万円}$$

8 借地権の評価

　借地権とは，借地人のもつ土地の使用権のことで，借地借家法では，建物の所有を目的とする地上権及び土地の賃借権をいうと定められている（借地借家法2）。

　借地権は，法的な保護のもとに財産価値が生じ，借地権そのものが取引の対象とされている。

　そこで，借地人に相続が開始した場合は，借地権が課税財産となるのであるが，その価額は，貸宅地の評価で説明したとおり次の算式による（評基通27）。

　　借地権の価額 ＝ 自用地としての価額 × 借地権割合

　この算式は，要するに，借地権割合が60％とすると，自用地としての価額の60％相当額が借地権の価額，40％相当額がいわゆる底地として貸宅地の価額になるということである。

　なお，借地権の設定に際して権利金の授受がないなど，いわゆる借地権慣行がないと認められる地域にある借地権は評価しないこととされている（評基通27ただし書）。

(注)　上記の取扱いは，いわゆる普通借地権の評価方法であり，借地借家法（平成4年8月1日施行）における確定期限付の「定期借地権」の場合は，上記と異なった評価を行う。具体的には，〈財産評価基本通達27－2及び27－3〉に定められている。

9　その他の土地評価の概要

　宅地以外の土地について，農地と山林の評価方法のポイントをまとめておくと，次のとおりである（評基通37～40，47～49）。

区　分		評価方法	計　算　式
農地	純農地	倍率方式	農地の固定資産税評価額　×　倍率
	中間農地	倍率方式	農地の固定資産税評価額　×　倍率
	市街地周辺農地	①宅地比準方式か，②倍率方式のいずれか	①（その農地が宅地であるとした場合の1㎡当たりの価額　−　1㎡当たりの宅地造成費）× 地積 × 0.8 ②農地の固定資産税評価額　×　倍率
	市街地農地	①宅地比準方式か，②倍率方式のいずれか	①（その農地が宅地であるとした場合の1㎡当たりの価額　−　1㎡当たりの宅地造成費）× 地積 ②農地の固定資産税評価額　×　倍率
山林	純山林	倍率方式	山林の固定資産税評価額　×　倍率
	中間山林	倍率方式	山林の固定資産税評価額　×　倍率
	市街地山林	①宅地比準方式か，②倍率方式のいずれか	①（その山林が宅地であるとした場合の1㎡当たりの価額　−　1㎡当たりの宅地造成費）× 地積 ②山林の固定資産税評価額　×　倍率

第3節　家屋の評価

1　家屋の評価方法

家屋は，原則として1棟の家屋ごとに評価し（評基通88），その価額は，その家屋の固定資産税評価額に一定の倍率を乗じて計算した金額により評価する（評基通89）。

もっとも，この場合の評価倍率は，1.0とされている（評基通別表1）。したがって，家屋の相続税評価額は，固定資産税評価額と同額になる。

なお，課税時期において建築中である家屋は，その家屋の費用現価の100分の70相当額で評価することとされている（評基通91）。

2　貸家の評価

上記1の評価方法は，自用の家屋，つまり家屋の所有者がその家屋を使用している場合に適用される。これに対し，貸家の場合は，その家屋に借家人がいる（借家人には借家権という権利がある。）ことから，一定のしん酌が必要になる。

そこで，借家権の目的となっている家屋，すなわち，貸家の価額は，自用家屋としての価額からその家屋に係る借家権の価額を控除した金額で評価することとされている（評基通93）。

これを算式で示せば，次のとおりである。

貸家の価額 ＝ 自用家屋としての価額 － 借家権価額
　　　　　＝ 自用家屋としての価額 －（自用家屋としての価額 × 借家権割合 × 賃貸割合）

（注）「賃貸割合」は，299ページの貸家建付地の場合と同様である。

この場合の借家権割合は，各国税局ごとに定められ，それぞれの財産評価基準書に示されている。

なお，借家権とは，借地借家法の適用のある家屋賃借人の有する賃借権をいう。したがって，家屋の無償使用（使用貸借）はこれに含まれず，その家屋は

自用の家屋として評価することになる。

(注) 借家人の有する借家権の価額は、その家屋の価額に借家権割合を乗じて計算した金額により評価する（評基通94）。

ただし、借家権の価額は、その権利が権利金等の名称をもって取引される慣行のある地域にあるものを除き、相続税・贈与税の課税価格に算入しないこととされており（評基通94ただし書），課税対象となる例はほとんどない。

設例

被相続人の所有していた家屋に下図のものがある。この家屋の固定資産税評価額は1,400万円，この地域に適用される借家権割合は30%であるが，相続税評価額はいくらになるか。なお，貸家の賃貸割合は100%である。

```
3階　居住用（床面積100㎡）
2階　貸　家（床面積100㎡）
1階　貸　家（床面積150㎡）
```

〔計算〕

① 自用家屋部分の評価額

$$14,000,000円 \text{(固定資産税評価額)} \times \frac{100㎡ \text{(自用部分の床面積)}}{350㎡ \text{(全体の床面積)}} = 4,000,000円$$

② 貸家部分の評価額

$$14,000,000円 \text{(固定資産税評価額)} \times \frac{150㎡ + 100㎡ \text{(貸家部分の床面積)}}{350㎡ \text{(全体の床面積)}} \times (1 - 0.3) \text{(借家権割合)} = 7,000,000円$$

(注) 家屋の固定資産税評価額は、1棟の家屋ごとに付されているため、この例のように家屋の一部が自用、一部が貸家の場合は上記のような区分計算をすることになる。なお、上記の家屋の敷地（宅地）を評価する場合、1階及び2階の貸家に対応する部分は貸家建付地として、また、3階に対応する部分は自用地として評価することに注意を要する。

第4節　配偶者居住権の評価

1　配偶者居住権の意義

　わが国では高齢化が進行しており，被相続人の配偶者が相続後も長期にわたって生活をしていく例が多くなっているが，その配偶者には，住み慣れた環境を確保した上で，相続後の生活資金として相続財産のうち一定額の預貯金を取得したいという要望がある。

　ところが，高齢者が再婚したような場合には，配偶者と子の関係が必ずしも良好とはいえないケースもみられる。このようなケースでは，それぞれの意見が対立し，相続分を譲らないことが多い。

　こうした状況の下で，配偶者が居住していた土地建物の所有権を取得すると，その居住権は確保できるが，土地建物の評価額が高額な場合には，それだけで相続分に達し，預貯金など他の相続財産を取得することができないことになる。このため，老後の生活が不安定なものになるという問題が生じるおそれがある。

　そこで，配偶者が居住していた建物に，評価額の低い「配偶者居住権」を設定して，その居住環境を確保し，同時に生活資金を相続させて配偶者を保護するというのが配偶者居住権制度の趣旨であり，平成30年（2018年）7月に成立した改正民法において，新たに同制度が設けられた。配偶者居住権が設定された場合の土地建物の権利関係は，次のようになる。

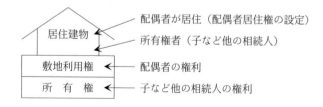

　配偶者居住権は，遺産の分割や遺贈によって取得することになるが（民1028①），協議分割で相続人間の合意が得られなかった場合や被相続人の遺言がな

く，遺贈で取得できないこともある。その場合には，家庭裁判所の判断で配偶者居住権を取得することもできる（民1029，1030）。

配偶者居住権の存続期間は，原則として終身の間（配偶者の死亡時まで）であるが，遺産分割協議等で存続期間を定めることも可能である（民1030）。また，配偶者居住権は，配偶者が死亡した場合又は遺産分割等で定められた存続期間が満了した場合には消滅することになる（民1030，1032④）。

2　配偶者居住権の評価方法

配偶者が配偶者居住権を取得した場合には，その財産的価値を相続したことになるため，その価額を評価する必要がある。相続税法では，建物とその敷地である土地に区分し，次のように評価することとされている（法23の2，令5の8，規12の2～12の4）。

【建　物】

① 配偶者居住権付建物の価額（所有権者の取得財産価額）

$$建物の固定資産税評価額 \times \frac{(耐用年数 - 築後経過年数) - 存続年数}{耐用年数 - 築後経過年数}$$

$$\times\ 存続年数に応じた民法の法定利率（年3％）による複利現価率$$

② 配偶者居住権の価額（配偶者の取得財産価額）

$$建物の固定資産税評価額\ -\ 配偶者居住権付建物の価額$$

(注)　①の算式の分数式の部分がマイナスになるときは，ゼロとする。

上記の算式における「耐用年数」は，所得税法に基づいて定められている耐用年数（住宅用）に1.5を乗じた年数（6か月以上の端数は1年とし，6か月に満たない端数は切り捨てる）とする。また，「存続年数」は，次に掲げる場合の区分に応じ，それぞれ次に定める年数をいう。

　イ　配偶者居住権の存続期間が配偶者の終身の間である場合 …… 配偶者の平均余命年数

　ロ　イ以外の場合 …… 遺産分割協議等により定められた配偶者居住権の存続期間の年数（配偶者の平均余命年数を上限とする）

この場合の配偶者の「平均余命年数」とは，厚生労働省の作成に係る「完全生命表」で定められたものによる。その一部を示すと，次のとおりである。

年齢	平均余命年数		年齢	平均余命年数		年齢	平均余命年数	
	男	女		男	女		男	女
65歳	19年	24年	70歳	16年	20年	75歳	12年	16年
80歳	9年	12年	85歳	6年	8年	90歳	4年	6年

また，民法の法定利率である年3％の複利現価率の一部を示すと，次のとおりである。

存続年数	複利現価率	存続年数	複利現価率	存続年数	複利現価率
1年	0.971	9年	0.766	17年	0.605
2年	0.943	10年	0.744	18年	0.587
3年	0.915	11年	0.722	19年	0.570
4年	0.888	12年	0.701	20年	0.554
5年	0.863	13年	0.681	21年	0.538
6年	0.837	14年	0.661	22年	0.522
7年	0.813	15年	0.642	23年	0.507
8年	0.789	16年	0.623	24年	0.492

【土地】
① 配偶者居住権付敷地の価額（所有権者の取得財産価額）

　　土地の相続税評価額 × 存続年数に応じた民法の法定利率（年3％）による複利現価率

② 配偶者居住権に基づく敷地利用権の価額（配偶者の取得財産価額）

　　土地の相続税評価額 − 配偶者居住権付敷地の価額

上記の計算により求められる建物部分の②の金額と土地部分の②の金額の合計額が配偶者居住権の価額となる（残余の部分は，土地建物の所有者の取得財産価額となる）。配偶者居住権の評価額の計算例を示しておくと，以下のとおりである。

第17章　相続税・贈与税の財産評価　307

設 例

　配偶者（配偶者居住権の設定時の年齢70歳）が居住していた相続財産である建物に配偶者居住権を設定した。建物と土地の価額等は，次のとおりである。

【建 物】
・固定資産税評価額　500万円
・法定耐用年数　22年（配偶者居住権の評価上の耐用年数　22年×1.5＝33年）
・建物の築後経過年数　10年

【土 地】
・相続税評価額　3,000万円

〔計　算〕

＜建 物＞

① 配偶者居住権付建物の価額（所有権者の取得財産価額）

$$500万円 \times \frac{(33年-10年) - 20年}{33年-10年} \times 0.554 = 361,304円$$

② 配偶者居住権の価額（配偶者の取得財産価額）

　　500万円 － 361,304円 ＝ 4,638,696円

＜土 地＞

① 配偶者居住権付敷地の価額（所有権者の取得財産価額）

　　3,000万円 × 0.554 ＝ 1,662万円

② 配偶者居住権に基づく敷地利用権の価額（配偶者の取得財産価額）

　　3,000万円 － 1,662万円 ＝ 1,338万円

（注）　この例では，4,638,696円（建物部分）＋1,338万円（敷地利用権）＝18,018,696円を配偶者が取得する。完全所有権の価額は，500万円（建物）＋3,000万円（土地）＝3,500万円であるため，配偶者は，その価額の約51％（＝18,018,696円÷3,500万円）を取得することになる。

　なお，配偶者居住権に基づく敷地利用権は，土地の上に存する権利であり，特定居住用宅地等として小規模宅地等の特例の適用対象になる（措69の4①，③二）。

第5節　株式の評価

1　株式の区分

　株式を発行する会社は，上場会社などの大企業もあれば，個人事業とそれほど変わらない小規模な同族会社まで千差万別である。
　このため，全ての株式を同一の評価方法とすることは適切ではない。そこで，財産評価基本通達では，次図のように，「上場株式」，「気配相場等のある株式」，「取引相場のない株式」の三つに区分し，それぞれに分けて評価することとしている（評基通168(1)〜(3)）。

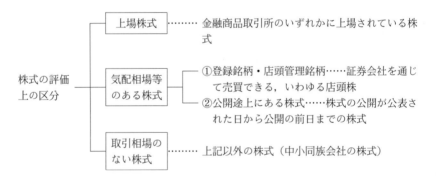

2　上場株式の評価

　相続税及び贈与税の財産評価は課税時期，つまり相続開始日又は贈与日における「時価」を基準とするのが原則である（法22）。上場株式は日々取引が行われているから，その取引価格をもって時価とみることができる。
　そこで，上場株式の価額は，取引価格のうち最終価格（いわゆる終値）で評価することとされているが，上場株式の場合は，その時々の経済事情で株価がかなり変動する。このため，評価の安全性を考慮して，次の四つの価格のうち，最も低い価格で評価することとされている（評基通169）。

上場株式の価額＝最も低い価額
① 課税時期の最終価格
② 課税時期の属する月の毎日の最終価格の月平均額
③ 課税時期の属する月の前月の毎日の最終価格の月平均額
④ 課税時期の属する月の前々月の毎日の最終価格の月平均額

なお，金融商品取引所で取引がなく，上記①の課税時期の最終価格がない場合があるが，この場合の①の価格は，課税時期の前日以前の最終価格又は翌日以後の最終価格のうち，課税時期に最も近い日の最終価格（その価格が二つある場合は，その平均額）とすることになる（評基通171(1)）。

設例

令和5年4月21日に死亡した被相続人の財産に，A社株式（上場株式）5,000株がある。

評価に関する資料は次のとおりであるが，相続税の課税価格に算入される金額はいくらになるか。

① 課税時期前後のA社株式の1株当たりの最終価格

　令和5年4月20日　　　　　　　979円
　〃　4月21日　　　　　　　（取引なし）
　〃　4月22日　　　　　　　（休日）
　〃　4月23日　　　　　　　（休日）
　〃　4月24日　　　　　　　（取引なし）
　〃　4月25日　　　　　　　（取引なし）
　〃　4月26日　　　　　　　981円

② A社株式の毎日の最終価格の月平均額（1株当たり）

　令和5年4月中　　　　　　　989円

令和5年3月中	1,015円
〃 2月中	998円
〃 1月中	971円

〔計　算〕

① 1株当たりの評価額

課税時期の最終価格（4月20日）	979円
4月の最終価格の月平均額	989円
3月の最終価格の月平均額	1,015円
2月の最終価格の月平均額	998円

最も低い価格　979円

② 評価額

　979円 × 5,000株 ＝ 4,895,000円

3　取引相場のない株式の評価

(1)　評価方法の概要

　取引相場のない株式とは，上場株式及び気配相場等のある株式以外のものをいい，非上場会社や中小の同族会社等の株式は全てこれに含まれる。したがって，これに該当する株式は，上場株式などにくらべてはるかに多いのが実情である。

　取引相場のない株式は，文字どおり市場性がなく，現実の取引価格がないのが特徴である。仮に取引が行われたとしても，同族会社のなかの親族間など，ごく限られた特殊関係者で取引されたものが多く，その取引価格をもって課税上の「時価」とみることはできない。

　また，取引相場のない株式の発行会社は，その規模がさまざまであることも特徴である。上場会社に匹敵するほどの会社もあれば，個人事業とそれほど変わらない小規模な会社もある。このため，株式の評価上も，これらの実態を反映した価額の算定方法が必要となる。

そこで，財産評価基本通達は，株式を発行する会社の規模やその株式を相続や贈与などにより取得した者の会社に対する支配力（議決権割合）などに応じて異なった評価方法を採用している。

取引相場のない株式の価額は，次の四つのうちいずれかの方法で評価する。

① 類似業種比準方式
② 純資産価額方式
③ 類似業種比準価額と純資産価額の併用方式
④ 配当還元方式

これらについて，どのような適用関係になるかの概要をまとめると，次図のようになる。

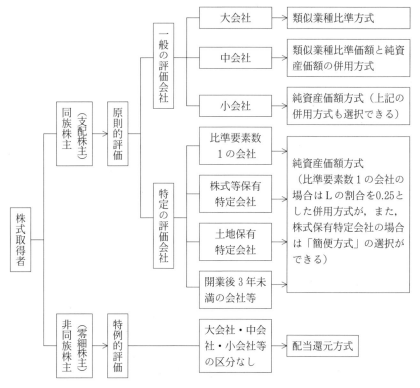

この図は，はじめに，相続や贈与による「株式取得者」を「同族株主」（支

配株主)と「非同族株主」(零細株主)に2分し,前者には「原則的評価」を,後者には「特例的評価」が適用されることを示している。これが株主の区分である。この場合,特例的評価が適用される非同族株主に該当すれば,会社の区分に関係なく,「配当還元方式」という方法で株式の評価を行うことになる。

評価方法がめんどうなのは,同族株主,つまり原則的評価が適用される場合で,株式を発行する会社(評価会社)が「一般の評価会社」であるか「特定の評価会社」に該当するかで評価方法が異なる。さらに,一般の評価会社の場合は,評価会社が「大会社」か「中会社」か「小会社」かの区分で,具体的な評価方法も変わることになる。

これらの区分方法は,このあと説明するが,原則的評価が適用されれば,類似業種比準方式か純資産価額方式,あるいは両者の併用方式になる。したがって,前述した四つの評価方法のうち,①から③は原則的評価,つまり同族株主に適用される評価方法で,④が特例的評価,つまり非同族株主に適用される方法ということになる。

(2) 株主の区分

株主の区分とは,前述のとおり同族株主に該当するか,非同族株主に当たるのかということであり,言い換えれば,原則的評価方式が適用されるか,特例的評価方式によるかということである。

この区分は,株式の取得者(納税義務者)とその者の親族(同族関係者)の有する議決権割合により判定する。

この判定方法をまとめると,次ページ表のようになるが,その区分はかなり複雑である。基本的な考え方としては,株式の取得者が同族株主(いわゆるオーナー株主)に属する場合は原則的評価方式が適用され,株式取得者がこれに該当しない場合(たとえば従業員株主などの非同族株主)は特例的評価方式になるということである。

なお,同族株主が取得した株式又は議決権割合の合計が15%以上のグループに属する株主が取得した株式であっても,特例的評価方式(配当還元方式)が

適用される場合がある（表中の「その他」の株主）が，取得後の議決権割合が5％以上であれば，「中心的な同族株主」や「中心的な株主」の有無の判定は要しない。

会社区分	株主の態様による区分				評価方法
	株主区分				
同族株主のいる会社	同族株主	取得後の議決権割合5％以上			原則的評価方式
		取得後の議決権割合5％未満	中心的な同族株主がいない場合		
			中心的な同族株主がいる場合	中心的な同族株主	
				役員	
				その他	特例的評価方式
	同族株主以外の株主				
同族株主のいない会社	議決権割合の合計が15％以上のグループに属する株主	取得後の議決権割合5％以上			原則的評価方式
		取得後の議決権割合5％未満	中心的な株主がいない場合		
			中心的な株主がいる場合	役員	
				その他	特例的評価方式
	議決権割合の合計が15％未満のグループに属する株主				

(注) 1 「同族株主」とは，課税時期における評価会社の株主のうち，株主の1人及び同族関係者の有する議決権の合計数がその会社の議決権総数の30％以上（株主のうち，株主の1人及びその同族関係者の有する議決権の合計数が最も多いグループの有する議決権の合計数が，その会社の議決権総数の50％超である会社の場合は，50％超）である場合のその株主及びその同族関係者をいう（評基通188(1)）。

    2 「中心的な同族株主」とは，課税時期において同族株主の1人ならびにその配偶者，直系血族，兄弟姉妹及び一親等の姻族（これらの者の有する議決権の合計数がその会社の議決権総数の25％以上である会社を含む。）の有する議決権の合計数がその会社の議決権総数の25％以上である場合におけるその株主をいう（評基通188(2)）。

    3 「中心的な株主」とは，課税時期において株主の1人及びその同族関係者の有する株式の議決権数がその会社の議決権総数の15％以上である株主グループのうち，いずれかのグループに単独でその会社の議決権総数の10％以上の議決権を有している株主がいる場合のその株主をいう（評基通188(4)）。

(3) 会社の規模別区分の判定と原則的評価

① 会社の区分判定

いわゆる一般の評価会社の株式について，原則的評価方式が適用される場合は，「大会社」，「中会社」及び「小会社」という会社の規模別区分の判定を要する。

この区分は，評価会社の「総資産価額（帳簿価額）及び従業員数」と「取引金額」により，次ページ図のように判定する（評基通178，179(2)）。

これによると，「中会社」は，その規模によって三つに区分される。したがって，会社の規模別区分は，大会社と小会社を合わせて全部で5区分になる。

なお，次ページの区分図において，「総資産価額及び従業員数」による会社区分と「取引金額」による区分とが異なるときは，上位のランクの会社と判定することとされている。

② 一般の評価会社の原則的評価方法

一般の評価会社の原則的評価方法は，前記1の概要で示したとおりであるが，その内容は次のとおりである（評基通179）。

(イ) 大会社の株式の価額…類似業種比準価額による。ただし，納税義務者の選択により，いわゆる純資産価額によることもできる。

(ロ) 中会社の株式の価額…類似業種比準価額と純資産価額の併用方式で算定した価額による。

(ハ) 小会社の株式の価額…純資産価額により評価する。ただし，類似業種比準価額と純資産価額との併用方式（併用の割合0.5）で算定した価額によることもできる。

このうち，中会社の併用方式について，類似業種比準価額と純資産価額の併用の割合（ウェイト）は，次ページの図に示したとおり，0.9，0.75，0.60の三つがある。これを「Lの割合」という。

これは，類似業種比準価額に対するウエイトであることから，中会社のうち，大会社に近い規模の評価会社では，純資産価額より類似業種比準価額の比重が高いことになる。

第17章 相続税・贈与税の財産評価 315

```
                                                                              ┌─────┐
従業員数70人以上 ──────────────────────────────────────────────────────────────→│大会社│
                                                                              └─────┘
```

〔卸売業〕（従業員数70人未満）

取引金額	区分
20億円以上（35人以下を除く）	大会社
4億円以上20億円未満（35人以下を除く）	中会社の大（Lの割合0.90）
2億円以上4億円未満（20人以下を除く）	中会社の中（Lの割合0.75）
7,000万円以上2億円未満（5人以下を除く）	中会社の小（Lの割合0.60）
7,000万円未満又は5人以下	小会社

総資産価額及び従業員数 \ 取引金額	2億円未満	2億円以上3億5,000万円未満	3億5,000万円以上7億円未満	7億円以上30億円未満	30億円以上

〔小売・サービス業〕

取引金額	区分
15億円以上（35人以下を除く）	大会社
5億円以上15億円未満（35人以下を除く）	中会社の大（Lの割合0.90）
2億5,000万円以上5億円未満（20人以下を除く）	中会社の中（Lの割合0.75）
4,000万円以上2億5,000万円未満（5人以下を除く）	中会社の小（Lの割合0.60）
4,000万円未満又は5人以下	小会社

総資産価額及び従業員数 \ 取引金額	6,000万円未満	6,000万円以上2億5,000万円未満	2億5,000万円以上5億円未満	5億円以上20億円未満	20億円以上

〔卸売業、小売・サービス業以外〕

取引金額	区分
15億円以上（35人以下を除く）	大会社
5億円以上15億円未満（35人以下を除く）	中会社の大（Lの割合0.90）
2億5,000万円以上5億円未満（20人以下を除く）	中会社の中（Lの割合0.75）
5,000万円以上2億5,000万円未満（5人以下を除く）	中会社の小（Lの割合0.60）
5,000万円未満又は5人以下	小会社

総資産価額及び従業員数 \ 取引金額	8,000万円未満	8,000万円以上2億円未満	2億円以上4億円未満	4億円以上15億円未満	15億円以上

なお，小会社にも選択的にこの併用方式が認められているが，Lの割合は一律に0.5とされている。

以上により，一般の評価会社の原則的評価方法をまとめると，次図のようになる。

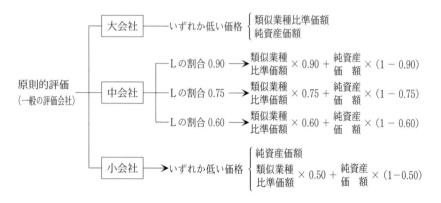

設 例

被相続人甲の遺産のうちに次のものがある。相続税評価額を求めなさい。

　　X社株式　　10,000株

この株式は，被相続人甲が代表取締役をしていた会社の発行する株式であって，甲の有する議決権数は同社の議決権総数の70％であった。この株式の評価に必要な資料は，次のとおりである。

① 取引相場のない株式（中会社　Lの割合は0.75）
② 1株当たりの類似業種比準価額　　　　　1,568円
③ 1株当たりの純資産価額（相続税評価額）1,980円
④ 1株当たりの配当還元価額　　　　　　　　500円

〔計　算〕
① 1株当たりの評価額

(類似業種比準価額) (純資産価額)
　　　1,568円 × 0.75 + 1,980円 × (1 − 0.75) = 1,671円

② 評価額

　　1,671円 × 10,000株 = 16,710,000円

(4) 特定の評価会社の意義

　上で述べた原則的評価方式は，いわゆる一般の評価会社の場合であるが，「特定の評価会社」に該当するときは，評価会社の規模にかかわらず，原則として，純資産価額方式によることとされている。つまり，評価会社がたとえ大会社であっても，類似業種比準方式は認められず，また，中会社や小会社についても類似業種比準価額との併用方式は認められないわけである。

　ここにいう特定の評価会社とは，次の六つをいう（評基通189）。

① 比準要素数1の会社
② 株式等保有特定会社
③ 土地保有特定会社
④ 開業後3年未満の会社等
⑤ 開業前又は休業中の会社
⑥ 清算中の会社

もっとも，④の開業後3年未満の会社等とは，

　イ　開業後3年未満の会社
　ロ　類似業種比準方式における評価要素（配当，利益，簿価純資産）の全てがゼロであるもの

の二つをいうから，結局，7種類に区分されることになる。

　上記のうち，比準要素数1の会社とは，類似業種比準方式における評価要素の二つがゼロである会社をいう（評基通189(1)）。また，株式等保有特定会社と土地保有特定会社とは，評価会社の有する資産のうちに占める株式等の価額や土地等の価額が一定割合以上であるものをいうが，具体的には，次の基準による（評基通189(2),(3)）。

	株式等保有特定会社	土地保有特定会社
大　会　社	50％以上	70％以上
中　会　社	50％以上	90％以上
小　会　社	50％以上	適用なし(**注**)

(**注**)　土地保有特定会社とされない「小会社」は，309ページの会社規模の区分表における総資産価額基準のみで小会社に該当するものに限られる。したがって，従業員数が5人以下でも，次に該当する会社は，評価の区分上は小会社であっても土地保有特定会社に含まれる（評基通189(3)カッコ書）。

　　イ　総資産価額が大会社基準に該当する会社（総資産価額が卸売業で20億円以上，卸売業以外で15億円以上の会社）……土地保有割合70％以上
　　ロ　総資産価額が中会社基準に該当する会社（総資産価額が卸売業で7,000万円以上20億円未満，小売・サービス業で4,000万円以上15億円未満の会社，その他の業種で5,000万円以上15億円未満の会社）……土地保有割合90％以上

　たとえば，評価会社の総資産価額（相続税評価額による金額）が20億円で，そのうち土地の価額が15億円であるとすれば，土地保有割合は，

$$\frac{15億円（土地）}{20億円（総資産）} = 75\%$$

になる。したがって，この評価会社が大会社の場合は土地保有特定会社となり，この場合は，類似業種比準方式は適用されず，その株式の価額は純資産価額方式で評価することになる（評基通189－4）。

　なお，比準要素数1の会社の株式の価額は，原則として純資産価額方式で評価するが，次の算式による併用方式も認められている（評基通189－2）。

　　類似業種比準価額×0.25＋純資産価額×（1－0.25）

(5)　類似業種比準価額の計算

　これまでに説明した内容は，取引相場のない株式の評価上の区分や評価方法の適用関係であり，実際にはこれらを前提として，具体的な株式の価額を評価することになる。

　まず，類似業種比準方式による価額の算定についてみると，この評価方法は，

取引相場のない株式の発行会社の業種と類似する上場会社の取引株価を基に評価するものである。算式で示すと次のとおりである（評基通180）。

$$1株当たりの類似業種比準価額 = A \times \frac{\frac{ⓑ}{B} + \frac{ⓒ}{C} + \frac{ⓓ}{D}}{3} \times 斟酌率$$

A ＝ 類似業種の株価
B ＝ 課税時期の属する年の類似業種の1株当たりの配当金額
C ＝ 課税時期の属する年の類似業種の1株当たりの年利益金額
D ＝ 課税時期の属する年の類似業種の1株当たりの純資産価額（帳簿価額によって計算した金額）
ⓑ ＝ 評価会社の1株当たりの配当金額
ⓒ ＝ 評価会社の1株当たりの利益金額
ⓓ ＝ 評価会社の1株当たりの純資産価額（帳簿価額によって計算した金額）

（注） 斟酌率……大会社＝0.7，中会社＝0.6，小会社＝0.5

この評価方式は，

（上場類似業種の株価）×（比準割合）× 斟酌率

によって株式の価額を求めるもので，上場類似業種の株価が「A」，比準割合が上記算式のカッコの部分に当たる。

類似業種比準価額とは，要するに，配当，利益（法人税の課税所得を基とする。），及び資産価額の三つを上場会社と比較し，評価会社の株価を算定するものである。

上記の算式を適用するに当たって，「A」，「B」，「C」及び「D」の金額は，業種に応じた金額が国税庁から公表されている（Aの金額は，月別に公表され，課税時期の属する月以前3か月間の各月の株価，前年の平均株価及び課税時期の属する月以前2年間の平均株価のうち最も低い価格によることができる（評基通182））。

なお，業種目（国税庁の分類は113の業種目番号に区分されている。）は，「大分類」，「中分類」及び「小分類」に分かれており，業種目が中分類又は小分類まで細分されているものは，大分類と中分類の間で，あるいは中分類と小分類の間の比準数値の相互の選択が認められている（評基通181）。

(注) 国税庁が公表するA，B，C及びDの金額は，1株当たりの資本金の額等が50円とした場合の金額であり，また，評価会社のⒷ，Ⓒ及びⒹの金額も，1株当たりの資本金等の額が50円とした場合の金額を求めることとされている（評基通183）。

このため，評価会社の株式の1株当たりの資本金等の額が50円以外の場合は，その資本金等の額に換算して1株当たりの評価額を計算することになる（評基通180）。たとえば，評価会社の1株当たりの資本金等の額が500円のときは，

$$A \times \dfrac{\dfrac{Ⓑ}{B} + \dfrac{Ⓒ}{C} + \dfrac{Ⓓ}{D}}{3} \times 斟酌率 \times \dfrac{500円}{50円}$$

により株価を算定する。

設例

次の資料に基づいて，1株当たりの類似業種比準価額を求めなさい。なお，評価会社の1株当たりの資本金等の額は500円であり，財産評価基本通達における評価会社の規模は，「中会社」である。

1 課税時期現在の評価会社の配当金額等
  ・1株当たりの配当金額（Ⓑの金額）……………5.5円
  ・1株当たりの利益金額（Ⓒの金額）……………48円
  ・1株当たりの簿価純資産価額（Ⓓの金額）……203円

2 国税庁が公表した1株当たりの類似業種の株価等
  ① 類似業種の株価（Aの金額）
   ・課税時期の属する月の平均株価 ……………281円
   ・課税時期の属する月の前月の平均株価 ………273円
   ・課税時期の属する月の前々月の平均株価 ……278円
   ・課税時期の属する年の前年平均株価 …………275円
   ・課税時期の属する月以前2年間の平均株価 …283円
  ② 類似業種の配当金額等
   ・1株当たりの配当金額（Bの金額）……………3.5円
   ・1株当たりの年利益金額（Cの金額）…………21円
   ・1株当たりの簿価純資産価額（Dの金額）……253円

〔計　算〕

① 比準割合の計算
- 配当比準値……$\dfrac{5.5円}{3.5円}=1.57$
- 利益比準値……$\dfrac{48円}{21円}=2.28$
- 純資産比準値……$\dfrac{203円}{253円}=0.80$
- 比準割合……$\dfrac{1.57+2.28+0.80}{3}=1.55$

（注）　分数式の値は，それぞれ小数点以下第2位未満の端数を切り捨てる。

② 1株当たりの類似業種比準価額

（類似業種の株価）　（比準割合）　（斟酌率）
　　273円　　×　　1.55　　×　　0.6　＝253.80円（10銭未満の端数切捨て）

$253.80円 \times \dfrac{500円}{50円} = 2,538円$

(6) 純資産価額の計算

　取引相場のない株式を評価するに当たり，原則的評価方式が適用される場合は，いわゆる純資産価額方式による株価も算定しなければならない。

　純資産価額方式とは，課税時期における評価会社の全資産を相続税評価基準に従って評価替えをし，その合計額から帳簿価額による負債の合計額を差し引いた金額，すなわち相続税評価ベースによる純資産価額を基として株価を求めようとするものである。

　これを算式で示せば，次のとおりである（評基通185）。

$$\text{1株当たりの純資産価額} = \dfrac{\text{資産の合計額（注1）（相続税評価額）} - \text{負債の合計額（注2）} - \text{評価差額に対する法人税等相当額}}{\text{発行済株式数}}$$

（注）1　前払費用や繰延資産など資産性のないものは除く。
　　　2　会社の貸借対照表に負債として計上されていないものでも，法人税や事業税などの未納の公租公課や死亡退職金などは負債とされる。ただし，各種の引当金や準備金は負債からは除かれる。

　この算式における「評価差額に対する法人税等相当額」とは，次ページの算式によって計算されるが（評基通186-2），これを控除するのは，純資産価額方

式が，課税時期時点でその会社を清算した場合を前提としていることによるものである。会社を清算すると法人税などが課税される場合があるため，株価の計算上もその分を控除する趣旨である。

$$\begin{pmatrix}評価差額に対する\\法人税等相当額\end{pmatrix}=\left\{\begin{pmatrix}相続税評価額に\\よる資産の合計額\end{pmatrix}-\begin{pmatrix}負債の\\合計額\end{pmatrix}-\begin{pmatrix}帳簿価額による\\資産の合計額\end{pmatrix}-\begin{pmatrix}負債の\\合計額\end{pmatrix}\right\}\times 37\%$$

なお，株式の取得者とその同族関係者の議決権割合が50％未満である場合には，上記により計算した純資産価額の100分の80相当額がその評価額となる（評基通185ただし書）。

設 例

次の資料に基づいて，1株当たりの純資産価額を求めなさい。なお，評価会社の発行済株式の総数は40,000株であり，株式を取得した者とその同族関係者の評価会社に対する議決権割合は60％である。
- 課税時期現在の相続税評価額による資産の合計額 ………863,493千円
- 課税時期現在の帳簿価額による資産の合計額 …………624,049千円
- 課税時期現在の相続税評価額による負債の合計額 ………414,332千円
- 課税時期現在の帳簿価額による負債の合計額 …………414,332千円

〔計　算〕
① 相続税評価額による純資産価額
　　863,493千円－414,332千円＝449,161千円
② 帳簿価額による純資産価額
　　624,049千円－414,332千円＝209,717千円
③ 評価差額に相当する金額
　　449,161千円－209,717千円＝239,444千円
④ 評価差額に対する法人税額等相当額
　　239,444千円×37％＝88,594千円
⑤ 課税時期現在の純資産価額
　　449,161千円－88,594千円＝360,567千円

⑥ 1株当たりの純資産価額
$$\frac{360,567千円}{40,000株} = 9,014円$$

(7) 配当還元価額の計算

取引相場のない株式の評価について，最後に配当還元方式を説明しておく。この評価方法は，前にも説明したように，いわゆる非同族株主が取得した場合に適用される。

非同族株主であることから，議決権割合も少なく，会社に対する支配力はない。そうなると配当だけを受け取るということになるから，株式の評価でも，過去2年間の配当金額だけで株価を計算することになる。

評価額の計算方法を算式で示すと，次のようになる（評基通188－2）。

$$\frac{1株当たりの}{配当還元価額} = \frac{その株式に係る年配当金額}{10\%} \times \frac{その株式の1株当たりの資本金等の額}{50円}$$

この場合の「年配当金額」は，評価会社の直前期末以前2年間の平均配当金額を発行済株式数（1株当たりの資本金等の額を50円とした場合の数）で除して計算した金額をいう。

要するに，過去2年間の平均配当金額を10％の割合で資本還元するというのが上記算式の意味であり，たとえば，

　　　前期の配当金額　……1株当たり60円

　　　前々期の配当金額……1株当たり50円

とすれば，平均配当金額は，(60円 ＋ 50円) ÷ 2 ＝ 55円

となるから，1株当たりの配当還元価額は，55円 ÷ 10％ ＝ 550円

と算出される。

なお，1株（資本金等の額を50円とした場合）当たりの配当金額が2円50銭（配当率5％）未満の場合及び無配の場合は，2円50銭（配当率5％）の配当があったものとして評価することとされている（評基通188－2本文カッコ書）。

第6節　公社債，預貯金その他の財産の評価

1　公社債の評価

　公社債とは，国や地方公共団体，あるいは一般の事業会社が資金を調達するために発行する債券であるが，おおむね利付公社債と割引公社債に分けて考えればよい。

(1)　利付公社債の評価

　利付公社債は，毎年一定の期日（通常は年2回）に利息が支払われる。発行価額は，券面額100円に対し，100円そのままか，やや下回る程度のものである。利付公社債の市場での取引価額は，既経過利息を含まないいわゆる裸相場の価額に，前回の利払期日から売買時までの既経過利子の額を加えた価額によって成立している。

　そこで，利付公社債の価額は，原則として，市場価額と課税時期において利払期が到来していない利息のうち，課税時期現在の既経過分に相当する金額から，その金額につき源泉徴収されるべき所得税等の額に相当する金額を控除した金額との合計額によって評価する（評基通197-2(1),(2)）。

　ただし，市場で取引されていない利付公社債については，発行価額を基として，上述した方法に準じて評価することとされている（評基通197-2(3)）。

　これを算式で示せば，次のとおりである。

　① 　金融商品取引所に上場されている利付公社債

$$\left(\begin{array}{c} \text{金融商品取引所の公表する} \\ \text{課税時期の最終価格} \\ \text{（券面額100円当たりの金額）} \end{array} + \begin{array}{c} \text{源泉所得税等相当額控} \\ \text{除後の既経過利息の額} \end{array} \right) \times \frac{\text{公社債の券面額}}{100円}$$

　② 　日本証券業協会において売買参考統計値が公表される銘柄として選定された利付公社債

$$\left(\begin{array}{c} \text{日本証券業協会から公表} \\ \text{された課税時期の平均値} \\ \text{（券面額100円当たりの金額）} \end{array} + \begin{array}{c} \text{源泉所得税等相当額控} \\ \text{除後の既経過利息の額} \end{array} \right) \times \frac{\text{公社債の券面額}}{100円}$$

(注) 金融商品取引所に上場されている利付公社債で日本証券業協会の公表する課税時期の最終価格が上記の平均値を下回る場合には，その最終価格を基として上記の計算式により評価する。

③ 上記①及び②以外の利付公社債

$$\left(\begin{array}{c} 発行価額（券面額100 \\ 円当たりの金額） \end{array} + \begin{array}{c} 源泉所得税等相当額控 \\ 除後の既経過利息の額 \end{array} \right) \times \frac{公社債の券面額}{100円}$$

なお，公社債の価額は，原則として券面額100円当たりの価額を算出して行うこととされている。このため，いったん100円当たりの価額を求めた後，総券面額の評価額を計算しなければならない。これが，上述した計算式の

$$\frac{公社債の券面額}{100円}$$

の部分である。これは，金融商品取引所で公表されている公社債の取引価格がすべて100円当たりの価額によっていることによる。

設 例

次の資料に基づく利付公社債の相続税評価額はいくらになるか。
① 課税時期…令和5年2月18日
② 評価する利付公社債
　銘　　柄…〇〇電力㈱　〇〇回
　発行価額（券面額100円につき）…99円
　利　　率（年利）…1.50％
　利払期日…3月25日及び9月25日
　償還期限…令和5年9月
　日本証券業協会から公表された課税時期における平均値…103.80円
　日本証券業協会から公表された課税時期の最終価格………104.50円
　券　面　額…1,000万円
③ 利子所得の課税…20.315％の分離課税

〔計　算〕
① 課税時期の市場価額（平均値）　103.80円
② 利息計算期間
　　令和4年9月26日から令和5年2月18日→146日
(注)　利息計算上の期間は，直前の利払期日の翌日から課税時期までの日数（いわゆる片落し）により計算し，1年の日数は，平年，うるう年とも365日とする。
③ 券面額100円当たりの既経過利息の額
　　$100円 \times 0.015 \times \dfrac{146日}{365日} = 0.6円$
④ 評価額
　　$\{103.80円 + 0.6円 \times (1 - 0.20315)\} \times \dfrac{1,000万円}{100円} = 10,427,811円$

(2)　割引公社債の評価

　割引発行の公社債は，定期的な利払いはないが，発行価額は額面金額よりかなり低く，償還時には額面金額が還ってくるものをいう。つまり，発行価額と額面金額との差額（差益金額）が利息に相当するわけで，いわゆる利息先取り方式とよばれているものである。

　割引発行の公社債の価額は，市場価額（上場されているものは証券取引所の公表する課税時期の最終価格，いわゆる店頭取引が行われているものは課税時期の平均値）によって評価される（評基通197－3(1),(2)）。

　ただし，市場で取引されていない割引債については，その発行価額を基に，券面額と発行価額との差額に相当する金額に発行日から償還期限までの日数に対する発行日から課税時期までの日数の割合を乗じて計算した金額（これを「既経過償還差益の額」という。）を加えた価額によって評価することとされている（評基通197－3(3)）。

　これを算式で示せば，下記のとおりである。なお，課税時期において割引債の差益金額につき源泉徴収されるべき所得税の額に相当する金額がある場合には，下記の区分に従って評価した金額からその源泉徴収されるべき所得税の額に相当する金額を控除した金額によって評価することとされている（評基通197－3（注））。

① 金融商品取引所に上場されている割引公社債

$$\text{金融商品取引所の公表する課税時期の最終価格（券面額100円当たりの金額）} \times \frac{\text{公社債の券面額}}{100\text{円}}$$

② 日本証券業協会において売買参考統計値が公表される銘柄として選定された割引公社債

$$\text{日本証券業協会の公表する課税時期の平均値（券面額100円当たりの金額）} \times \frac{\text{公社債の券面額}}{100\text{円}}$$

③ 上記①及び②以外の割引公社債

$$\left(\text{発行価額（券面額100円当たりの金額）} + \text{既経過償還差益の額（注）}\right) \times \frac{\text{公社債の券面額}}{100\text{円}}$$

（注） $\text{既経過償還差益の額} = \left(\text{券面額（100円）} - \text{券面100円当たりの発行価額}\right) \times \frac{\text{発行日から課税時期までの日数}}{\text{発行日から償還期限までの日数}}$

設 例

次の資料に基づく割引公社債の相続税評価額はいくらになるか。

① 課税時期…令和5年8月22日
② 評価する割引公社債

　発行価額（券面額100円につき）…98.12円

　発 行 日…令和5年3月28日

　償還期限…令和6年3月28日

　券 面 額…500万円

　課税時期の取引価格（券面額100円につき）…99.40円

〔計 算〕

$$99.40\text{円} \times \frac{500\text{万円}}{100\text{円}} = 497\text{万円}$$

（注） この割引公社債が市場性のないものであれば、発行価額に既経過償還差益の額を加算して次のように評価する。

　① 既経過償還差益の計算期間

　　発行日から償還期限までの日数……366日

発行日から課税時期までの日数（令和5年3月28日〜令和5年8月22日）……148日
（発行日から償還期限までの日数を366日とするのは、割引料の計算は発行日と償還期日の両日を算入することとされているためである。）

② 既経過償還差益の額

$$(100円 - 98.12円) \times \frac{148日}{366日} = 0.76円$$

③ 評価額

$$(98.12円 + 0.76円) \times \frac{500万円}{100円} = 4,943,500円$$

2 預貯金の評価

預貯金の価額は、課税時期における預入高と同時期現在において解約するとした場合に既経過利子の額として支払いを受けることができる金額から、その金額につき源泉徴収されるべき所得税等の額に相当する金額を控除した金額との合計額によって評価される。

ただし、定期預金、定期郵便貯金等の貯蓄性の高い預貯金以外のものは、課税時期現在の既経過利子の額が少額なものに限り、同時期現在の預入高によって評価してよい（評基通203）。

したがって、預貯金の評価方法は、次のようになる。

$$\text{預貯金の評価} \begin{cases} \text{定期預金等} = \dfrac{\text{課税時期現}}{\text{在の預入高}} + \left(\dfrac{\text{課税時期における期限前解約}}{\text{利率による既経過利子の額}} - \dfrac{\text{既経過利子について}}{\text{の源泉所得税相当額}} \right) \\ \text{定期預金等以外のもの} = \text{課税時期の預入高} \end{cases}$$

> [設 例]
>
> 次の資料に基づく定期預金の相続税評価額はいくらになるか。
> 預 入 額　3,000万円（1年定期）
> 預 入 日　令和4年7月18日
> 課税時期（相続日）　令和5年2月5日
> 約定利率　年0.15％
> 預入期間6か月以上1年未満の期日前解約利率　年0.03％
> 利息に対する源泉税率　20.315％

〔計　算〕
① 利息計算期間
令和4年7月18日～令和5年2月4日→202日
（注）　利息の計算期間は，預金の預入日から課税時期の前日までの日数によることとされている。
② 評価額
$$3,000万円 + \left\{ 3,000万円 \times 0.03\% \times \frac{202日}{365日} \times (1 - 0.20315) \right\} = 30,003,968円$$

3　その他の財産の評価の概要

相続税や贈与税の課税財産には，これまでに説明したもの以外にもさまざまなものがあり，財産評価基本通達でも具体的にその評価方法が定められている。

そのうち主なものについて概要を次表にまとめておくこととする。

種類		評価方法の概要
有価証券	貸付信託の受益証券 （評基通198）	元本の額 ＋（既経過収益の額 － 既経過収益にかかる源泉税の額）－ 買取割引料
	証券投資信託の受益証券 （評基通199）	① 中期国債ファンド，MMF等の日々決算型のもの 評価額 ＝（1口当たりの基準価額×口数）＋（再投資されていない未収分配金（A））－（Aに対する源泉所得税相当額）－（信託財産留保額及び解約手数料） ② その他のもの 評価額 ＝（1口当たりの基準価額×口数）－（課税時期に解約請求等をした場合の源泉所得税相当額）－（信託財産留保額及び解約手数料）
その他の財産	ゴルフ会員権 （評基通211）	おおむね取引価格の70％相当額
	貸付金債権 （評基通204）	元本の額 ＋ 課税時期現在の既経過利息の額
	受取手形 （評基通206）	① 支払期限の到来しているもの又は課税時期から6か月以内に支払期限の到来するもの……券面額 ② ①以外のもの……課税時期において金融機関で割引を行った場合に回収できると認められる金額
	書画骨董品 （評基通135）	売買実例価額，精通者意見価格等を参考にした額
	電話加入権 （評基通161）	① 取引相場のあるもの……取引価額 ② 取引相場のないもの……国税局長が定める標準価額
	自動車，家庭用財産など一般動産 （評基通129）	調達価額（調達価額が明らかでないときは，新品の小売価額から課税時期までの経過期間の減価の額を控除した価額）

巻末演習問題

次の〔設例〕に基づき，各相続人等の納付すべき相続税額を計算しなさい。

設例1 ——財産が分割された例

1. 被相続人甲は，令和5年4月20日，東京都内の自宅において死亡し，相続人等は，その日に相続の開始を知った。
2. 被相続人甲の相続人等の関係は，次図のとおりである。

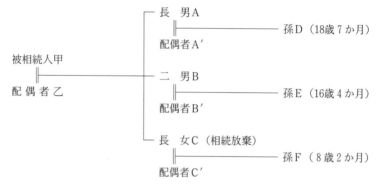

(注) 1. 被相続人甲の相続について，長女Cは，令和5年7月15日に家庭裁判所に申述し，正式に相続の放棄をした。
2. 孫D，E及びFの年齢は，いずれも被相続人甲の相続開始日現在のものである。
3. 被相続人甲の相続人等は，すべて日本国内に住所を有している。

3. 被相続人甲の遺産は，下記のとおりであり，令和5年9月15日に相続人間で協議を行い，それぞれ下記のとおり分割により取得することに決定した。

なお，孫Dの取得した財産は，被相続人甲の正式の遺言に基づいて遺贈されたものである。

(1) 配偶者乙が取得した財産
① 宅　地（路線価方式適用）　350㎡
………… 1㎡当たりの自用地評価額　645,000円

この宅地は，相続開始直前において被相続人甲及び配偶者乙の居住の用に供されていたものである。

　　なお，相続人間で協議をした結果，措法第69条の4の規定（小規模宅地等についての相続税の課税価格の計算の特例）は，この宅地に適用を受けることとした。

② 家　屋（①の宅地上の建物）165㎡
　　　　　　　　　　　　…………固定資産税評価額　5,727,500円
③ 定期預金 ……………………………相続税評価額　87,307,826円
④ 現　金 …………………………………………………172,900円
⑤ 家庭用財産一式 ……………………相続税評価額　1,500,000円

(2)　長男Aが取得した財産

① 宅　地（倍率方式適用）768㎡
　　　　　　　…………固定資産税評価額　9,627,000円，評価倍率　1.1
　　この宅地は，被相続人甲が別荘用として所有していたものである。
② 家　屋（①の宅地上の建物）116㎡…固定資産税評価額　2,977,900円
③ X社株式（上場株式）10,000株
　　　　　　　　　　…………1株当たりの相続税評価額　2,945円
④ 定期預金 ……………………………相続税評価額　9,501,870円
⑤ 普通乗用車　1台 …………………相続税評価額　1,050,000円

(3)　二男Bが取得した財産

① 宅　地（路線価方式適用）282㎡
　　　　　　　　　………… 1㎡当たりの自用地評価額　226,770円
　　この宅地は，賃貸用アパートの敷地として利用されていたものである。

　　なお，この宅地が所在する地域に適用される借地権割合は60％，借家権割合は30％である。
② 家　屋（①の宅地上の賃貸用アパート）354㎡
　　　　　　　　　　　　……………固定資産税評価額　7,705,900円

③　証券投資信託の受益証券　…………………相続税評価額　7,606,428円
(4)　孫Dが取得した財産
　①　国　債（利付国庫債券）　…………………相続税評価額　2,254,000円
　②　定期預金　………………………………………相続税評価額　4,654,703円
4．被相続人甲の死亡を保険事故として，相続後に支払いを受けた生命保険契約の保険金に次のものがある。

　なお，これらの保険契約に係る保険料は，全て被相続人甲が負担していたものである。

（保険会社）	（保険金受取人）	（受取保険金の額）
N生命保険	配偶者乙	34,000,000円
M生命保険	長男A	18,000,000円
K生命保険	長女C	25,000,000円

5．被相続人甲の相続開始時における債務としてS銀行からの借入金5,756,000円があり，二男Bが負担することとした。また，被相続人甲に係る未納の公租公課847,000円は，長男Aが負担することとした。

6．被相続人甲の葬式の前後に要した費用は，4,625,000円であり，配偶者乙が負担することとし，香典収入3,780,000円は同人が収受した。

7．被相続人甲の生前において，相続人等は被相続人甲から次のとおり財産の贈与を受けている。

（受贈年月日）	（受贈者）	（受贈財産）	（贈与時の価額）
令和2年3月10日	長女C	土　地	10,800,000円
令和3年8月10日	長男A	現　金	5,000,000円
令和4年11月10日	孫　E	上場株式	3,750,000円

　なお，これらの贈与について，各人が申告・納付した贈与税の額は，次のとおりである。

　長女C（令和元年分）　　2,630,000円
　長男A（令和2年分）　　　 485,000円
　孫　E（令和3年分）　　　 297,500円

解答

I 相続税の課税価格の計算

1. 相続又は遺贈により取得した財産価額の計算
   (1) 配偶者乙
      ① 宅　地
         評価額……………………645,000円 × 350㎡ ＝ 225,750,000円
         小規模宅地等の課税価格計算の特例による減額
         ……225,750,000円 × $\frac{330㎡}{350㎡}$ × 80％ ＝ 170,280,000円
         課税価格算入額
         …………225,750,000円 － 170,280,000円 ＝ 55,470,000円
      ② 家　屋 ……………………………………………5,727,500円
      ③ 定期預金 …………………………………………87,307,826円
      ④ 現　金 ……………………………………………172,900円
      ⑤ 家庭用財産 ………………………………………1,500,000円
      取得財産価額の合計額
         55,470,000円 ＋ 5,727,500円 ＋ 87,307,826円
         ＋ 172,900円 ＋ 1,500,000円 ＝ 150,178,226円
   (2) 長男A
      ① 宅　地
         評価額……………………9,627,000円 × 1.1 ＝ 10,589,700円
      ② 家　屋 ……………………………………………2,977,900円
      ③ X社株式
         評価額……………………2,945円 × 10,000株 ＝ 29,450,000円
      ④ 定期預金 …………………………………………9,501,870円
      ⑤ 普通乗用車 ………………………………………1,050,000円
      取得財産価額の合計額

　　　　　10,589,700円 ＋ 2,977,900円 ＋ 29,450,000円
　　　　　＋ 9,501,870円 ＋ 1,050,000円 ＝ 53,569,470円
　(3) 二男B
　　① 宅　地
　　　　自用地評価額 ………………226,770円 × 282㎡ ＝ 63,949,140円
　　　　貸家建付地評価額
　　　　　　……63,949,140円 ×（1 － 0.6 × 0.3）＝ 52,438,294円
　　② 家　屋
　　　　貸家評価額 …………7,705,900円 ×（1 － 0.3）＝ 5,394,130円
　　③ 証券投資信託の受益証券 ……………………………7,606,428円
　　取得財産価額の合計額
　　　　52,438,294円 ＋ 5,394,130円 ＋ 7,606,428円 ＝ 65,438,852円
　(4) 孫　D
　　① 国　債 ………………………………………………2,254,000円
　　② 定期預金 …………………………………………4,654,703円
　　取得財産価額の合計額
　　　　2,254,000円 ＋ 4,654,703円 ＝ 6,908,703円

2．生命保険金及び非課税金額の計算
　(1) 相続又は遺贈により取得したとみなされる保険金の額
　　　　配偶者乙 ……………………………………………34,000,000円
　　　　長　男A ……………………………………………18,000,000円
　　　　長　女C ……………………………………………25,000,000円
　(2) 非課税金額
　　① 相続人が取得した保険金の合計額
　　　　　34,000,000円（乙）＋ 18,000,000円（A）＝ 52,000,000円
　　② 非課税限度額
　　　　　5,000,000円 × 4人（法定相続人数）＝ 20,000,000円（＜ 52,000,000円）

(注) 法定相続人は，配偶者乙，長男Ａ，二男Ｂ，長女Ｃの4人

③ 各相続人の非課税金額

配偶者乙 ……………………20,000,000円 × $\dfrac{34,000,000円}{52,000,000円}$ ＝ 13,076,923円

長　男Ａ ……………………20,000,000円 × $\dfrac{18,000,000円}{52,000,000円}$ ＝ 6,923,077円

(3) 課税価格に算入される保険金の額

配偶者乙 ……………………34,000,000円 － 13,076,923円 ＝ 20,923,077円
長　男Ａ ……………………18,000,000円 － 6,923,077円 ＝ 11,076,923円
長　女Ｃ ……………………………………………………………… 25,000,000円

3．債務控除の金額

① 債　務

二　男Ｂ ……………………………………………………………5,756,000円
長　男Ａ ……………………………………………………………… 847,000円

② 葬式費用

配偶者乙 ……………………………………………………………4,625,000円

4．相続税の課税価格に加算される生前贈与財産の価額

長　男Ａ（令和2年8月10日贈与） ………………………………5,000,000円

(注) 長女Ｃの受贈財産は，相続開始前3年以内のものでないため，また，孫Ｅの受贈財産は，Ｅが相続又は遺贈により財産を取得していないため，いずれも課税価格への加算はない。

　なお，生前贈与財産の価額の課税価格への加算対象期間については，93ページ参照。

5．各相続人等の相続税の課税価格

(単位：円)

区分＼相続人等	配偶者乙	長男A	二男B	長女C	孫 D	合 計
相続による取得財産	150,178,226	53,569,470	65,438,852			269,186,548
遺贈による取得財産					6,908,703	6,908,703
生命保険金	20,923,077	11,076,923		25,000,000		57,000,000
債務控除 債務		△847,000	△5,756,000			△6,603,000
債務控除 葬式費用	△4,625,000					△4,625,000
生前贈与財産の加算額		5,000,000				5,000,000
課税価格（1,000円未満切捨て）	166,476,000	68,799,000	59,682,000	25,000,000	6,908,000	326,865,000

Ⅱ　相続税の総額の計算

1．課税価格の合計額　　　　　　　　　　　　　　　　　326,865,000円

2．遺産に係る基礎控除額

$$30,000,000円 + 6,000,000円 \times 4（人） = 54,000,000円$$

3．課税遺産額　　　　　326,865,000円 − 54,000,000円 = 272,865,000円

4．法定相続分に応ずる取得金額（1,000円未満切捨て）

　　配偶者乙　　　　$272,865,000円 \times \frac{1}{2}$　　　　　　　= 136,432,000円

　　長　男A　　　　$272,865,000円 \times \frac{1}{2} \times \frac{1}{3}$　　= 45,477,000円

　　二　男B　　　　$272,865,000円 \times \frac{1}{2} \times \frac{1}{3}$　　= 45,477,000円

　　長　女C　　　　$272,865,000円 \times \frac{1}{2} \times \frac{1}{3}$　　= 45,477,000円

5．相続税の総額の基となる税額

　　　　　　　　　　　　　　　　（税率）　　（速算表控除額）
　　配偶者乙　　136,432,000円 × 40% － 17,000,000円 ＝ 37,572,800円
　　長　男A　　 45,477,000円 × 20% － 2,000,000円 ＝ 7,095,400円
　　二　男B　　 45,477,000円 × 20% － 2,000,000円 ＝ 7,095,400円
　　長　女C　　 45,477,000円 × 20% － 2,000,000円 ＝ 7,095,400円

6．相続税の総額

　　　　37,572,800円 ＋ 7,095,400円 ＋ 7,095,400円
　　　　＋ 7,095,400円 ＝ 58,859,000円

Ⅲ　納付すべき相続税額の計算

1．あん分割合

　　　　　　　　（課税価格）　（課税価格の合計額）
　　配偶者乙　　166,476,000円 ÷ 326,865,000円 ＝ 0.5093…→0.51
　　長　男A　　 68,799,000円 ÷ 326,865,000円 ＝ 0.2104…→0.21
　　二　男B　　 59,682,000円 ÷ 326,865,000円 ＝ 0.1825…→0.18
　　長　女C　　 25,000,000円 ÷ 326,865,000円 ＝ 0.0764…→0.08
　　孫　　D　　 6,908,000円 ÷ 326,865,000円 ＝ 0.0211…→0.02
　　　　　　　　　　　　　　　　　　　　　　　　計　1.00

2．算出税額

　　　　　　　　（相続税の総額）（あん分割合）
　　配偶者乙　　58,859,000円 × 0.51 ＝ 30,018,090円
　　長　男A　　58,859,000円 × 0.21 ＝ 12,360,390円
　　二　男B　　58,859,000円 × 0.18 ＝ 10,594,620円
　　長　女C　　58,859,000円 × 0.08 ＝ 4,708,720円
　　孫　　D　　58,859,000円 × 0.02 ＝ 1,177,180円

3．相続税額の2割加算

孫　　D　　　　1,177,180円 × 0.2 ＝ 235,436円

4．税額控除

(1) 贈与税額控除

長　男A　（令和2年分）　　485,000円

(2) 配偶者に対する相続税額の軽減

（課税価格の合計額）（法定相続分）
$$326,865,000円 \times \frac{1}{2} = 163,432,500円 > 160,000,000円$$

（配偶者の課税価格）
166,476,000円 ＞ 163,432,500円

（相続税の総額）
$$58,859,000円 \times \frac{163,432,500円}{326,865,000円} = 29,429,500円$$

5．各相続人等の納付税額

（単位：円）

区分＼相続人等	配偶者乙	長男A	二男B	長女C	孫 D	合 計
あん分割合	0.51	0.21	0.18	0.08	0.02	1.00
算 出 税 額	30,018,090	12,360,390	10,594,620	4,708,720	1,177,180	58,859,000
相続税額の2割加算					235,436	235,436
税額控除 贈与税額控除		△485,000				△485,000
税額控除 配偶者に対する相続税額の軽減	△29,429,500					△29,429,500
納 付 税 額（100円未満切捨て）	588,500	11,875,300	10,594,600	4,708,700	1,412,600	29,179,700

設 例 2 ——財産が未分割の例

1. 被相続人甲は，令和5年4月5日，大阪市内の自宅において死亡し，相続人等は，その日に相続の開始を知った。
2. 被相続人甲の相続人等の関係は，次図のとおりである。

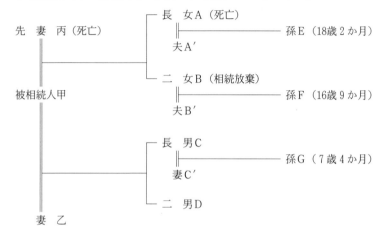

(注) 1. 被相続人甲の先妻丙及び長女Aは，いずれも甲の相続開始前に死亡している。
2. 被相続人甲の相続について，二女Bは，令和5年7月1日に家庭裁判所に申述し，正式に相続の放棄をした。
3. 孫E，F及びGの年齢は，いずれも甲の相続開始日現在のものであり，これら以外の相続人等は，いずれも成年に達している。
4. 被相続人甲の相続人等は，すべて日本国内に住所を有している。

3. 被相続人甲は，自筆による遺言書を作成しており，家庭裁判所に提出して検認を受けた。その内容は次のとおりであり，各受遺者はこれを承認し，遺言に基づいてそれぞれ次の財産を取得した。

(1) 二女Bに対する遺贈

宅 地（路線価方式適用） 226㎡

………… 1㎡当たりの自用地評価額 200,000円

この土地は，Bが被相続人甲から無償（使用貸借契約）で借り受け

ていたもので，Bの居住の用に供されている（この土地の所在する地域に適用される借地権割合は60％である）。

なお，Bは，被相続人甲とは生計を一にしていた者ではない。

(2) 孫Gに対する遺贈

株　式　20,000株

この株式は，東京に本店が所在するX社（東京証券取引所上場）の発行する株式で，その取引価格の状況は，次のとおりである。

令和5年4月5日の最終価格 ……………… 1株当たり　393円

令和5年4月の最終価格の月平均額 ………… 1株当たり　406円

令和5年3月の最終価格の月平均額 ………… 1株当たり　381円

令和5年2月の最終価格の月平均額 ………… 1株当たり　378円

4．被相続人甲の財産は，上記3により遺贈された財産のほか，次のものがある。

なお，これらの財産については，共同相続人間で分割の協議が整わず，甲に係る相続税の申告書の提出時においてその配分が決定していない。

① 宅　地（路線価方式適用）　320㎡

………… 1㎡当たりの自用地評価額　450,000円

この宅地は，相続開始の直前において被相続人甲及び妻乙の居住の用に供されていたものである。

② 家　屋（①の宅地上の建物）　180㎡

………………固定資産税評価額　4,750,000円

③ 銀行預金 ……………………………相続税評価額　96,750,000円

④ その他の財産 ………………………相続税評価額　74,500,000円

なお，この中には，仏具，墓地の価額2,000,000円が含まれている。

5．被相続人甲の相続開始時における債務として，S銀行からの借入金37,000,000円と甲に係る未納の公租公課3,000,000円があるが，これらの債務の負担者は相続税の申告書の提出時には確定していない。

なお，借入金37,000,000円のなかには，墓地の購入に係るものが1,000,000

円含まれている。

6．被相続人甲の葬式の前後に要した費用は，次のとおりであり，これらはすべて妻乙が負担した。

①	通夜の費用	1,000,000円
②	仮葬式の費用	800,000円
③	本葬式の費用	2,500,000円
④	寺への布施	1,000,000円
⑤	仏具の購入費	200,000円
⑥	初七日法要の費用	700,000円
⑦	香典返しの費用	1,300,000円

7．被相続人甲の死亡を保険事故として，相続開始後に相続人等が取得した生命保険契約の保険金は，次表のとおりである。

保険金受取人	保険金額	払込保険料	保険料の負担者
妻　　　　乙	40,000,000円	7,000,000円	被相続人甲
二　女　　B	20,000,000	4,500,000	被相続人甲 $\frac{1}{2}$，二女B $\frac{1}{2}$
長　男　　C	15,000,000	1,500,000	被相続人甲
孫　　　　E	6,000,000	900,000	被相続人甲 $\frac{2}{3}$，長女の夫A′ $\frac{1}{3}$

8．被相続人甲が役員をしていたN社から相続開始後に支払われた退職金等は次のとおりであり，これらは全て妻乙が取得した。

　　死亡退職金　　　　40,000,000円
　　弔　慰　金　　　　 8,000,000円

　なお，被相続人甲が死亡直前にN社から支給を受けていた給与は，月額1,000,000円であり，甲の死亡は，いわゆる業務上の死亡には該当しない。

9．被相続人甲の生前において，相続人等が甲から贈与された財産は，次表のとおりである。なお，贈与税について申告を行うべきものは，全て適法に行われている。

受贈年月日	受贈者	受贈財産	財産の相続時の価額	財産の贈与時の価額
平成30年3月10日	二男D	土　地	8,000,000円	12,000,000円
令和2年2月20日	二女B	現　金	5,000,000	5,000,000
令和3年10月20日	長男C	上場株式	4,000,000	3,000,000

これらの贈与について，各人が納付した贈与税の額は，次のとおりである。

　　二男D（平成30年分）　2,460,000円

　　二女B（令和2年分）　　485,000円

　　長男C（令和3年分）　　190,000円

解 答

I　相続税の課税価格の計算

1. 遺贈により取得した財産価額の計算

  (1) 二女B

    土　地 ……………………………200,000円 × 226㎡ ＝ 45,200,000円
    （注）使用貸借により貸付けている土地は，自用地として評価する。

  (2) 孫　G

    株　式 ……………………………378円 × 20,000株 ＝ 7,560,000円
    （注）課税時期の最終価格（393円），4月の最終価格の月平均額（406円），
    　　3月の最終価格の月平均額（381円），2月の最終価格の月平均額
    　　（378円），のうち最も低い価格（378円）が1株当たりの評価額にな
    　　る。

2. 相続により取得した財産（未分割財産）価額の計算

  (1) 未分割財産の価額

    宅　地 ……………………………450,000円 × 320㎡ ＝ 144,000,000円
    家　屋 …………………………………………………………　4,750,000円
    銀行預金 ………………………………………………………　96,750,000円
    　　　　　　　　　　　　　　　　　　　（仏具，墓地）
    その他の財産 ……………74,500,000円 － 2,000,000円 ＝ 72,500,000円
    　　合　　計　　　　　　　　　　　　　　　　　　　　318,000,000円

  (2) 特別受益額

    二男Dに対する生前贈与額 ………………………………………8,000,000円
    長男Cに対する生前贈与額 ………………………………………4,000,000円
    　　合　　計　　　　　　　　　　　　　　　　　　　　12,000,000円
    （注）相続人に対する生前贈与財産の相続開始時の価額が民法903条に規定
    　　する特別受益額となる。

  (3) みなす相続財産価額
    　　　　　（未分割財産価額）　（特別受益額）
    　　　　　318,000,000円 ＋ 12,000,000円 ＝ 330,000,000円

(4) 未分割財産に対する具体的相続分の価額

　妻　　乙　　330,000,000円 × $\frac{1}{2}$ 　　　　　　　　　　　＝ 165,000,000円

　長　男C　　330,000,000円 × $\frac{1}{2}$ × $\frac{1}{3}$ － $\overset{(特別受益額)}{4,000,000円}$ ＝ 51,000,000円

　二　男D　　330,000,000円 × $\frac{1}{2}$ × $\frac{1}{3}$ － $\overset{(特別受益額)}{8,000,000円}$ ＝ 47,000,000円

　孫　　E　　330,000,000円 × $\frac{1}{2}$ × $\frac{1}{3}$ 　　　　　　　＝ 55,000,000円

3．生命保険金及び非課税金額の計算
(1) 相続又は遺贈により取得したものとみなされる保険金の額

　妻　　乙 ……………………………………………………40,000,000円

　二　女B ……………………20,000,000円 × $\frac{1}{2}$ ＝ 10,000,000円

　長　男C ……………………………………………………15,000,000円

　孫　　E ……………………6,000,000円 × $\frac{2}{3}$ ＝ 4,000,000円

(2) 非課税金額
　① 相続人が取得した保険金の合計額

　　　　　40,000,000円（乙）＋ 15,000,000円（C）
　　　　　＋ 4,000,000円（E）＝ 59,000,000円

　② 非課税限度額

　　　5,000,000円 × 5人（法定相続人数）＝ 25,000,000円（＜ 59,000,000円）

　　（注）法定相続人は，妻乙，二女B，長男C，二男D，孫Eの5人

　③ 各相続人の非課税金額

　　妻　　乙 ……………25,000,000円 × $\frac{40,000,000円}{59,000,000円}$ ＝ 16,949,153円

　　長　男C ……………25,000,000円 × $\frac{15,000,000円}{59,000,000円}$ ＝ 6,355,932円

　　孫　　E ……………25,000,000円 × $\frac{4,000,000円}{59,000,000円}$ ＝ 1,694,915円

(3) 課税価格に算入される保険金の額

　　妻　　乙　……………40,000,000円 － 16,949,153円 ＝ 23,050,847円
　　二　女B　………………………………………………………10,000,000円
　　長　男C　……………15,000,000円 － 6,355,932円 ＝ 8,644,068円
　　孫　　E　………………4,000,000円 － 1,694,915円 ＝ 2,305,085円

4．退職手当金等及び非課税金額の計算
 (1) 相続又は遺贈により取得したとみなされる退職手当金等の額

　　　　　　　　　　（死亡退職金）　　　（弔慰金）
　　妻　　乙………40,000,000円 ＋（8,000,000円
　　　　　－ 1,000,000円 × 6 月）＝ 42,000,000円

　　（注）弔慰金（8,000,000円）のうち，給与の 6 か月分（6,000,000円）を超える部分が退職手当金等として課税対象になる。

 (2) 非課税金額

　　　　　　5,000,000円 × 5 人（法定相続人数）＝ 25,000,000円

 (3) 課税価格に算入される退職手当金等の額

　　　　　　42,000,000円 － 25,000,000円 ＝ 17,000,000円

5．債務控除額の計算
 (1) 債　務
　① 債務の金額

　　　　　（借入金）　　　（公祖公課）　（墓地購入借入金）
　　　　37,000,000円 ＋ 3,000,000円 － 1,000,000円 ＝ 39,000,000円

　② 各相続人の控除額

　　妻　　乙　………………39,000,000円 × $\frac{1}{2}$　　　＝ 19,500,000円

　　長　男C　………………39,000,000円 × $\frac{1}{2}$ × $\frac{1}{3}$ ＝ 6,500,000円

　　二　男D　………………39,000,000円 × $\frac{1}{2}$ × $\frac{1}{3}$ ＝ 6,500,000円

孫　　E ·····················39,000,000円 × $\frac{1}{2}$ × $\frac{1}{3}$ ＝ 6,500,000円

(2) 葬式費用

　　　　　　　　　　（通夜費用）　　（仮葬式費用）　　（本葬式費用）
妻　　乙········1,000,000円 ＋ 800,000円 ＋ 2,500,000円

　　　　　　　（寺の布施）
　　　＋ 1,000,000円 ＝ 5,300,000円

6．相続税の課税価格に加算される生前贈与財産の価額

　　　長　男 C（令和 2 年10月20日贈与）···············3,000,000円

　　（注）二男Dと二女Bの受贈財産は，いずれも相続開始前 3 年以内のものでないため課税価格への加算はない。

　　　　　なお，生前贈与財産の価額の課税価格への加算対象期間については，93ページ参照。

7．各相続人等の相続税の課税価格

（単位：円）

区分＼相続人等	妻 乙	長男C	二男D	孫 E	二女B	孫 G	合　計
遺贈による取得財産					45,200,000	7,560,000	52,760,000
相続による取得財産（未分割財産）	165,000,000	51,000,000	47,000,000	55,000,000			318,000,000
生命保険金	23,050,847	8,644,068		2,305,085	10,000,000		44,000,000
退職手当金等	17,000,000						17,000,000
債務控除 債務	△19,500,000	△6,500,000	△6,500,000	△6,500,000			△39,000,000
債務控除 葬式費用	△5,300,000						△5,300,000
生前贈与財産の加算額		3,000,000					3,000,000
課税価格（1,000円未満切捨て）	180,250,000	56,144,000	40,500,000	50,805,000	55,200,000	7,560,000	390,459,000

Ⅱ 相続税の総額の計算

1. 課税価格の合計額　　　　　　　　　　　　　　　　390,459,000円

2. 遺産に係る基礎控除額

    30,000,000円 ＋ 6,000,000円 × 5（人）＝ 60,000,000円

3. 課税遺産額　　　390,459,000円 － 60,000,000円 ＝ 330,459,000円

4. 法定相続分に応ずる取得金額（1,000円未満切捨て）

    妻　　乙　　　330,459,000円 × $\frac{1}{2}$ ＝ 165,229,000円

    二　女 B　　　330,459,000円 × $\frac{1}{2}$ × $\frac{1}{4}$ ＝ 41,307,000円

    長　男 C　　　330,459,000円 × $\frac{1}{2}$ × $\frac{1}{4}$ ＝ 41,307,000円

    二　男 D　　　330,459,000円 × $\frac{1}{2}$ × $\frac{1}{4}$ ＝ 41,307,000円

    孫　　E　　　330,459,000円 × $\frac{1}{2}$ × $\frac{1}{4}$ ＝ 41,307,000円

5. 相続税の総額の基となる税額

    　　　　　　　　　　　　　　　（税率）　（速算表控除額）
    妻　　乙　　165,229,000円 × 40％ － 17,000,000円 ＝ 49,091,600円
    二　女 B　　 41,307,000円 × 20％ － 2,000,000円 ＝ 6,261,400円
    長　男 C　　 41,307,000円 × 20％ － 2,000,000円 ＝ 6,261,400円
    二　男 D　　 41,307,000円 × 20％ － 2,000,000円 ＝ 6,261,400円
    孫　　E　　 41,307,000円 × 20％ － 2,000,000円 ＝ 6,261,400円

6. 相続税の総額

    49,091,600円 ＋ 6,261,400円 ＋ 6,261,400円
    ＋ 6,261,400円 ＋ 6,261,400円 ＝ 74,137,200円

Ⅲ 納付すべき相続税額の計算

1．あん分割合

	（課税価格）	（課税価格の合計額）		
妻　　乙	180,250,000円	÷ 390,459,000円	= 0.4616…→	0.46
長　男C	56,144,000円	÷ 390,459,000円	= 0.1437…→	0.15
二　男D	40,500,000円	÷ 390,459,000円	= 0.1037…→	0.10
孫　　E	50,805,000円	÷ 390,459,000円	= 0.1301…→	0.13
二　女B	55,200,000円	÷ 390,459,000円	= 0.1413…→	0.14
孫　　G	7,560,000円	÷ 390,459,000円	= 0.0193…→	0.02
			計	1.00

2．算出税額

	（相続税の総額）	（あん分割合）	
妻　　乙	74,137,200円	× 0.46 =	34,103,112円
長　男C	74,137,200円	× 0.15 =	11,120,580円
二　男D	74,137,200円	× 0.10 =	7,413,720円
孫　　E	74,137,200円	× 0.13 =	9,637,836円
二　女B	74,137,200円	× 0.14 =	10,379,208円
孫　　G	74,137,200円	× 0.02 =	1,482,744円

3．相続税額の2割加算

孫　　G　　1,482,744円 × 0.2 = 296,548円

4．税額控除

(1) 贈与税額控除

長　男C　（令和元年分）　　190,000円

(2) 配偶者に対する相続税額の軽減

（課税価格の合計額）　（法定相続分）

390,459,000円 × $\frac{1}{2}$ = 195,229,500円 > 160,000,000円

$$\begin{pmatrix}\text{生命保険金}\\23,050,847円\end{pmatrix} + \begin{pmatrix}\text{退職手当金等}\\17,000,000円\end{pmatrix}$$

$$= 40,050,847円 \rightarrow \begin{pmatrix}\text{軽減の対象となる}\\\text{配偶者の課税価格}\end{pmatrix} 40,050,000円 < 195,229,500円$$

$$\begin{pmatrix}\text{相続税の総額}\\74,137,200円\end{pmatrix} \times \frac{40,050,000円}{390,459,000円} = 7,604,370円$$

(3) 未成年者控除

　　孫　　E　　　100,000円 ×（20歳 － 18歳）＝ 200,000円

5．各相続人等の納付税額

（単位：円）

区分 \ 相続人等	妻　乙	長男C	二男D	孫　E	二女B	孫　G	合　計
あん分割合	0.46	0.15	0.10	0.13	0.14	0.02	1.00
算出税額	34,103,112	11,120,580	7,413,720	9,637,836	10,379,208	1,482,744	74,137,200
相続税額の2割加算						296,548	296,548
税額控除　贈与税額控除		△190,000					△190,000
税額控除　配偶者に対する相続税額の軽減	△7,604,370						△7,604,370
税額控除　未成年者控除				△200,000			△200,000
納付税額（100円未満切捨て）	26,498,700	10,930,500	7,413,700	9,437,800	10,379,200	1,779,200	66,439,100

著者紹介

昭和25年長野県生まれ。中央大学商学部卒業後、昭和53年税理士試験合格。税理士として中小企業の税務・経営を指導するとともに、セミナー・講習会の講師も担当。

現在、日本税理士会連合会税制審議会専門委員、早稲田大学大学院法務研究科講師。

主な著書に、「民法・税法による遺産分割の手続と相続税実務」(税務研究会)、「法人税・消費税の実務処理マニュアル」(日本実業出版社)、「税理士のための相続法と相続税法」(清文社)などがある。

知っておきたい
相続税の常識〔第24版〕

1997年10月15日　初　版　発　行
2023年 7 月 1 日　第24版発行

著　者　　小池正明

発行者　　大坪克行

発行所　　株式会社 税務経理協会
　　　　　〒161-0033東京都新宿区下落合1丁目1番3号
　　　　　http://www.zeikei.co.jp
　　　　　03-6304-0505

印　刷　　税経印刷株式会社

製　本　　牧製本印刷株式会社

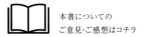

本書についての
ご意見・ご感想はコチラ

http://www.zeikei.co.jp/contact/

本書の無断複製は著作権法上の例外を除き禁じられています。複製される場合は、そのつど事前に、出版者著作権管理機構(電話03-5244-5088、FAX03-5244-5089, e-mail: info@jcopy.or.jp)の許諾を得てください。

JCOPY ＜出版者著作権管理機構 委託出版物＞
ISBN 978-4-419-06944-5　C3032

© 小池正明 2023 Printed in Japan